Traducción
"SIDS & I

Cómo aceptar la muerte súbita e inesperada de un niño

Información y apoyo para familias en proceso de duelo y para amigos y profesionales que desean ayudarlos

~ Joani Nelson Horchler y Robin Rice

Prólogo del actor *Lloyd Bridges*

Introducción del *Dr. Alejandro G. Jenik*
Coordinador del Centro de Apneas del Departamento de Pediatría del Hospital Italiano de Buenos Aires

Traducido al español
por *Mariángeles Esquerdo*

SIDS Educational Services
Cheverly, Maryland
2004

Library of Congress Cataloging-in-Publication Data

Horchler, Joani Nelson, 1956-
SIDS & infant death survival guide. Spanish.
Cómo aceptar la muerte súbita e inesperada de un niño: información y apoyo para familias en proceso de duelo y para amigos y profesionales que desean ayudarlos / Joani Nelson Horchler y Robin Rice; prológo del actor Lloyd Bridges; introducción del Dr. Alejandro G. Jenik; traducido al español por Mariángeles Esquerdo.
p. cm.
Translation of: SIDS & infant death survival guide.
Includes bibliographical references (p.)
ISBN 0964121840
1. Sudden infant death survival guide *Psychological aspects.
2. Bereavement*Psychological aspects. I. Rice, Robin, 1962- II. Title.
RJ320.S93H6317 2004
618.92*dc21 2003-616457

Publicado en el año 2004 por:
SIDS Educational Services Inc.
Casilla de Correo 2426
Hyattsville, MD 20784

La edición 2003 en idioma inglés del presente libro fue publicada con el título "The SIDS Survival Guide" en 1994 y en 1997

Puede adquirir copias de este libro en librerías o a través de la orden de compra que aparece en las últimas páginas. También puede acceder a **www.sidssurvivalguide.org.**
Si desea obtener más información, comuníquese al 301-322-2620 o (en Estados Unidos de América) a la línea telefónica de atención gratuita 877-We-Love-You (877-935-6839). Puede enviar un fax al 301-322-9822. Nuestro correo electrónico es **sidses@aol.com.**

Foto de tapa: Photri/G. Schoolfield
Diseño de tapa: Pam Page Cullen
Diseño contenido: Mara Tornini - Diseñadora en Comunicación Visual

Nota de la escritora

"Cómo aceptar la muerte súbita e inesperada de un niño" no sólo es un libro acerca del Síndrome de Muerte Súbita del Lactante (SMSL). Entre las obras que he leído, pocas reivindican la vida de modo tan claro y constituyen una fuente de información tan valiosa. Los testimonios escritos por aquellas personas que sufrieron la pérdida de un ser querido inspiran y ejemplifican cómo podemos recuperarnos para volver a vivir después de una tragedia. Nos relatan el modo en que podemos recuperar la felicidad y la esperanza. Toda persona afectada por el SMSL o interesada en el tema, así como todo aquel que desee atestiguar el poder del amor, encontrarán ayuda en esta obra.

~ *Dr. James J. McKenna*
Profesor de Antropología y Director del laboratorio del sueño "Mother-Baby Behavioral Sleep Laboratory" de la Universidad de Notre Dame - Notre Dame, Indiana

Así como el Dr. McKenna, muchos revisores del presente libro señalaron que no se trata simplemente de una obra acerca del SMSL. Tanto su información como sus testimonios ayudan a cualquier persona que haya sufrido el fallecimiento de un niño, independientemente de la causa o de su edad.

Por este motivo, en el año 2003 decidimos cambiar el título por "Cómo aceptar la muerte súbita e inesperada de un niño". El objetivo de este cambio fue alcanzar a un público más amplio de lectores y satisfacer las necesidades de varios grupos que así lo solicitaban. El fallecimiento de un hijo causa un profundo dolor, sentimiento compartido por todas las personas afectadas. El libro presenta poemas, ensayos e historias relatadas por personas afectadas por esta tragedia. A través de sus testimonios podremos aprender a transitar el largo camino del dolor hacia un tiempo de paz y esperanza.

~ Christian Gabriel Horchler

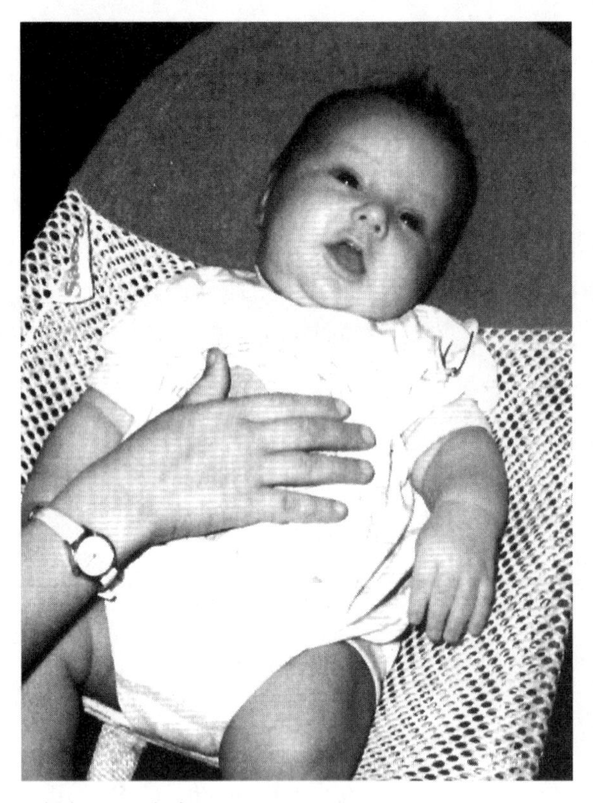

3/8/91 - 5/9/91

Dedicatoria

Para Christian Gabriel Horchler y para todos los niños fallecidos a causa del SMSL u otro motivo. Sus almas vivirán eternamente en nuestro corazón y a través de todos nuestros logros.

Para las hermanitas de Christian, Genevieve Désirée y Stephanie Laura, así como para todos aquellos "bebés sanadores".

Para las hermanas de Christian, Ilona Dora, Gabrielle Christine y Julianna Henriette

Para Gabe, mi héroe y padre de mis hijas.

Y para todas aquellas personas que sobrevivieron con valentía a la tragedia y que nos brindaron razones para vivir.

~Joani Nelson Horchler

Para Roxanne, mi niñera favorita. Para mis amigas de la infancia, Nelle y JoAnne. Para mi hermanito Ricky. Para Dick, mi amigo de la universidad. Y para mi padre David. Todos fallecieron a edad muy temprana y se transformaron en mis inspiradores en momentos de dolor.

~Robin Rice

Durante el Año Nuevo del año 1989 falleció nuestro hijo Mickey. Este libro constituye la fuente más amplia, esclarecedora, edificante y reflexiva que hemos leído acerca del SMSL. Compartimos su contenido con familiares y amigos que atestiguaron nuestra tragedia y no podían comprender nuestros sentimientos de enojo, culpa y depresión por haber sufrido el fallecimiento de nuestro bebé.

~ *Kathy y Steve Whelan*

Nuestro hijo Chase falleció a causa del SMSL en el año 1994. Era un bebé de tres meses totalmente sano y normal. No hubo señal de advertencia. Este libro constituyó un elemento esencial en nuestra recuperación, ya que ayudó a cada integrante de nuestra familia a superar la conmoción inicial, a responder las interminables preguntas y a aceptar la pérdida de un ser amado. En un primer momento, obsequiamos quince copias a integrantes de nuestra familia, a amigos y al párroco de nuestra iglesia. Recientemente donamos dieciséis copias a familias en duelo, a hospitales, a bibliotecas, a servicios de emergencias y a otros interesados en conocer las características del SMSL.

~ *Doug y Elise Brammer*

Indice

Prólogo

"Deseábamos tener cuatro hijos si la fortuna y las posibilidades económicas nos lo permitían. Luego de cuatro años de matrimonio fuimos bendecidos con la llegada de nuestro hijo Beau.
Dos años después, decidimos que era el momento oportuno para tener otro hijo. Pero desafortunadamente, mi esposa comenzó a sufrir un problema de infertilidad y durante cinco años se realizó todos los estudios y tratamientos existentes para corregirlo. Cuando comenzábamos a considerar la posibilidad de adoptar un niño, el milagro ocurrió y ella quedó embarazada. Con alegría y gratitud nos preparamos para ese glorioso acontecimiento.

Cuando nuestro hijo Garry nació el día 14 de julio, el momento parecía perfecto ya que en esa fecha se conmemora el Día de la Bandera y la consideramos fiesta nacional. Pesó cuatro kilos y medio al momento de nacer y fue declarado "hermoso" ya que en su rostro podían observarse dos hoyuelos. Decir que nuestra alegría era inmensa no alcanzaría. A las seis semanas de nacer, cuando el pediatra realizó su control nos comentó bromeando que nuestro hijo estaba tan bien que ya parecía un "defensa" de un equipo de fútbol. Nuestro orgullo era inmenso.

El día siguiente, mi esposa lo alimentó y luego bajó a desayunar. En ese momento ella dijo -"Qué buen bebé, se quedó dormido para que su mamá pudiera desayunar".

Luego subió nuevamente y fue en ese momento cuando escuché su grito. Subí y comprendí la razón, nuestro bebé yacía inerte y sin vida en sus brazos.

Corrimos desesperados hacia el automóvil y lo llevamos al primer médico que encontramos. Mientras el médico realizaba su desesperada labor, fueron llamados los paramédicos. Todos los esfuerzos fueron en vano, nuestro hermoso bebé había fallecido.

Los días, las semanas y los meses posteriores fueron de dolorosa agonía. No existe explicación filosófica o religiosa que pueda evitar la conmoción que un padre siente ante el fallecimiento de su hijo. De poca ayuda fueron las personas con quienes hablamos o los libros que consultamos.

Sin embargo, en forma gradual e inexorable comenzaron a aparecer las señales de esperanza y razón, así como de gratitud por Beau, el hijo que aún teníamos. De este modo, nuestros recuerdos felices comenzaron a mezclarse con los de dolor, y puedo afirmar que es cierto que el tiempo cura las heridas.

Nunca se olvida y a veces se revive el horror de ese terrible momento. Si usted, como yo, fue lo suficientemente afortunado como para tener otros hijos después del fallecimiento de su bebé, entonces estará de acuerdo en que la ansiedad es mucho mayor al saber que este peligro existe.

Cuando nos preguntan cuantos hijos tenemos nos gustaría decir "cuatro" porque nuestro pequeño Garry es aún parte de nuestras vidas. Pero entonces las personas que preguntaron nos responden- "Pero nosotros conocemos a Beau, Jeff y Cindy -¿tienen otro hijo? "

Y ese es el momento en que nos vemos forzados a explicar un hecho que aún nos resulta increíble, que nuestro bebé Garry falleció cuando sólo era un bebé. Esto nos sucede porque siempre está con nosotros, más allá del horizonte. Por eso, cada 14 de julio, cuando se izan las banderas, sabemos que es por el cumpleaños de nuestro hijo Garry".

~ Lloyd Bridges

Prefacio

"La vida es algo que nos sucede al mismo tiempo que hacemos planes"

~ Margaret Millar

"Hasta mis treinta y cinco años, yo creía estar escribiendo la historia de mi vida. Esto no significa que todo en mi vida hubiese sido perfecto. Mi padre y mi hermano habían fallecido cuando yo era muy pequeña. No obstante, siempre sentí que tenía control sobre mi vida y algo de desdén por aquellas personas que afirman que el destino o Dios controlan nuestra existencia.

Entonces, cuando cumplí treinta y cinco años, sentada en mi sillón abriendo obsequios y observando a mi amado esposo, a mis tres bellas hijas y a mi robusto y apuesto bebé de seis semanas pensé - "Debo haber hecho bien las cosas porque mi familia y mi vida son perfectas". Sin embargo, sentía una extraña sensación de incomodidad- "¿Sería todo demasiado perfecto u ocurriría algo nefasto?".

Dos semanas después, mi bebé Christian falleció en forma inexplicable y mi mundo perfecto quedó destrozado. Había perdido el control y ya no escribiría la historia de mi vida. Sentía que se me había amputado mi mejor faceta, "mi aptitud como madre" de un bebé que aún amamantaba. Comencé a creer que yo debería ser la persona más incompetente y horrible sobre la tierra porque había fracasado y mi bebé estaba muerto. Aunque todos me decían que no debía culparme por la muerte de Christian a causa del SMSL, no podía dejar de pensar que seguramente me había equivocado en algo.

Pensaba constantemente en mi posible culpa, ya que un bebé sano no puede morir sin un motivo aparente. Constituía una terrible carga el hecho de pensar que yo era la única culpable de haber destruido la felicidad de mi familia. Cuando el sentimiento de culpa comenzó a disminuir, comencé a sentir una tempestad de sensaciones de enojo hacia el destino, hacia Dios y hacia aquéllos que decían cosas sin sentido. Hasta llegué a sentir enojo hacia mi bebé por habernos dejado y con frecuencia me deprimía.

Deseo compartir estas vivencias con las familias que están comenzando a vivir el duelo, porque supongo que experimentan las mismas emociones. También sé que las personas que en esos momentos nos acompañan tienen buenas intenciones pero no pueden siquiera imaginar lo que se siente al perder un hijo. ¿Qué podemos sentir cuando pensamos que hemos arrojado por la borda cinco o diez años de nuestra vida? Ni siquiera se puede imaginar cómo se afrontarán los siguientes minutos, horas y días, y menos aún las próximas semanas, meses y años de desesperación. Solemos pensar que nuestra vida a partir de ese momento será una mezcla de enojo, culpa y amargura. El dolor que se experimenta es tan profundo que a veces parece intolerable y eterno, y resulta molesto escuchar a ciertas personas que no han vivido la pérdida de un hijo decir que comprenden nuestro dolor. La realidad es que ni lo comprenden ni lo pueden siquiera imaginar. Lo que sí se necesita es a aquellas personas capaces de decir -"He podido superar la muerte de mi hijo, y puedo brindarle algunos consejos prácticos que lo pueden ayudar a superar su dolor". La anterior es la razón por la cual he escrito el presente libro- para brindarle alivio y esperanza a través de las historias de aquellas personas que aprendieron a vivir después del SMSL.

En una primera etapa, debemos encontrar una explicación a nuestra profunda desesperación. Ann Finkbeiner, en su libro "Luego del fallecimiento de un niño" (After the Death of a Child) dice que nuestros hijos son "una parte de nuestro ser y una de las razones por las cuales nacemos". Su libro aparece citado como lectura recomendada en el presente libro. También dice -"Los hijos son en esencia el cuerpo y el alma de sus padres".

En otro de los libros sugeridos, "Muere un niño: retrato del dolor familiar" (A Child Dies: A Portrait of Family Grief), Penélope Gemma escribe que cuando fallece un niño en nuestra sociedad "el dolor de la familia recibe poco reconocimiento y apoyo". Hagan y Gemma afirman que nuestros hijos, nuestro tesoro más preciado "es algo insignificante a los ojos de la sociedad". Como la mayoría de las personas no le brindarán el apoyo necesario, usted mismo deberá buscarlo. En "Cómo aceptar la muerte súbita e inesperada de un niño", encontrará información, consuelo y fuerza de aquéllos que de verdad pueden comprender sus sentimientos - personas que han perdido un bebé a causa del SMSL. Desearíamos poder decirle que su dolor desaparecerá por completo, pero lamentablemente no podemos mentirle. La experiencia reunida en tantos testimonios nos permite afirmar que el dolor nunca desaparece por completo, pero se suaviza y se aprende a vivir con él. Más aún, muchas personas que participaron en el presente libro han crecido luego de su tragedia personal, han podido apreciar en mayor medida lo que aún poseen y a ser más generosos con los demás. Muchas personas comprenden que su escala de valores cambió debido a que la muerte puso de manifiesto lo verdaderamente importante. Y muchos han aprendido a sensibilizarse ante el dolor ajeno.

Por supuesto que nuestro deseo sería tener a nuestro bebé otra vez en lugar de todo lo antes mencionado, pero esa opción no está a nuestro alcance. Las únicas opciones reales son: 1) suicidarse (la cual desaconsejamos); 2) sentir enojo, culpa o amargura (opciones sencillas pero desafortunadas); y 3) seguir adelante con nuestras vidas en la medida de lo posible recordando a nuestro hijo. Creo que la última opción es la que preferirían nuestros bebés, y es la única que permitirá que nuestra vida tenga sentido.

Debo admitir que aún luego de once años de haber fallecido mi hijo Christian, a veces continúo sintiendo enojo. El mes que hubiera comenzado el jardín de infantes fue terrible. También sufrí mucho el día que mi esposo salvó de ahogarse a un niño, exactamente el año en que Christian debería tener tres. Me sentí feliz por él pero a la vez sentí envidia por la suerte que habían tenido.

A pesar de que adoraba a mi madre, su muerte en el año 1994 (cuando un camión sin frenos embistió a su automóvil) no me fue tan difícil de aceptar como el fallecimiento de mi hijo.

Sentí temor ante la muerte de mi madre, pero al mismo tiempo esperaba que el tiempo curara la herida. ¿Quién puede comprender la muerte de un bebé sano? El SMSL es un acontecimiento terriblemente injusto. Me sentía engañada por haber tenido un hijo, y sentía que el hecho de que me arrebataran algo tan vital significaba que nunca sería la misma otra vez.

Sin embargo, la herida abierta y sangrante de mi corazón está cicatrizando, y he comenzado a llenar ese espacio vacío con bellos recuerdos y con el amor que siempre sentiré por Christian. Si bien en una primera etapa era muy doloroso recordar aquellos días perfectos con él, en la actualidad vivo esos recuerdos con alegría. Es verdad que el tiempo ayuda, y ahora, cuando realizo alguna actividad divertida con mis otras hijas, puedo sentir algo de placer -no sólo dolor- al pensar que Christian hubiera disfrutado compartir ese momento. No creo que se pueda simplemente "dejar ir" a un hijo. Nunca lo he permitido porque deseo que mi hijo sea una parte de mí para siempre. Sin embargo, sí creo que es fundamental "dejar salir" todo el dolor posible asociado con su fallecimiento.

Siento que Christian está con nosotros en espíritu, y no lo afirmo desde un punto de vista religioso. Intento preservar mi relación espiritual con él dedicando tiempo a mi duelo; conversando con otras familias que han vivido la misma experiencia recientemente y colaborando para las sucesivas ediciones del presente libro.

Cuando en el año 1994 escribimos la primera edición, carecíamos casi por completo de los fondos necesarios para publicarla. Afortunadamente, el "University of Maryland SIDS Institute" (Instituto de investigación del SMSL de la Universidad de Maryland) a través de su anterior director el Dr. M. John O'Brien, colaboró con una donación de cuatro mil dólares proveniente de "Baltimore Harbor Cruises".

Healthdyne Technologies contribuyó asimismo como el mayor donante. También debemos mencionar la importancia de pequeñas donaciones provenientes de particulares.

Muchos libros como el presente no llegan a publicarse debido a los elevados costos de impresión, marketing, distribución, y a la gran cantidad de horas de labor necesarias por parte de SIDS-ES, su editor y distribuidor. Debido a las anteriores razones creamos una organización sin fines de lucro que adquirió el status 501 (c) en el año 1994. Necesitábamos donaciones libres de impuestos para publicar el presente libro y continuar con nuestro trabajo.

Desafortunadamente, el libro no puede subsistir sólo de aquellos fondos provenientes de las ventas. Nuestro objetivo es poder brindar el presente libro en forma gratuita a aquellas familias que han sufrido un fallecimiento recientemente. Jennifer Banowsky, coordinadora del grupo de apoyo a familias víctimas del SMSL en San Antonio, dice -"la primera vez que leí el libro fue después de dos años y medio dc haber fallecido mi hijo Zachary, y aún continúa siendo de gran ayuda para mí. Sólo hubiera deseado haberlo leído antes". Actualmente Jennifer afirma -"estamos muy felices de poder ofrecer el presente libro a las familias que acaban de experimentar una pérdida". Su organización es una de las que brindan apoyo a familiares que vivieron la muerte de un ser querido a causa del SMSL, comprando mediante donaciones y subsidios gran cantidad de libros a SIDS-ES para distribuirlos entre aquellas familias que lo necesiten. Las organizaciones y las personas que auspician el presente libro de la forma mencionada con anterioridad aparecen nombradas en los agradecimientos. De esta forma, SIDS-ES puede continuar imprimiendo esta edición limitada, para asegurar que las familias que lo necesiten reciban con la mayor celeridad posible luego de la muerte del ser querido el libro de apoyo más completo acerca del SMSL disponible en el mercado. Entre los recursos exentos de impuestos podemos mencionar las donaciones del presente libro a grupos de apoyo a familiares de víctimas del SMSL, hospitales, médicos, bibliotecas, servicios de emergencia, guarderías, y otras organizaciones. Auspiciar la edición de libros puede ser una forma maravillosa de rendir tributo a la memoria de su bebé (al colocar una etiqueta impresa en la contratapa de cada libro con el nombre del niño víctima del SMSL). También es importante educar al público en general acerca del SMSL y asegurarse de que las nuevas familias que lo han sufrido reciban toda la información y el apoyo necesarios en forma inmediata luego del fallecimiento de su bebé.

Además de estar agradecidos con quienes auspician nuestro libro, estaré eternamente en deuda con aquéllos que contribuyeron a la realización del mismo. Al compartir su dolor a través de profundos testimonios personales, constituyen un ejemplo de valentía y generosidad y nos transmiten una forma de afrontar lo que puede considerarse la más dolorosa pérdida en la vida de una persona – la muerte de un hijo. Lo que dichos testimonios nos transmiten puede aplicarse a otras pérdidas que experimentamos en nuestra vida, de las que ninguna persona está exenta.

Aunque no existe mayor dolor que el de perder un hijo, todos experimentamos dolor, ya sea provocado por una muerte, separación, divorcio o una profunda desilusión.

Ya que quizás usted también esté atravesando un período de duelo, le propongo que me escriba y me cuente su experiencia personal. Me gustaría saber qué sugerencias del presente libro lo ayudaron y si encontró alguna otra estrategia útil que desee compartir. Me gustaría conocer su historia y leer sus poemas, ya que resulta terapéutico que usted escriba sus vivencias. Como es imposible publicar toda la información que recibimos, le ayudaremos a identificar otras publicaciones, como páginas en Internet, boletines de noticias relativos al SMSL, periódicos regionales, nacionales y revistas. Puede contactarse con nosotros a través de nuestra pequeña organización sin fines de lucro SIDS-ES en la casilla de correo 2426, Hyattsville, MD 20784. También puede escribir a mi casilla de correo electrónico sidses@aol.com , o llamarme al 877-We-Love-You (línea gratuita) o al 301-322-2620. Nuestra página web es www.sidssurvivalguide.org y www.dancingonthemoon.org

Por favor llámeme si necesita apoyo emocional. De esa forma usted me ayudará a conmemorar la memoria de mi hijo y a sentirme mejor al poder aconsejarlo desde mi experiencia personal. Uno de los objetivos de nuestra organización es brindar apoyo a familiares en duelo a través de un grupo de voluntarios en todos el país, para quienes constituye un honor escuchar y ofrecer sugerencias prácticas para aprender a superar el SMSL. También podemos derivarlo al grupo local de apoyo a víctimas del SMSL, listas gratuitas de recursos y conferencias.

Si tiene sugerencias para lograr algún tipo de publicidad acerca del SMSL o del presente libro, por favor contácteme. Con frecuencia me preguntan por qué no difundimos más el libro en televisión, en programas de debate. Aquí explico el motivo: en el año 1994, cuando se publicó la primera edición de "Cómo aceptar el SMSL", fui invitada a participar en un programa nacional. Cuando comenzaba a empacar para viajar a Los Ángeles, un asistente de producción me llamó para cancelar la invitación. La explicación fue que su jefe había decidido "poner el énfasis en historias más sensacionalistas".

Realmente exaspera observar cómo un tema de salud tan importante como el SMSL queda en un segundo plano ante casos más impresionantes como el de un monstruo que ahoga a su propio bebé o el caso de algún pervertido que tiene relaciones sexuales con la hija adolescente de su novia. Lo que resulta aún peor es que cuando estos programas tocan el tema del SMSL lo hacen a partir de casos excepcionales a través de los cuales dejan entrever una relación entre el síndrome y el homicidio. Sí tuvimos una buena experiencia cuando hablamos del SMSL en un programa de la TV de Washington, el "Broadcast House Live-WUSA". Sin embargo, la experiencia nos ha enseñado a desconfiar de la atención de los medios de comunicación.

Para concluir, me gustaría agregar que fueron otros padres víctimas del SMSL quienes me ayudaron a reunir la energía emocional, la comprensión y el apoyo necesarios para escribir y editar el presente libro. Ellos fueron mi "guía de supervivencia", al caminar a mi lado en el oscuro sendero del dolor y al ayudarme a incorporar cada vez que me derrumbaba. A modo de ejemplo, puedo mencionar a Sandy Lamb, quien había perdido a su hijo un año antes de que yo perdiera a Christian. Sandy me guió durante mi duelo al relatarme un sueño que había tenido aproximadamente un año después del fallecimiento de Christian. En ese momento, me encontraba presa entre el dolor y el enojo. En su sueño, su hijo, mi bebé y otros dos niños que habían fallecido a causa del SMSL eran espíritus de tres a cinco años de edad que jugaban en una cancha de baseball. Mi hijo Christian, el más pequeño, vestía su traje y su gorra de baseball pero en lugar de jugar estaba sentado sobre un banco de madera. En su sueño, Sandy le preguntaba porqué no estaba jugando y Christian le respondía -"No puedo jugar hasta que mamá no lo haga".

Este libro es mi modo de salir a jugar.

~ Joani Nelson Horchler

Agradecimientos

Muchas gracias al Dr. Alejandro G. Jenik (Pediatra y Neonatólogo - Coordinador del Centro de Apneas del Departamento de Pediatría del Hospital Italiano de Buenos Aires), por haber colaborado durante mucho tiempo para que la edición en idioma español de *"Cómo Aceptar la Muerte Súbita e Inesperada de un Niño"* fuese posible.

También deseamos agradecer a la Traductora Mariángeles Esquerdo por su excelente interpretación de la obra al idioma español.

Agradecemos asimismo al proyecto "*Sudden Infant Death Syndrome/Other Infant Death Project*" del "*National Center for Cultural Competence*" del centro "*Georgetown University Center for Child and Human Development*" por haber colaborado en la labor de traducción.

Por su colaboración económica para que la edición en idioma español fuese posible, deseamos agradecer a nuestros principales auspiciantes:

"*Wawa Inc*".; "*CJ Foundation for SIDS*", "*Zack's Walk/The SIDS Network*" (*www.sids-network.org* *www.zacksplace.com*) y a las familias de Zackary Herkins; Max Arias; Chassidy Clements; Margaret Mihalko; y Megan Jean Biebel. También agradecemos a "*SIDS Alliance of the Carolinas*"; "*Whitney Marie (Figliozzi) Foundation*"; al Dr. John O'Brien (en conmemoración de su hermana Catherine, que falleció a los quince años de edad) y a la familia de Daniel C. Roper IV. Gracias a Kathy y Darrel Gustin (hermana y cuñado de la co-autora Joani Horchler).

Agradecemos asimismo a empleados del gobierno y del ámbito privado por su colaboración con nuestra organización a través de la campaña "Combined Federal Campaign", "Charitable Choices" y "United Way".

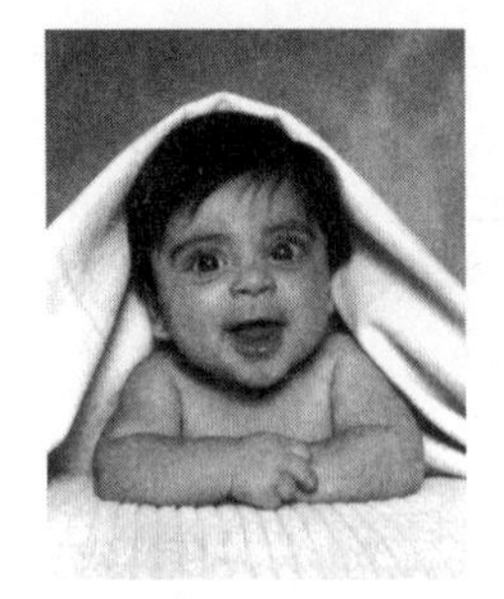

~ *Sebastian Maximiliano Arias*
"Bebé Max"
14/04/02 - 27/08/02

"Cuánto te extrañamos. Quisiéramos tenerte una vez más en nuestros brazos para decirte todo aquello que no podemos decirte desde el día que te marchaste al cielo. Aunque sabemos que todos los días nos observas y nos das fuerzas para seguir adelante, daríamos nuestra vida por estar contigo un día más.

El día que tú naciste fue el más feliz de nuestras vidas. Dejamos de ser dos para ser una familia. El centro de nuestro amor era tu dulce sonrisa, tu cabello rebelde y tus grandes y traviesos ojos. Éramos tan felices. Llenaste nuestros corazones de amor, paz y una fe que sólo tú nos pudiste brindar. Hoy soñamos con tus ojos azules y tu bello rostro.

Siempre estarás en nuestros corazones y en nuestros sentimientos. Siempre serás nuestro pequeño ángel Max. Espéranos en el cielo.

Siempre te amaremos..."

Mamá y papá

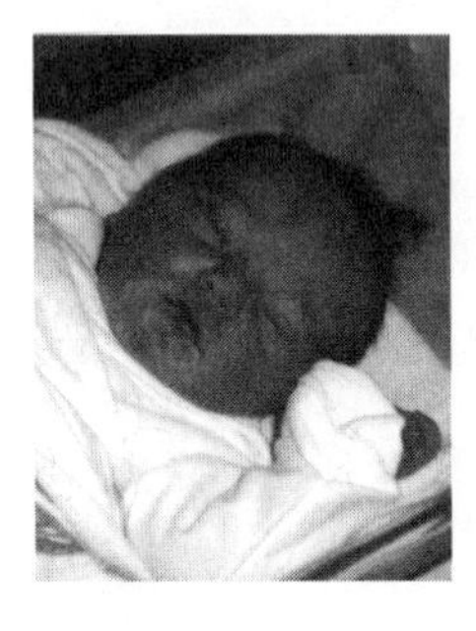

(Puede leerse el poema que Peggy escribió para Megan en el inicio del Capítulo 19)

~ *Megan Jean Biebel*
21/02/00 - 03/03/00

"Éste es un homenaje a nuestra pequeña....

Es tan difícil seguir viviendo sin ti.

Nuestros corazones se han destrozado, y luchamos contra el dolor.

Estás en nuestros pensamientos cada día de nuestras vidas.

Siempre ocuparás el lugar más importante en nuestros corazones.

Nuestra pequeña Megan, siempre te amaremos".
Con amor,

Mamá y papá (Peggy y Matt Biebel)

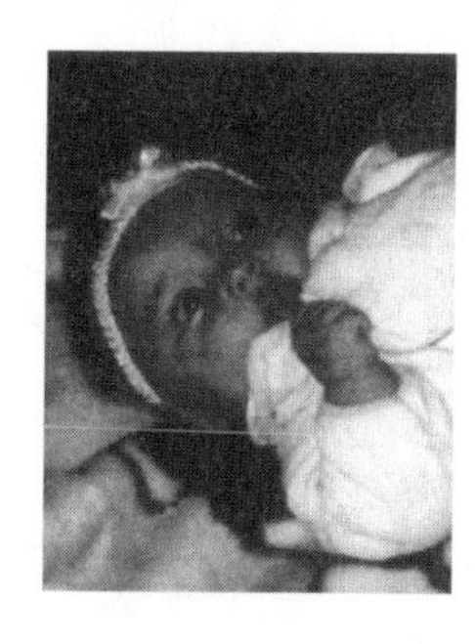

~ *Chassidy Clements*
10/09/00 - 02/03/01

Como toda bebé sana,
Chassidy tenía la vida por delante.

Disfrutaba cuando papá
jugaba con ella en sus brazos.
Disfrutaba estar en la cama con su hermana
mirando la televisión

Chassidy siempre sonreía
cuando su mamá la alimentaba

Chassidy es una bebé amada
y su recuerdo siempre nos acompañará.

~ *Whitney Marie Figliozzi*
04/08/99 - 15/12/99

"Has dejado tus pequeñas huellas grabadas en nuestros corazones"

Donna y Peter Figliozzi
James, Leyna Rose, Nicolas, Taylor y Zara

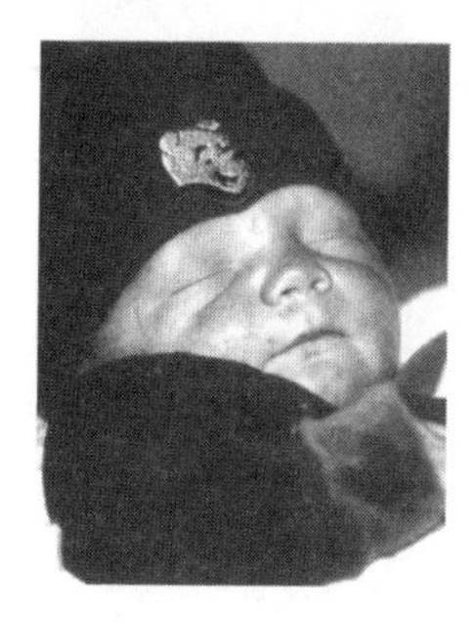

~ *Zackary Shane Herkins*
11/12/98 - 10/02/99

"Sólo pude estar contigo durante cincuenta y nueve días, aunque parecieron toda una vida.

Tu sonrisa, tu perfume, tus pequeños pies, mi bebé,

fueron los mejores obsequios que tuve alguna vez.

He madurado mucho desde que no estás,

pienso que estarías orgulloso.

Pienso a diario en ti, y el tiempo está aliviando el dolor.

ZACKSPLACE.com desea ayudar a otras personas.

Siempre seré tu madre.
Tu recuerdo perdura en la mirada de muchas personas,
y en primer lugar en mí, mi pequeño".

~ *Daniel Calhoun Roper IV*
09/09/95 - 04/12/95

Bisnieto de Daniel C. Roper, Secretario de Comercio y Director Gral. de Correos.

Único hijo varón de Bruce y Janice Roper.

Hermano de Selena, Marissa y Robin.

"Hubieses sido un ser maravilloso,
eres un ser maravilloso.
Danny, te extrañamos cada día de nuestras vidas".

También deseamos agradecer a todos los generosos auspiciantes que realizaron donaciones en conmemoración de sus seres queridos:

En conmemoración de Ian M. Anderson (26/10/91 - 05/03/92): Carol y James McCausland.

En conmemoración de Willie David Stewart Balzer (10/11/92 - 10/03/93): Sus abuelos, David y Millie Balzer

En conmemoración de Joshua Abraham Chaidell: Lynette Charboneau y Roger Morie.

En conmemoración de Bridgid Noreen Fife (27/08/00 - 12/12/00): Amanda L. Fowler y William A. Fife Hijo.

En conmemoración de nuestro pequeño Caleb David Fultz (06/10/00 - 16/11/00): Christa y David Fultz Hijo.

En conmemoración del Dr. Ray Hoag: Joani, Gabe, Ilona, Gabrielle, Julianna, Genevieve y Stephanie Horchler.

Kathy y Darrel Gustin; Lynette Charboneau y Roger Morie; Dr. Warren Port; Bebe y Dennis Daily; Chantal y Martín Horchler; Valerie Horchler; Henriette y James Leanos; Monique y Wolf Thormann. Donna y Jean Francois Thormann.

En conmemoración de Kristian Lucchesi (04/09/98 - 27/11/98):Debbie Sharp; Angela Reed.

En conmemoración de Brendan Nobuo Maruyama (01/06/85 - 18/10/85) y de su abuela Yvonne Kilcoyne y su abuelo Emmet Kilcoyne: Nancy, Rod, Caitlin y Jennifer Maruyama.

En conmemoración de Margaret Joy Mihalko (15/09/89 - 23/10/89): Deb, Chuck, Jay, Jon, Timmy, Dru y Samantha Mihalko.

En conmemoración de Kristopher Roland Mitchell (29/03/02 - 29/03/02): Bill, Cindy, Marika y Amanda Nell.

En conmemoración de Howie Rasberry (09/01/00 - 10/06/00): Harvey y Julia Howell, Kevin, Heather y Anna Rasberry.

En conmemoración de Margaret Hood Schuth (18/10/91 - 14/01/92): Kee Schuth Marshall.

En conmemoración de Kyle Spiller (02/03/89 - 16/04/89): Suzanne P. Spiller.

En conmemoración de Erik Robert Wallitner (09/05/96 - 09/05/96): Ray y Ulrika Wallitner.

También agradecemos a todos los grupos que colaboraron económicamente para solventar la edición en idioma español con el objetivo de imprimir más copias: "*Arizona Sudden Infant Death Syndrome Foundation*"; "*Maryland Center for Infant and Child Loss*"; "*SIDS Alliance of Northern California*"; "*SIDS Project - Healthy Mothers Healthy Babies Coalition of Georgia*"; "*Sudden Infant Death Services of Illinois*"; "*New York City Information and Counseling Program for Sudden Infant Death*"; "*SIDS Mid-Atlantic*"; "*SIDS Network of Ohio*"; "*SIDS of Pennsylvania*"

Asimismo deseamos agradecer a los integrantes del Equipo de Natación del club "*Cheverly Swim and Racquet Club*" de Cheverly, Maryland, por haber reunido fondos a través de una competencia de natación. Agradecemos también a los integrantes del grupo "NW Ohio SID Support Group": Pat Brown, Milly y David Balzer, Mary Ellen Lewis, Jim Marlow, Dannette Nowicki, la familia Horvath, Pam Brower, Vicki Meyerholtz, Carolyn Hubbards, Bill Hickey y Peggy Rodriguez. También agradecemos a nuestros familiares y amigos que asistieron a la caminata realizada el día 14 de septiembre del año 2003 con el objetivo de reunir fondos, y que fue organizada por *Wawa Inc.* y la fundación "*C.J. Foundation*"

Gracias a todas las personas y organizaciones que escribieron cartas en apoyo de nuestras solicitudes de donación. Entre ellas: Sandra Graben de la alianza de abuelos "*Alliance of Grandparents Against SIDS Tragedy*"; Betty McEntire de "*American SIDS Institute*"; Jonathon Andell; Virginia Hermosillo; Vanessa Seaney y Tracy Weeks de "*Arizona SIDS Foundation*"; Julie Ketelsen de "*SIDS Alliance of Northern California*"; Karen Chaffin; Karen DeHart; Lisa Sculley de "*Florida SIDS Alliance*"; Barbara Joyce del Departamento de Recursos Humanos de Georgia; Chris Morfaw, Coordinadora Perinatal Regional de Georgia; Dale Loyd de "*Southeast Regional Perinatal Health Planning in Georgia*"; Suzanne Hardison de "*Southwest Health District of Georgia*"; Lee Tanenbaum de "*Georgia Public Health SIDS Program*"; Stephanie Sachs de "*Georgia SIDS Program*"; Erin Olson y Carol Jordan de "*Georgia SIDS Alliance*"; Kate Coblin de "*Healthy Mothers Healthy Babies Coalition of Georgia*"; Cynthia Grant; Lisa Hunt; Tena Johnson; Candace Herkins Jones de "*Zack's Walk*" y "*Zacksplace.com*"; Katie Tilman-Cecil de "*SIDS Resources Inc. of Kansas*"; Donna Becker de "*Maryland Center for Infant and Child Loss*"; Cobi Weikel Ingram de "*SIDS Resources Inc. of St. Louis, Missouri*"; Suzanne Bronheim de "*National Center for Cultural Competence*"; Olivia Cowdrill de "*National SIDS Resource Center*"; Kathleen Graham de "*National SIDS and Infant Death Program Support Center*"; Evelyn Longchamps de "*New York State Center for SID*"; Todd Hinchcliffe de "*SIDS Resources of Oregon*"; Paul Rusinko de "*SIDS and Infant Death Program*" del Departamento de Salud y Servicios Sociales; Stacy Seay Kohn de "*SIDS Alliance*" (actualmente "*First Candle*"); Chuck Mihalko de "*SIDS Network*"; Dale Loyd de "*Southeast Regional Perinatal Health Planning*"; Suzanne Hardson de "*Southwest Health District*"; Jeanie Nelson de "*North Texas SIDS Alliance*"; Anna West del *Departamento de Salud de Utah;* Donna Shelton de "*SIDS Mid-Atlantic*"; y Jennifer Hackler de "*William Wendt Center for Loss and Healing in Washington, DC*"

Introducción

«Cuando muere un padre, se pierde el pasado.
Cuando muere un hijo, se pierde el futuro.»

~ *Anónimo*

La muerte súbita de un lactante es un enigma médico, pero tiene una estrategia educacional de alta eficacia: colocar al bebé boca arriba para dormir.

~ *Stephanie Cowan*

Era una fría tarde de invierno. Yo estudiaba en la biblioteca de mi querido Hospital Italiano cuando vibró mi radiomensaje: *"Dr. Jenik, diríjase urgente a la sala de guardia pediátrica".* Cuando llegué me informaron que habían traído el pequeño cuerpo, todavía tibio, de un bebé que había sido hallado sin respirar y con sus labios azules. Luego de veinte minutos de reanimación cardio pulmonar avanzada, decidí suspender toda maniobra como coordinador del Centro de Apneas del Departamento de Pediatría.

Mateo había fallecido en forma súbita e inesperada. Era su segundo día en el jardín maternal. Antes de dormir la siesta Mateo era un bebé saludable.

Aproximadamente el 20 % de las muertes causadas por el Síndrome de Muerte Súbita del Lactante (SMSL) ocurren en jardines maternales. Mateo no poseía factores de riesgo. Sus padres lo acostaban a dormir boca arriba porque recordaban la tarjeta colgada en las cunas de la maternidad del hospital. En ella la fotografía de un bebé les pedía:

Mamá, Papá:
Por favor necesito:

Tomar el pecho
Dormir boca arriba
Respirar aire puro (no fumen)

¿Habían cumplido las maestras las recomendaciones de esta tarjeta cuna?

¿Qué informarle a los padres? ¿Cómo explicar lo inexplicable?

Cuando la madre tuvo en sus brazos a Mateo sin vida, la realidad de su muerte se apoderó de la situación. Lloró desconsoladamente, su dolor era enorme e intenso y alcanzó a todas las personas presentes en la sala. Llevamos a la madre a un lugar tranquilo. El abrazo con su esposo fue interminable. Se había invertido el ciclo de la vida: los padres debían enterrar a su hijo, y con él, al hijo ideal, al hijo que ellos soñaron y a las esperanzas construidas acerca de un proyecto de vida.

Continuarán siendo los padres de Mateo durante toda la vida, nunca dejarán de amarlo y siempre sentirán un lugar vacío en sus corazones. Es como si una rama del árbol se hubiera roto dejando una profunda herida y un marcado desequilibrio familiar.

Los jóvenes padres de Mateo afrontaron la muerte de un ser querido por primera vez, con profundo dolor y desorientación. Como todos los padres de niños fallecidos a causa del SMSL, los mismos deben enfrentarse con la muerte del hijo en forma súbita e inesperada; una muerte que no puede predecirse ni prevenirse, es tan repentina que no permite preparación ni despedida, no hay período de duelo anticipado. ¿Surgirán sentimientos de culpa en los padres de Mateo?

Isaac Newton dijo: "Si pareciera que veo más lejos que otros, es porque estoy parado sobre los hombros de un gigante". Mi gigante fue el Dr. Carlos Gianantonio, maestro de maestros de la pediatría en Argentina. Fue este hombre iluminado quien nos entusiasmó al Dr. Manuel Rocca Rivarola y a mí para que nos abocáramos a la temática del Síndrome de Muerte Súbita del Lactante en la Argentina. En Agosto de 1994, asistimos al Tercer Congreso Internacional sobre el SMSL en una pintoresca ciudad noruega llamada Stavanger.

La primera actividad fue la celebración de un servicio religioso en conmemoración de niños de diversas nacionalidades fallecidos a causa del SMSL. Observamos la universalidad del dolor. Había padres, hermanos, familiares, psicólogos y médicos. La luz de las pequeñas velas, que representaban a cada niño fallecido, nos iluminaba y destacaba los ojos humedecidos de la mayoría de los asistentes. Recuerdo haber estado sentado durante el oficio religioso junto a la doctora Susan Beal. Esta australiana inteligente fue quien realizó una de las primeras publicaciones acerca de la relación entre la posición boca arriba para dormir y la disminución de la incidencia del síndrome. Durante los restantes días del congreso escuchamos con mucho interés a científicos de distintos países del mundo. Las conclusiones fueron unánimes: el cambio de la posición prona (boca abajo) a la posición supina (boca arriba) de los lactantes durante el sueño disminuye significativamente la incidencia del síndrome. A nuestro regreso quisimos difundir rápidamente lo aprendido. Por tal motivo el periódico de mayor tirada de la Argentina, Clarín, publicó el día 8 de septiembre de 1994 información para la prevención del SMSL: "Para evitar la Muerte Súbita aconsejan que los bebés duerman boca arriba". Ese día comenzó la historia de la prevención del SMSL en Latinoamérica. En los años sucesivos el Dr. Rocca Rivarola y yo nos integramos a la comunidad científica internacional sobre este tema. Asistimos a congresos internacionales en Washington (1996), Rouan (1998), Nueva Zelanda (2000) y Florencia (2002). Participamos de los Grupos de Trabajo Internacionales (SIDS Global Strategy Task Force).

Otro hito en la historia de la prevención del SMSL en Latinoamérica fue la visita a la Argentina de la educadora neocelandesa Stephanie Cowan. Brindó conferencias, dialogó y explicó que el SMSL puede prevenirse con educación a través de un cambio cultural: la posición boca arriba durante el sueño de los bebés. Surgió entonces el Proyecto Vínculo (Project Link) entre Nueva Zelanda y Argentina. Ella entregó cartas de colegas neocelandeses a sus pares argentinos. Transmitió de esta manera la evidencia científica de que el cambio de posición para dormir disminuye la incidencia del SMSL a los líderes de la comunidad médica (Ministro de Salud, Jefes de Hospitales, Presidente de la Sociedad Argentina de Pediatría) y a todos los agentes de salud (médicos residentes, enfermeras de las maternidades, maestras de las guarderías).

El Dr. José María Ceriani Cernadas, como Jefe del Departamento de Pediatría del Hospital Italiano, apoyó la creación del Centro de Apneas. El mismo tiene funciones asistenciales, de investigación y de ayuda a la comunidad. Dentro de este marco de colaboración con la comunidad se realiza la supervisión científica de este libro. Mariángeles Esquerdo, quien tradujo la presente obra al idioma español, interpretó con absoluta fidelidad y claridad el pensamiento y el espíritu que las autoras quisieron otorgarle a este libro.

En Octubre del año 1999 se realizó en Buenos Aires un Simposio Latinoamericano sobre el SMSL con asistencia de médicos uruguayos, chilenos, españoles, italianos, paraguayos y colombianos. Habíamos logrado que el tema se hablara en idioma español. Pero hubo una importante diferencia entre la reunión realizada en Buenos Aires y las organizadas en Estados Unidos y Europa.

En Buenos Aires hubo ausencia de padres en las distintas conferencias. En los otros países el motor de la organización de los congresos fueron los grupos de padres cuyos hijos habían fallecido a causa del SMSL. Las organizaciones de padres trabajaban codo a codo con los científicos, presentaban sus propuestas, discutían estrategias de divulgación de las medidas de prevención, mostraban su material escrito con las recomendaciones para disminuir el riesgo y reunían fondos. Los padres latinoamericanos estaban ausentes. En la reunión de Rouan una madre argentina fue becada al congreso por "SIDS International". Compartió emociones pero comprendió poco debido a que todas las conferencias, los folletos y los libros estaban escritos en idioma inglés.

La traducción al español del libro de Joani Horchler llena este vacío idiomático: esta obra ayudará a muchísimos padres de habla hispana a sobrellevar el fallecimiento de un hijo más acompañados, compartiendo los testimonios de otros padres que también lloraron, sufrieron, y se preguntaron: ¿Por qué a nosotros?

Las historias relatadas por estos valientes padres hacen que la experiencia sea verídica y real. La información pragmática se encuentra entretejida con historias personales en lo que constituye un enfoque único y poderoso. No soy un padre víctima del SMSL, y sinceramente no puedo imaginar lo que se siente ante una situación tal. Sin embargo, he aprendido muchísimo acerca del tema al conversar con padres y al escuchar las historias de sus bebés. Se trata de personas que con valentía se incorporan luego de la tragedia e intentan reconstruir sus vidas. La esencia humana posee una enorme capacidad de restablecerse luego de una desgracia. Todos los padres cuyos bebés fallecieron a causa del SMSL y todos los amigos que desinteresadamente compartieron sus historias en " Cómo aceptar la muerte súbita e inesperada de un niño " nos ofrecen la prueba de que lo anterior es posible.

Este libro ayudará a muchas personas en proceso de duelo a adoptar lo que alguien llamó "Una nueva visión del mundo". La autora Joani Horchler nos pone en evidencia una vez más de que el dolor no tiene idiomas.

~ Dr. Alejandro Jenik

Médico Pediatra, Neonatólogo y Coordinador del Centro de Apneas del Departamento de Pediatría del Hospital Italiano de Buenos Aires

Capítulo 1

Lo que todos debemos saber acerca del Síndrome de Muerte Súbita del Lactante

El Síndrome de Muerte Súbita del Lactante (SMSL) es la causa principal de fallecimiento entre el mes y el año de vida. A pesar de que las cifras pueden variar, cada año fallecen aproximadamente cinco mil bebés en Estados Unidos de América a causa del SMSL. Según el policía investigador, Richard Salen, que ha analizado varias muertes causadas por el SMSL, más del 75% de los padres toman conocimiento del mismo luego de haber fallecido su bebé.

Cuando Joani Horchler encontró a su hijo Christian sin vida en su cuna, tenía sólo un escaso conocimiento acerca del SMSL. Pensó que Christian había vomitado mientras dormía y que se había ahogado. ¿Cómo podía explicarse de otro modo la muerte inesperada de un bebé aparentemente sano y feliz? La primera vez que Joani leyó un artículo acerca del SMSL se encontraba en la casa funeraria luego de haber estado al lado del ataúd de su hijo Christian. Sintió una combinación de remordimiento y dolor. *"No podía comprender porqué no había visto folletos en el pasado. Había dado a luz cuatro veces, y nadie me había informado acerca del tema –ni en el consultorio del obstetra, del pediatra o en el hospital. Nadie me había informado de los posibles problemas respiratorios o de la posición para dormir".*

Christian falleció en el año 1991. Los médicos le explicaron a su madre que no deseaban asustar a los padres con esta información porque sabían que el SMSL no puede predecirse ni evitarse. Pero muchas personas, entre ellas Joani, no comparten este pensamiento, y creen que la falta de información crea una depresión emocional aún mayor, de la que los sobrevivientes deben salir por sí mismos. En la actualidad se aplica la recomendación del año 1992 de la *"Academia Americana de Pediatría"*, que aconseja que los lactantes sanos deben colocarse en posición de costado o boca arriba para dormir. De esta forma, todo futuro padre recibe información acerca del SMSL. Al relacionar el tema del SMSL con la posición para dormir, los médicos pueden explicar con más exactitud el alcance de este problema.

Luego de haber perdido un bebé a causa del SMSL, los padres quieren obtener la mayor cantidad de información posible acerca del tema, sin importar cuánto sabían antes del fallecimiento. Existe mucha información (más de tres mil artículos en el *"National SIDS*

Resource Center"), pero muy pocas investigaciones responden a la pregunta más apremiante: *"¿por qué?"*. No obstante, el objetivo del presente capítulo es proporcionar los datos que sí se conocen acerca del SMSL, entre ellos su historia, sus causas, su prevención, e informar acerca de los grupos de riesgo. Además, en este primer capítulo y en el resto del libro, pueden leerse poemas, ensayos e historias de aquellas personas que han sufrido la pérdida de un bebé. A través de sus testimonios, podemos aprender la enseñanza más importante: cómo transitar el largo camino del duelo para lograr sosiego y esperanza.

En memoria de Samuel Yves Lyman Laigle

~Sheri Laigle

No existe
expresión mayor de amor
o de bella inocencia
que aquélla en el rostro de un bebé
que aquélla que tu rostro irradiaba
cuando te tuve en mis brazos por última vez

suave y blanca tez
colinas de mejillas y frente
nariz rosada
pliegues de más
y párpados de papel
escondían aquellos profundos ojos azules
que hacían renacer tu rostro en los colores terrenales
todo tu ser pujaba por salir
asiéndote de mí
y aún parte de mi ser

tu pequeña boca se abría con asombro
sueños misteriosos
canción de cuna
lengua tan húmeda y rosada

Podría haber pensado que dormías, hijo mío
de no ser por la oscura marca
sobre tu nariz
de no ser por los tubos en tu boca
y por la sábana blanca

Definición del Síndrome de Muerte Súbita del Lactante

¿Qué es el SMSL?

El SMSL es la muerte súbita de un lactante de menos de un año de edad cuya causa no logra explicarse luego de una investigación exhaustiva en la que se realiza la autopsia completa, el examen de la escena en que ocurrió el fallecimiento y el análisis de la historia clínica.

¿Cuál es el grupo de riesgo?

Desafortunadamente, cualquier bebé puede morir a causa del SMSL. Existen casos en todo el mundo y no queda exceptuado ningún grupo social, económico, étnico o racial. Sin embargo, la edad constituye un factor de riesgo. Aproximadamente el 70% de las víctimas fallecen antes de los cuatro meses de edad y el 20% antes de los seis meses. Son excepcionales los fallecimientos antes del mes de vida y después del primer año.

¿En qué circunstancias se produce el SMSL?

La mayoría de las víctimas presentan un aspecto saludable al ser acostados a dormir durante la tarde o la noche. A lo sumo, en algunos casos se observaron síntomas de un leve catarro. Después de quince minutos o de un sueño más prolongado, el bebé es hallado sin vida. El SMSL no produce sonidos de alerta ni indicios de lucha. Se ha sabido de casos de niños que han muerto en brazos de sus padres al ser arrullados, y aun de casos en que los padres eran médicos.

¿Cuántos niños fallecen por año a causa del SMSL?

El SMSL es la causa de muerte de al menos cinco mil lactantes por año en Estados Unidos de América (aproximadamente un bebé cada seiscientos cincuenta), según las estadísticas del *"National Center for Health Statistics" (NCHS).* Si se incluyeran determinados casos no informados, el número en realidad alcanzaría los siete mil. El *"NCHS"* afirma que el índice del SMSL sólo es veraz en veinticuatro países desarrollados, aunque en la mayoría de ellos no difiere del de Estados Unidos de América -desde un índice de un fallecimiento cada mil nacimientos a 2,5 cada mil. En Suecia, país en el que muy pocos bebés fallecen a causa del SMSL –un bebé cada mil-, el síndrome es la causa de más de la mitad de las muertes durante la etapa pos-neonatal.

El SMSL es la causa principal de fallecimiento entre la semana y el año de edad. En Estados Unidos de América fallecen más niños a causa del SMSL que los fallecidos a causa de cáncer, leucemia, enfermedades cardíacas, fibrosis quística y abuso infantil en conjunto.

¿Cuál es la causa del SMSL?

Se postularon más de cuatrocientas teorías acerca de las causas del SMSL. Una de las dos principales afirma que los lactantes son vulnerables en determinadas etapas de su desarrollo. El Dr. Abraham B. Bergman, en su publicación "Descubrimiento del Síndrome de Muerte Súbita del Lactante" (*The Discovery of Sudden Infant Death Syndrome*)(1), afirma que el SMSL es un fenómeno cuyo origen es una insuficiencia en el desarrollo normal de los centros de control del sistema nervioso. El Dr. Bergman no cree que el bebé posea una anormalidad determinada que lo predisponga al SMSL. Por el contrario, compara al SMSL con *"una explosión nuclear en la que es necesaria una 'masa crítica' para que el hecho ocurra"*. El Dr. J. Bruce Beckwith, quien se desempeña en la actualidad como Director de la División Patología Pediátrica de *"Loma Linda University"* en California, también opina que los bebés son normales al momento del deceso. El Dr. Beckwith ha investigado al SMSL durante más de veinte años. En un folleto escrito para el programa *"Colorado SIDS Program Inc"* (2), describe al SMSL como un hecho anormal que sucede a un bebé normal. Afirma ... *"el desarrollo cerebral ocurre prácticamente durante los primeros dos años de vida, y el índice de crecimiento durante los primeros seis meses es el mayor".*

"Durante este período de transición de los más importantes centros de control, la vía aérea superior puede recibir del cerebro un mensaje anormal, como "cerrarse" en lugar de "abrirse".

Por lo general, al final de la respiración, la vía aérea se cierra hasta que vuelve a abrirse antes de respirar otra vez. Pero si el cerebro envía un mensaje incorrecto, la vía aérea se colapsa en lugar de abrirse. Ese mensaje incorrecto no implica necesariamente que el bebé sea anormal, ya que puede sucederle a un bebé normal cuyo cerebro está creciendo rápidamente".

La segunda teoría principal (actualmente en difusión) sostiene que los bebés que fallecen a causa del SMSL no son sanos antes del nacimiento y que poseen una predisposición a causa de algún problema sutil durante el período fetal. Los investigadores creen que estos bebés poseen alguna anormalidad o inmadurez del tronco encefálico, de un sector del cerebro asociado con la regulación de la respiración y con la frecuencia cardiaca, o del corazón. Los investigadores también descubrieron que muchos bebés que habían fallecido a causa del SMSL presentaban una retención de grasa parda, un tipo de grasa presente en el feto que desaparece luego del nacimiento. Otros bebés presentaban trastornos del metabolismo causantes de una disminución de oxígeno en sangre.

¿Puede evitarse el SMSL?

El SMSL es considerado impredecible e inevitable porque no existen formas de anticiparlo. En más del 66% de los casos de muerte a causa del SMSL, las madres y los bebés no poseen factores de riesgo. Debido a que el SMSL ocurre en hogares de bajo riesgo, existen pocas medidas que los padres puedan adoptar para proteger a sus bebés. Los bebés amamantados poseen una menor incidencia, aunque muchos bebés amamantados fallecen a causa del SMSL. Las madres embarazadas deben evitar fumar, beber alcohol o consumir drogas. Deben controlarse con un médico durante la etapa prenatal, deben evitar el poco aumento de peso, la anemia, las enfermedades de transmisión sexual y las infecciones del tracto urinario. Sin embargo, como los factores de riesgo no constituyen la causa del SMSL, el hecho de evitarlos no garantiza que no sucederá.

Tiempo atrás, se creía que no podía adoptarse ninguna medida para disminuir el riesgo de que un bebé falleciera a causa del SMSL. Sin embargo, esta afirmación ha sido cuestionada durante la última década debido a más de veinticinco investigaciones realizadas en doce países. Se demostró que fallecen menos bebés a causa del SMSL cuando duermen boca arriba o de costado. En Nueva Zelanda y en Gran Bretaña, el índice disminuyó un 50% luego de la adopción de campañas públicas de concienciación cuyo objetivo era cambiar la posición boca abajo para dormir a los bebés. Luego de analizar y aprobar la información estadística de seis de las anteriores investigaciones, la *"Academia Americana de Pediatría"*, en el año 1992, recomendó evitar la posición boca abajo. Durante los seis meses siguientes, el índice de fallecimientos a causa del SMSL de todo el país disminuyó un 12% con respecto al año anterior, de acuerdo con una investigación publicada por la Facultad de Medicina de la Universidad de Washington en febrero del año 1994.

Los investigadores informaron acerca de una mejora aún más notable en un estudio que se realizó en el área de Seattle. Luego de que el periódico *"Seattle Times"* publicara un informe en el que se recomendaban las posiciones boca arriba o de costado para dormir, la incidencia del SMSL disminuyó un 52% en Kings County y un 19% en la vecina ciudad de Snohomish County. En el resto del estado el índice aumentó un 3,1%. El Dr. Kattwinkel, profesor de Pediatría de la Universidad de Virginia y presidente de un grupo de trabajo de la *"Academia Americana de Pediatría"*, quien había recomendado la posición boca arriba y de costado para dormir, explicó que la investigación reveló "datos inconsistentes", ya que no había forma de saber qué cantidad de niños víctimas del SMSL dormían realmente en posición prona antes de la publicación del artículo y con posterioridad a la misma. Agregó que la mayoría de los niños que duermen en posición prona no mueren. Sin embargo, la gran cantidad de investigaciones que se realizaron en otros países han impulsado al Dr. Kattwinkel y a sus colegas de varias organizaciones y del gobierno de Estados Unidos de América a iniciar, en junio del año 1994, la "Campaña bebés boca arriba" (*Back to Sleep Campaign*) a nivel nacional. El objetivo de la campaña era fomentar las posiciones boca arriba y de costado para dormir a los bebés sanos y de término.

Antes del año 1992, los pediatras de occidente solían recomendar la posición boca abajo para dormir a los bebés. Se creía que los bebés dormían mejor y que era menor el riesgo de aspiración del vómito. Sin embargo, la *"Academia Americana de Pediatría"* afirma que en la actualidad no se ha producido un incremento en trastornos tales como la aspiración, los eventos de aparente amenaza a la vida y el vómito luego de haber adoptado, casi en forma exclusiva en varios países, la posición no-prona para dormir a los bebés. Más aún, podrían aplicarse a los lactantes estadounidenses los resultados de las investigaciones de países con similares condiciones ambientales y culturales a las de Estados Unidos de América.

El Dr. Beckwith señala que las recomendaciones de evitar la posición prona y el calor excesivo constituyen los primeros avances que permiten a los padres adoptar acciones concretas para evitar el SMSL.

Se desconocen los fundamentos de la importancia de la posición para dormir. Una investigación sugiere que al dormir boca abajo se produce una acumulación de bacterias tóxicas en la vía aérea del bebé. Otra teoría postula que los bebés que duermen boca abajo sufren fácilmente un exceso de calor, lo que podría obstaculizar la respiración; ya que reinhalarían un aire carente de oxígeno que ya habían exhalado. También se sugiere que el sueño profundo boca abajo dificulta el despertar ante un error fisiológico. Asimismo, al dormir en posición prona, la mandíbula podría desplazarse levemente hacia atrás, lo que podría ocasionar la obstrucción de la vía aérea.

La Dra. Susan Beal, investigadora australiana, ya afirmaba en el año 1973 que la posición prona para dormir constituía un factor de riesgo. Por lo tanto, si la posición para dormir puede salvar vidas, es lamentable que no se hayan escuchado antes sus consejos. La Dra. Beal comenzó entonces a documentar la información obtenida a partir de cuestionarios que realizaba a los padres de víctimas del SMSL. En un artículo publicado en la revista australiana "*Journal of Pediatrics*" en el año 1986, demostró que el índice de "muerte en cuna" (como se lo suele denominar en Australia) era más alto entre aquellos bebés que dormían boca abajo. Cuando pudo convencer a una determinada cantidad de personas de lanzar una campaña nacional para que los bebés dejaran de dormir boca abajo, los resultados fueron sorprendentes. Antes de la campaña, la Isla del Sur de Nueva Zelanda poseía la mayor incidencia de SMSL del mundo. Luego de la misma, el índice disminuyó de 6,9 cada mil bebés a uno cada mil bebés, según la edición del día 13 de noviembre del año 1993 del periódico "*The Australian Magazine*".

Una investigación realizada en Australia por la Universidad de Tasmania en el año 1993, descubrió que el riesgo del SMSL es siete veces mayor cuando los niños duermen boca abajo. El índice aumenta aún más si se envuelve al bebé con sábanas, si éste tiene catarro, si duerme sobre un colchón blando o si la temperatura de la habitación supera los cincuenta y siete grados Fahrenheit.

Algunos antropólogos, como el Dr. James McKenna de "*Pomona College*" y sus colegas de la Universidad de California en Irvine, analizan el colecho entre el lactante y los padres. Evalúan la posibilidad de que un mayor contacto con los padres durante la noche pueda cambiar el sueño y la fisiología respiratoria del bebé, de modo tal que aquellos bebés con tendencia al SMSL puedan resistir un episodio (3). Sin embargo, el Dr. McKenna aclara que la hipótesis aún debe ser confirmada y que deben continuar con los estudios de laboratorio que evalúan el colecho entre madres y bebés. Se sabe que en algunos países de Asia , en los que se utiliza en forma habitual la posición supina y el colecho, el índice del SMSL es muy bajo si se lo compara con el de varios países occidentales. Por ejemplo, el índice del SMSL en Japón es de sólo 0,03 cada mil nacimientos, mientras que en Estados Unidos de América ha alcanzado dos cada mil nacimientos.

¿Qué es realmente el Síndrome de Muerte Súbita del Lactante?

~Según el Centro de Investigación "National SIDS Resource Center"

El SMSL es:

- La causa principal de muerte de lactantes entre un mes y un año de edad, con una incidencia mayor entre el segundo y el cuarto mes
- Súbito y silencioso – Los lactantes presentaban un aspecto saludable
- Impredecible e inevitable
- Un tipo de muerte que ocurre en forma rápida; que se asocia con el sueño y que no deja indicios de sufrimiento.
- Determinado sólo luego de la autopsia, el examen de la escena en que ocurrió el fallecimiento y el análisis de la historia clínica.
- Considerado diagnóstico por exclusión
- Un trastorno médico reconocido en la "Clasificación Internacional de Enfermedades" (*International Classification of Diseases),* novena revisión (ICD-9)
- La muerte de un lactante que no logra ser explicada; lo que causa un profundo dolor a los padres y a la familia.

El SMSL no es:

- Causado por vómitos o ahogos, o por enfermedades menores como el catarro o las infecciones.
- Causado por difteria, tos convulsa, tétanos (DPT), vacunas u otro tipo de inmunización.
- Contagioso.
- Resultado de abuso infantil.
- La causa de todas las muertes inesperadas de lactantes.

El punto de vista de una especialista acerca del Síndrome de Muerte Súbita del Lactante y otros tipos de fallecimiento infantil

~Dra. Rachel Y. Moon

Existen muchas causas de fallecimiento infantil. Entre las más frecuentes podemos mencionar la prematurez; el bajo peso de nacimiento; las anormalidades congénitas; el SMSL; las infecciones y las complicaciones relacionadas con el embarazo, el trabajo de parto y el parto en sí mismo.

Además de investigar el SMSL soy médica pediatra, y he atestiguado el fallecimiento de bebés en muchas familias, no sólo a causa del SMSL. Algunos fallecimientos fueron súbitos pero esperados; otros acontecieron luego de una prolongada enfermedad. Puedo afirmar desde mi experiencia personal que independientemente de la causa de fallecimiento y del modo en que ocurra, el dolor de los padres, de los integrantes de la familia y de los amigos es casi siempre idéntico. En el presente artículo analizaré algunos aspectos del SMSL, ya que existen muchos interrogantes acerca del modo en que se produce. Descubrí que esta falta de consenso acerca de la causa de fallecimiento de un bebé suma un elemento adicional y complicado al proceso de duelo de las familias afectadas por el SMSL.

Investigación actual del SMSL

A pesar de que la incidencia del SMSL ha disminuido de más de 1,5 a 0,53 cada mil bebés en el año 2000 (1), este síndrome es aún la causa principal de fallecimiento entre el mes y el año de vida. En Estados Unidos de América fallecen aproximadamente dos mil quinientos niños por año.

Si bien en la actualidad sabemos mucho más acerca del SMSL de lo que sabíamos hace unos años, aún desconocemos su causa. **El modelo de triple riesgo** describe tres factores interrelacionados:

1) **Edad del bebé**: el 90% de los fallecimientos a causa del SMSL ocurre durante los primeros seis meses de vida, con una incidencia mayor entre el segundo y el cuarto mes.

2) **Lactante físicamente diferente**: muchos niños víctimas del SMSL son físicamente más vulnerables que otros bebés. Esta diferencia se aprecia en la forma en que responden a los niveles de oxígeno y dióxido de carbono del ambiente

3) **Ambiente de riesgo**: Aquellos niños físicamente más vulnerables poseen mayor riesgo de fallecer al estar expuestos a un ambiente de riesgo. Podemos mencionar como factores de riesgo un colchón blando, la posición prona, la exposición pasiva al humo del cigarrillo y el exceso de calor. Los trabajos relacionados con la disminución del riesgo se centraron en los factores mencionados anteriormente. Como no podemos modificar la edad del bebé ni su vulnerabilidad física, sí podemos disminuir en forma notable el riesgo asociado a un ambiente inseguro modificando algunos factores.

Muchas investigaciones intentaron determinar la diferencia física de los niños víctimas del SMSL y el modo en que puede incidir el ambiente. Una de las teorías más difundidas es la de la reinhalación (2). Varias investigaciones determinaron que los niños que duermen boca abajo o sobre superficies blandas (3) poseen mayor riesgo de respirar el dióxido de carbono exhalado con anterioridad. De esta forma, sus niveles de oxígeno disminuyen y sus niveles de dióxido de carbono aumentan. Respuestas normales ante esta situación pueden ser suspirar profundamente, girar la cabeza o patear las cobijas. Una teoría sugiere que aquellos niños fallecidos a causa del SMSL no pudieron responder en forma normal a los niveles de dióxido de carbono. Quienes investigaron el tronco encefálico (porción del cerebro que controla la respiración, la frecuencia cardiaca y el despertar) encontraron anormalidades en aquellos niños fallecidos a causa del SMSL. Dichas anormalidades podrían haber afectado la capacidad de respuesta del bebé ante niveles anormales de dióxido de carbono y oxígeno (4, 5)

Al estudiar las peculiaridades de los niños víctimas del SMSL y al compararlos con otros niños, comprendimos qué características del bebé y qué factores del ambiente aumentan el riesgo del SMSL. Sabemos que el SMSL ocurre con mayor frecuencia entre lactantes de sexo masculino y en climas fríos, así como durante los meses de invierno. También se advirtió que los bebés víctimas del SMSL son –con frecuencia- hijos de madres jóvenes de escaso nivel cultural. Asimismo, es más frecuente entre hijos de Afro-Americanos y de descendientes de culturas aborígenes, con una incidencia dos o tres veces mayor que los niños de culturas asiáticas o caucásicas.

Si bien no podemos modificar muchos factores de riesgo, otros sí pueden variar con un cambio de conducta. El más importante es la posición para dormir al bebé. Sabemos que la posición boca abajo aumenta el riesgo de diez a quince veces si la comparamos con la posición boca arriba. Incluso la posición de costado duplica el riesgo, porque se trata de una posición inestable ya que el bebé puede girar y quedar boca abajo con facilidad (6). Todas las personas encargadas del cuidado del bebé (padres, abuelos, familiares o personal contratado) deben colocarlo a dormir boca arriba. Si un bebé acostumbrado a dormir boca arriba es colocado a dormir boca abajo estaríamos incrementando diecinueve veces su riesgo de fallecer a causa del SMSL (7). También debe evitarse la ropa de cama blanda, como los acolchados, las almohadas, las chichoneras, los juguetes blandos y las pieles, ya que todos ellos aumentan el riesgo de reinhalación.

El factor de riesgo que sigue en importancia a la posición para dormir es el hábito de fumar por parte de los padres. Sabemos que el riesgo del SMSL aumenta en forma proporcional a la exposición del niño al humo del cigarrillo. Por lo tanto, es mayor el riesgo cuando ambos padres fuman. A su vez, el hijo de un solo padre fumador posee un riesgo mayor que aquel niño cuyos padres no fuman. Cuando se practica el colecho el riesgo del bebé es mayor si sus padres son fumadores, debido al humo de cigarrillo presente en el ambiente.

Debemos aclarar que si bien la eliminación de los factores de riesgo puede contribuir a la disminución del SMSL, no lo erradica por completo. Existen casos de lactantes fallecidos a causa del SMSL sin factores de riesgo, incluso niños que dormían boca arriba.

Otros factores pueden causar la muerte súbita e inesperada de un niño. Por ejemplo, durante un examen médico de rutina no pueden detectarse algunas patologías cardiacas -causantes de arritmias o ritmos irregulares del corazón. La patología más importante que podemos mencionar es el intervalo de QT prolongado, que sólo puede detectarse a través de un electrocardiograma o EKG. Esta patología puede causar la muerte súbita e inesperada de un lactante, un niño o incluso un adulto, y su diagnóstico puede confundirse con el del SMSL. También existen muchas enfermedades metabólicas, en las cuales el organismo carece de determinadas enzimas que mantienen los niveles de energía y glucosa, y que pueden ser causa de muerte súbita e inesperada de un lactante o de un niño si no son tratadas en forma adecuada.

La sofocación accidental también suele confundirse con el SMSL, y constituye una de las preocupaciones principales de aquellos padres que comparten la cama con el bebé. En muchas culturas el colecho es una práctica habitual. Si bien el colecho beneficia la lactancia materna y los lazos afectivos, los niños están expuestos a ropa de cama blanda como almohadas o acolchados y podrían estar en contacto con los efectos del tabaquismo pasivo. Por lo tanto, el colecho puede aumentar el riesgo de sofocación accidental (8).

Como se han producido muchos casos de sofocación accidental de niños que no estaban durmiendo en sus cunas, la "Academia Americana de Pediatría" (*American Academy of Pediatrics*) y la comisión de seguridad del consumidor "*Consumer Product Safety Commission*" incluyeron en la disminución del riesgo a otros tipos de muerte súbita e inesperada. Por lo tanto, su recomendación actual enfatiza en un ambiente seguro para dormir al bebé (9): posición boca arriba; cuna segura con un colchón bien ajustado; temperatura agradable (aproximadamente 70ºF o 21ºC); evitar los efectos del tabaquismo pasivo y la ropa de cama blanda. Si se utiliza sábana, ésta debe ajustarse bien a la cuna y evitar que cubra la cabeza del bebé. Si es posible, los acolchados y aquellos abrigos utilizados en climas fríos deben evitarse. Asimismo, se recomienda evitar superficies como colchones de agua, sillones y camas de adultos ya que no cumplen con los requisitos de seguridad para dormir a un bebé.

Cómo afrontar el fallecimiento

El objetivo del presente libro es ayudar a aquellas familias que vivieron la devastadora pérdida de un hijo. Durante mis años de experiencia como médica pediatra y como investigadora del SMSL, he conversado con muchas familias que intentaban superar su pérdida y que aprendieron varias cosas:

® Todos los padres se preguntan "Sí sólo...". Los padres víctimas del SMSL se preguntan con frecuencia -"¿Si no me hubiera quedado dormido?"; "¿Sí no lo hubiera llevado a una institución de cuidado infantil?"; "¿Si hubiera controlado antes a mi bebé?". En el caso de otros padres, quizás las preguntas sean -"¿Si no hubiera tomado ese medicamento?"; "¿Si hubiera insistido en que le realizaran ese análisis?"; "¿Si hubiera evitado que su hermano engripado lo besara?".

Nadie puede responder a estas preguntas y es probable que el desenlace fatal no hubiera podido evitarse. Han fallecido bebés en brazos de sus padres, en butacas de automóvil y en hamacas para niños. Han fallecido en sus hogares y en instituciones de cuidado infantil. Recuerde que otras personas tomaron la misma decisión que usted y sus hijos sobrevivieron. En ese momento era la mejor decisión que usted podía tomar.

® La otra pregunta que se formulan los padres es -"¿Cómo puedo tener la certeza de que no nos sucederá nuevamente?" Es fundamental que los padres que perdieron un bebé a causa del SMSL aseguren a su nuevo bebé un sueño seguro. Además, se debe confirmar la inexistencia de determinadas patologías, ya que pueden ser hereditarias. Las dos patologías que aconsejo investigar son el síndrome de QT prolongado y las enfermedades metabólicas. Existen varias enfermedades metabólicas, y es conveniente conversar con el pediatra o el genetista acerca de posibles exámenes genéticos

® Otros padres desean conocer la causa del fallecimiento. Puede conversarse acerca de este tema con el pediatra o el obstetra, para que los ayuden a explorar diferentes opciones, como los exámenes genéticos, los medicamentos u otras terapias

® Los padres víctimas del SMSL deben tener en cuenta que los factores de riesgo son sólo eso. Son características más frecuentes en aquellos bebés víctimas del SMSL. Sin embargo, muchos niños que no presentaban factores de riesgo fallecieron a causa del SMSL, al tiempo que muchos niños con factores de riesgo sobrevivieron. Pensemos por ejemplo en los millones de niños nacidos antes del año 1994 que dormían boca abajo y que no fallecieron.

Por último, me gustaría decir que siento una gran admiración por todos ustedes. Sé que no han elegido este camino, y que sin embargo debieron involucrarse en él. Requiere de mucho valor levantarse cada mañana y enfrentar un nuevo día, y mucho más valor tomar el presente libro y comenzar a leerlo. Deseo que cada nuevo día alivie en cierta medida su dolor, con la ayuda de este libro, de familiares y amigos, de su médico y de los grupos de apoyo. También espero que la disminución en la incidencia del SMSL sea un consuelo para usted. Hemos aprendido mucho acerca del SMSL durante los últimos años, y continuaremos en nuestra lucha para disminuir aún más el índice de fallecimiento infantil.

~ La Dra. Rachel Y. Moon
es Directora Médica del "Centro de Salud Infantil" (Children's Health Center - Children's National Medical Center) de Washington DC

Análisis de las cifras

~ Robin Rice

Analizo las cifras con temor y respeto.

Cada año, al menos cinco mil fallecimientos ocurren sólo en mi país.

Esto significa que el bebé de alguien falleció hoy a causa del SMSL.

Probablemente más de doce bebés hayan fallecido.

Entonces -¿cuántas personas, ya sean madres, padres, hermanas, hermanos, abuelos, padrinos, niñeras, recibieron el impacto del golpe poderoso de la muerte, como si fuese el golpe de un boxeador profesional que deja en desventaja al novato rival?

¿Cuántas personas con buenas intenciones asistirán a funerales e intentarán comprender algo que no tiene explicación, para quedarse luego con una sensación de injusticia? Después de todo -¿no se supone que la muerte debe alcanzar en primer lugar a un anciano antes que a un bebé?

¿Qué podemos hacer al ver vacía la silla para llevar al bebé en el automóvil? ¿Cuántas permanecen ajustadas hasta que alguien reúne la suficiente fortaleza como para llevarla al sótano, al armario o al automóvil de otra persona, para ser utilizada por otro bebé que pueda vivir lo suficiente como para abandonarla algún día?

¿Cuántos padres sentirán sus brazos vacíos, pesados y estériles, llenos de dolor, y sentirán que deben continuar viviendo cuando en realidad no saben si desean hacerlo?

¿Cuántos relicarios con cabello del bebé serán la única evidencia significativa de que realmente estuvo allí, que sonreía y gritaba, y que hacía de la casa un hogar y de las personas una familia?

¿Cuántos chupetes, biberones o sonajeros se encontrarán en forma inesperada detrás de un sillón o debajo de una silla, lo que hará arrodillarse de dolor a un padre cuya vida comenzaba a avanzar nuevamente en forma vacilante?

¿Quién puede determinar la cantidad de llantos imaginarios y despertares automáticos de una madre para alimentar a su bebé, que la llevarán hasta la puerta de la habitación del niño antes de recordar y caer sollozando?

¿Cuántos pequeños jugadores de las ligas no llegarán a utilizar esa vestimenta? ¿En cuántos bailes y recitales faltará una bailarina angelical, sin que alguien lo note siquiera?

Y quizá lo peor sea considerar al grupo del año próximo. El grupo de aproximadamente cinco mil bebés que están en el útero de sus madres en este momento, cuyos futuros padres estarán tentados a soñar y planificar incluso los años de universidad -sueños felices y planes importantes que nunca llegarán a concretarse. Cada uno de estos cinco mil bebés del año próximo será el más bello del mundo, y su muerte será la más trágica.

Por todas las anteriores razones analizo las cifras, al tiempo que mis preciosos hijos duermen un hermoso sueño y se alejan de esta posibilidad. Considero todas las muertes que pueden quebrantarme en un instante. Analizo las cifras, y no puedo más que rezar.

El Síndrome de Muerte Súbita del Lactante en el pasado y en la actualidad: Una historia personal y política

~Carrie Griffin Sheehan

Un simple niño
Que respira suavemente
Que siente vida en todo su ser
¿Qué puede saber de la muerte?

~William Wordsworth

Estas palabras, escritas al comenzar el siglo XVIII, reflejan sin duda la mayor incidencia de muerte de lactantes de esa época. En Estados Unidos de América, luego de haber erradicado gracias a descubrimientos médicos varias causas de muerte de recién nacidos y niños mayores, desde hace cincuenta años consideramos a la muerte de un lactante como algo inusual. Sin embargo, aún continúa siendo elevada. El SMSL es la principal causa de muerte entre el mes y el año de vida.

Probablemente uno de los primeros registros del SMSL sea un diario del día 13 de febrero del año 1686. Puede leerse -"Sin síntomas de sofocación", referencia a la historia bíblica de Salomón y la creencia de que las madres asfixiaban a sus hijos en forma accidental.

"A pesar de haber sido educada en una escuela religiosa, no poseía información acerca de este tipo de sofocación. Sin embargo, durante los últimos trece años, he trabajado como asistente regional de *"SIDS Foundation"* y con *"SIDS Alliance"* luego de su incorporación. En cierta forma, el cargo me eligió. Fue una circunstancia fortuita.

En el verano del año 1954, yo tenía veintiseis años, estaba casada, y tenía tres hijos. Mi esposo era maestro y entrenador de basketball de un pequeño pueblo. Acabábamos de mudarnos a Seattle, nuestra ciudad natal. Sólo teníamos que continuar creciendo. Por esa razón, junto con vecinos y amigos colaboramos para llenar de bebés los hogares de Capitol Hill.

Mary Caroline (Molly) nació la gloriosa tarde del día 26 de julio del año 1955 . Fue un nacimiento especial porque elegimos el método del parto natural. Mi esposo Tom estuvo presente durante el parto. Seattle tenía un solo hospital que comenzaba a experimentar con el parto natural, método inusual en ese momento. La revista *"Life"* había publicado un artículo acerca del hospital y sus métodos. Luego de haber dado a luz a tres hijos bajo el efecto de sopor de los fármacos, decidí utilizar este método que en ese momento originaba una controversia en el sistema.

Nuestra cuarta niña, una pequeña y rubia frutilla con una pícara sonrisa, se ganó nuestro corazón. Los días de verano en el vecindario transcurrían apaciblemente, al tiempo que recibíamos invitados de otras ciudades y se desarrollaban la Feria Marina de Seattle y las carreras de hidroavión. Queríamos continuar con nuestras actividades de verano, y como no deseábamos que éste terminase, planeamos nuestra "despedida del verano" con un fin de semana en nuestra cabaña de vacaciones de Whidbey Island . Ese fin de semana se festejaba el descubrimiento de América y todos se preparaban para disfrutar la tarde del viernes. Era el día 6 de octubre y había llegado la abuela de Molly con su hija Judith de un mes de edad. En el momento de la siesta, ubicamos a Judith en la cuna de mimbre en la planta baja y a Molly en una cuna en la planta alta. Miestras tomábamos un café, Betti y yo conversamos acerca de la década del '50, del final de la Segunda Guerra Mundial, de nuestros días de universidad, de la forma en que llenábamos nuestra vida con las actividades de los niños, de nuestros adorables esposos, y de las actividades de caridad que desafiaban nuestra creatividad y nuestra energía intelectual.

Luego Tom llegó a casa, los niños regresaron de la escuela y Betti se marchó. Era el momento de comenzar a prepararnos para el fin de semana en la isla. Nuestra hija de cinco años subió para ver cómo estaba Molly y cuando bajó dijo que Molly estaba extraña. Al observar su tensión, subí las escaleras y creo que mientras viva nunca olvidaré ese momento. Sucedió como en cámara lenta: la giré, intenté reanimar sus pequeñas piernas que parecían el mármol blanco y azul de un querubín, pesadas como las piernas de una estatua. Nada en la vida me había preparado para observar a mi hija sin vida y ver esa tonalidad oscura en su rostro. En ese momento perdí la inocencia. La muerte y su maldad cubrieron todo lo que era bello. Llamé a Tom y luego al departamento de bomberos, mientras él intentaba realizarle reanimación cardio pulmonar (RCP). Algunos amigos y vecinos tuvieron la gentileza de llevarse a nuestros hijos, y el sonido de la sirena confirmó aquello que una parte de mí aún se negaba a aceptar. Tom se marchó en el automóvil de policía que transportó a Molly a la unidad de emergencias del hospital. Sólo varios años después conocí la odisea que había vivido mi esposo: lo habían encerrado como a un criminal para verificar sus antecedentes.

Tom regresó a la casa que ya estaba llena de familiares y amigos, y recuerdo que nadie se atrevía a decirme que nuestra hija Molly de dos meses y diez días había sido declarada muerta cuando fue examinada por los médicos luego de su ingreso al hospital. Nunca volví a ver a Molly. El informe de la autopsia establecía "neumonía viral aguda", y al día siguiente se publicó un artículo en el periódico local. No existieron momentos de histeria, sí expresiones de confusión en lugar de aflicción. El día siguiente, luego de elegir el ataúd (nunca había visto ataúdes tan pequeños) realizamos el entierro al que sólo asistimos Tom, el sacerdote y yo. Tom regresó a su labor docente el día siguiente, y la semana siguiente yo dirigí un encuentro solidario, irónicamente dedicado a beneficio del "Hospital de Niños" *(Children's Hospital).*

Nuestros amigos y familiares fueron muy amables y nos brindaron su amor. El hecho de que el jefe de personal del "Hospital de Niños", un viejo amigo, llamara para brindarnos sus condolencias, nos produjo una importante sensación de apoyo. Todo el pueblo brindaba su amor al entrenador y a su esposa. Me llevó gran parte del día acomodar las plantas y flores que nos habían enviado. La mayoría de las tarjetas y las cartas no mencionaban la palabra muerte (¿ninguna de esas personas había experimentado la muerte de un niño?), y en su mayoría hablaban de Dios y de la bendición que había sido nuestro bebé.

Nadie demostraba tristeza, y recuerdo que alguien me dijo que el dolor es un sentimiento íntimo y personal. Tiempo después, cuando el impacto pasó, comprendí que una actitud inmutable no ayuda. Comprendí que la negación sólo implica una postergación. Mi depresión aguda y mi tendencia suicida sólo fueron superadas gracias a la compasión y la sabiduría de un querido sacerdote psicólogo. Sin embargo, varias décadas después y luego de haber perdido a varios seres queridos, siento que aún no he superado la muerte de Molly.

Es difícil de creer, pero en el año 1955 nadie se ocupaba del dolor causado por la muerte de un hijo. Reflexionar acerca del pasado puede brindarnos sabiduría, pero con la sabiduría llega el remordimiento. A excepción de un amigo que tuvo la amabilidad de traer una torta para el cumpleaños de nuestro hijo de cuatro años, nadie nos habló abiertamente o dialogó con nuestra hija Christie de cinco años, nuestro hijo Tommy, de cuatro años, o nuestro bebé de dieciocho meses, Patrick. Tom era el centro de la preocupación. No conocíamos a nadie que hubiera vivido la misma experiencia, y por esa razón no existía un parámetro para medir "lo normal". Yo tenía un amigo cuya hija había sido asesinada. Actualmente recordamos los juegos emocionales que realizábamos para saber quién había sufrido más. Desde temprana edad, la religión nos inculca que el sufrimiento es algo positivo. Esta creencia, así como nuestro ego y el humor negro, nos ayudan como tácticas de supervivencia.

En el año 1957, Timothy Daniel se unió a la familia Sheehan. Los estudiantes de enfermería me preguntan en la actualidad acerca de mi grado de ansiedad en ese momento. Les respondo que era una época de fe más que de ciencia (recuérdese que el SMSL aún no había sido clasificado como un trastorno médico reconocido). El hecho de que nuestro siguiente hijo naciera el día de los Santos Inocentes aumenta nuestra fe en la Providencia. La llegada de Tim otorgó dimensión al concepto de "hijo deseado". Luego llegaron Mary,

Michael y Caroline, todos bebés sanos y bellos, con los que alcanzamos un total de ocho hijos.

¿Qué sucedía a nivel nacional de salud con este misterioso tipo de muerte, a veces llamada "la muerte de las hipótesis"? Durante el siglo XX, Estados Unidos de América inició sus investigaciones con los estudios documentados de los anatomopatólogos Jacob Verner e Irene Garrow (marido y mujer), de la Oficina Forense de Queens, Nueva York. Durante la década del ´40 sus investigaciones excluyeron a la sofocación como la causa de la "muerte en cuna", y demostraron que en la mayoría de los fallecimientos existían procesos inflamatorios naturales. En el año 1958, un matrimonio de Connecticut padeció la muerte de su hijo Mark, y se negaron a aceptar el informe de la autopsia que establecía "neumonía bronquial aguda" como causa de defunción. En el año 1962, como homenaje al mismo y a su memoria crearon la fundación "*Mark Addison Roe Foundation*", a fin de evitar otras muertes similares. La fundación mencionada luego sería la *"National SIDS Foundation"*. En ella participarían médicos, investigadores y aquellas familias afectadas por un caso de "muerte en cuna".

Al mismo tiempo, en el año 1961, Fred y Mary Dore de Seattle vivieron la muerte súbita de su hija Christine. En ese momento, Fred era legislador del estado de Washington. En el año 1963, como Presidente del "Comité de Asignaciones" (*Appropriations Committee*), presentó un proyecto de ley en el que se impulsaba la práctica de una autopsia en la "Universidad de Washington" a todo menor de tres años fallecido. Durante el otoño de 1963, se contrató a la universidad para que realizara la "Primera Conferencia Internacional acerca de las Causas de la Muerte Súbita del Lactante" *(First International Conference on the Causes of Sudden Death in Infancy)*. La primera exposición que la "*Academia Americana de Pediatría*" realizó acerca del SMSL fue en el año 1964. En el año siguiente comenzó una investigación epidemiológica de tres años en Kings County, Washington. En el año 1969, la "Segunda Conferencia Internacional" definió al SMSL y describió su patología. El 22 de abril de 1974 se firmó la "*National SIDS Act*". Luego se produjeron donaciones para la investigación y contratos a nivel federal, al tiempo que los estados ponían en práctica proyectos de asesoramiento. Finalmente, el SMSL fue incorporado a la "Clasificación Internacional de Causas de Muerte" y publicado por la Organización Mundial de la Salud.

"No tuvimos más hijos. Las páginas de la agenda se llenaron de días de escuela. Con siete hijos adolescentes durante las décadas de los ´60 y los ´70, me he cuestionado en algunos momentos si Dios se llevó al bebé equivocado. Regresé a la universidad al mismo tiempo que mi hijo mayor. Participé como miembro a nivel local del estado de Washington de la fundación *"Sudden Infant Death Foundation (NSIDSF)"*, creada durante la década del ´60. Participé en su comisión durante su reorganización a nivel local a finales de la década del ´70. En ese momento en toda comisión o junta necesitaban una "mujer símbolo", y allí estaba yo. Fui la primera mujer en participar en la "Comisión de Planeamiento de Seattle" (*Seattle Planning Comission)*, y luego de haberla presidido, decidí aspirar a un cargo público. No fui designada, pero mi desilusión no fue mayor, ya que en el año 1980 fui elegida para integrar la comisión nacional de "*SIDS Foundation*". Luego me invitaron a participar como miembro en el cargo de directora regional.

He desempeñado esa función durante trece años. Organizamos grupos a nivel local, y ampliamos el programa de apoyo a las víctimas del SMSL. Durante la década del ´80, el SMSL pasó a ser de interés general. Le dedicaron programas en el show de Oprah Winfrey; en *LA Law* y una obra de teatro. El vigésimo quinto aniversario de la fundación atrajo la atención de los medios de comunicación.

Al reconocerse las formas de abuso infantil, el SMSL se tornó más notorio pero al mismo tiempo más confuso para la policía, y más doloroso para las familias. Las comunidades recibieron entrenamiento para comunicarse con los servicios de emergencia, la policía o la estación de bomberos. Las reuniones para recaudar fondos atrajeron la atención de las organizaciones locales.

Las audiencias del Congreso incrementaron las donaciones para investigaciones, de medio millón de dólares en el año 1985 a quince millones en el año 1994. En 1991 se unieron varios grupos del SMSL, y como resultado surgió "*SIDS Alliance*" . Continúa en la actualidad el "*Family Services Advisory Committee*". Sus objetivos son realizar una autopsia a todos aquellos lactantes que mueren en forma súbita e inesperada; proporcionar el informe de la misma; utilizar el término SMSL; realizar el seguimiento, y ofrecer información y asesoramiento a aquellas personas afectadas por este tipo de muerte. La obtención de medios económicos y los esfuerzos de promoción garantizan la investigación. Durante mucho tiempo, la preocupación acerca del SMSL recaía casi en forma exclusiva en los padres. En la actualidad existe el apoyo de la comunidad, ya que se estima que una muerte afecta la vida de cien personas. Las familias cuentan con la experiencia de los profesionales médicos que se dedican al SMSL, de grupos como *"SIDS Alliance"*, *"Southwest SIDS Research Institute"* de Texas; *"Compassionate Friends"*, *"As-*

sociation of SIDS Program Professionals" y *"SHARE"*, sólo algunos de los que trabajan para brindar esperanza y consuelo.

Actualmente, casi cuarenta años después de la muerte de nuestra hija Molly, puedo decir que lo he superado. Los días y las horas que no he podido estar con ella tuvieron un sabor amargo; pero puedo afirmar que su paso por esta vida me ha enriquecido. Mi vida ha sido privilegiada. Me apoyaron familiares y amigos íntimos. En el año 1987, con otras personas de la comunidad internacional del SMSL formamos *"SIDS Family International"* (actualmente llamada *"SIDS International")*. En un encuentro realizado en Lago Como en Italia -en un lugar ancestral y entre columnas y estatuas históricas- supe que mi vida atestiguaría el inicio de la esperanza. Quizás el antiguo temor a la "sofocación" haya desaparecido , y nadie deba sufrir en el futuro la culpa y la soledad que se experimentan cuando algo tan irracional como el SMSL extingue la belleza y la inocencia de un bebé que recién comienza a formarse.

Con el paso de los años llegaron nietos, entre ellos otra Molly. Sus pequeñas expresiones y sonidos fueron como fuegos de artificio. Me hacen pensar en las palabras de Camus, el escritor francés, que había escrito a un amigo que había perdido a su hijo: *"¿De qué vale lo que hemos perdido si no valoramos lo que poseemos? Pueden amarse muchas cosas, por lo tanto no debe existir una desesperanza total".*

Capítulo 2

Comienza la pesadilla

Quizás el acontecimiento que provoca mayor ansiedad en la vida de un ser humano sea la separación de una madre de su hijo recién nacido. La respuesta, tanto de humanos como de animales, es una combinación abrumadora de pánico, ira y desesperación.

~ Dr. A. P. Ruskin

El Síndrome de Muerte Súbita del Lactante es una separación forzosa y súbita que durará para siempre. En una primera etapa, las personas que viven esta tragedia se encuentran en un estado tal de conmoción que sus cuerpos y sus mentes no pueden llegar a comprender lo que han perdido. La inversión que han realizado en la vida del bebé es inmensa y profunda: desde la planificación (que en muchos casos comienza en la primera infancia), hasta el amor necesario para concebirlo y el primer llanto bendito. Luego del nacimiento, los padres desean saber a quién se parece el bebé, atrapar su primera sonrisa, llevarlo a la oficina de papá o mamá, de compras o a la casa de los abuelos. Los padres sienten el orgullo de tener un bebé sano y en pleno crecimiento, y de ser "un buen papá" o "una buena mamá".

Y luego, de pronto, nada. Un bebé que debió haberse despertado hambriento y alerta no se despierta nunca más. La conmoción y el descreimiento superan a los familiares, quienes sólo pueden sentir sus brazos vacíos, sensación que posteriormente se convierte en un gran enojo. El SMSL constituye un tipo de muerte muy impactante porque es inesperado. Sin embargo, puede afirmarse que cualquier muerte infantil constituye un golpe imposible de calcular.

Durante las oscuras noches que siguieron al fallecimiento de Christian, Joani tomaba en sus brazos a la muñeca de su hija de dos años de edad. *"Era del mismo tamaño que Christian, y yo necesitaba sentirlo entre mis brazos. Los sentía vacíos y estériles. Mi bebé era un apéndice de mí, y cuando falleció parecía que me habían extirpado una parte del cuerpo. Luego de dormir –cuando lograba hacerlo– me despertaba deseando morir. Lo primero que pensaba cada mañana era... No puedo creer que nos haya sucedido esto".*

Lo que más confundía a Joani durante esos días era la convicción de que la pesadilla recién comenzaba. También deseaba morir y sentía que se hundiría cada vez más... *"Temía suicidarme, o morir casualmente en un accidente. Cuando mi cuñada me contó lo devastador que había sido el suicidio de su madre, comprendí que aún tenía a mi esposo Gabe y a mis tres hijas. Aún me necesitaban otras personas".*

Aunque nos digan que es perfectamente normal experimentar pensamientos suicidas y sufrir depresiones luego de la muerte de un hijo, pocas explicaciones pueden aliviar un dolor tan constante y devastador. Aun así podemos meditar acerca de las palabras de Abraham Lincoln en el presente libro, quien afirma que -*"sabemos que algún día volveremos a ser felices".* Para llegar a ese momento es necesario atravesar un largo camino de dolor –un territorio extraño y hostil que nadie elegiría de poder evitarlo.

A continuación relato algunas experiencias frecuentes en muchas personas que comienzan a transitar el camino del duelo:

Sensación de entumecimiento

Se trata de un estado de conmoción normal durante las primeras semanas. Es la forma en que cuerpo y mente se defienden del impacto de la muerte. Muchas personas sienten una dificultad enorme para cocinar o incluso organizarse para salir. Martina Murphy, madre de cuatro hijos que perdió a su primer bebé a causa del SMSL, dice -*"Me sentía perdida en la niebla. Poco tiempo después de la muerte de Jimmy estaba en un restaurante y comprendí que no podía regresar a mi hogar, mi mente estaba completamente desorganizada. Luego de algunos días comprendí que era una sensación personal".*

Continuo diálogo interior de "Si sólo..."

Es la forma en que nuestra mente intenta creer que la tragedia no ha sucedido. Aunque resulta irracional, de trata de un comportamiento normal. Se intenta retroceder en el tiempo, para cambiar las circunstancias en que falleció el bebé y pensar que él logró despertar.

Recuerdos del pasado

Son imágenes que aparecen al recordar momentos intensos vividos con el bebé, como cuando se lo halló sin vida. Pueden ser la causa de nervios, ansiedad, tensión, sentimientos de culpa, pesadillas y la sensación de estar volviéndose loco. Se trata de sensaciones normales que finalmente disminuyen en frecuencia y sólo se producen en algunas ocasiones.

Oír el llanto del bebé

Puede suceder cuando en realidad es otro bebé quien está llorando, o cuando no hay un bebé en kilómetros. Terry Dohrman, quien se encontraba en viaje de negocios pocos meses después de la muerte de su bebé Zachary, oía llorar a un bebé en los pastizales que rodeaban al hotel. Lo buscó incansablemente hasta que angustiada aceptó que el llanto provenía de su imaginación.

Escuchar el comentario... *"lo estamos superando"*

Durante las primeras etapas del período de duelo, es perfectamente normal el deseo de alejarse de las personas o de acercarse a ellas para encontrar consuelo. Muchas personas, como Joani, apenas lloran durante las primeras semanas. Sin embargo, este comportamiento no indica una ausencia de amor o de devastación ante el fallecimiento del ser amado. Puede ocurrir que amigos y familiares confundan este comportamiento con una enorme fuerza emocional. Desafortunadamente, esta presunción crea otra carga enorme porque podemos comenzar a cuestionarnos si realmente amábamos a nuestro bebé (si realmente lo amábamos, ¿cómo podemos ser fuertes luego de su fallecimiento?) o si nuestro proceso de duelo es el adecuado. En realidad el amor por el bebé es profundo y el estado de conmoción nos conduce a este tipo de comportamientos.

Irritabilidad extrema, en especial con aquellas cosas intrascendentes que otras personas consideran importantes

Luego del fallecimiento de un bebé, la expresión "la vida y la muerte tienen sentido" cobra importancia. Lo único importante pasa a ser lo realmente vital. Por consiguiente, junto con el dolor de la pérdida se combina un sentimiento de enojo que está siempre al borde del estallido. *¿Cómo puede discutir esa mujer acerca del precio de un producto?, ¿no sabe que nuestro mundo ha acabado, que nuestro bebé ha fallecido?* De hecho, no lo sabe, así como no lo sabe el resto del mundo. Y aunque sea injusto, el mundo sigue su curso, y muchas personas llorarán por trivialidades al mismo tiempo que nosotros lloramos por una vida que ya no está. Es perfectamente normal que nos ofenda la injusticia de dicha situación.

Sin embargo, no sólo los desconocidos nos causarán este sentimiento de enojo. También nos puede ocurrir con algún integrante de la familia o un amigo. Podemos incluso vernos tentados a echarlos y a decirles que no deseamos verlos nunca más. Pero para no arrepentirnos en el futuro, podemos simplemente pedirles que nos llamen dentro de un tiempo. También debemos recordar la expresión "lo siento", ya que la mayoría de las personas comprenden el dolor de alguien en proceso de duelo.

Indecisión acerca de qué hacer con los objetos relacionados con el bebé

Muchas personas se sienten paralizadas ante el fallecimiento del bebé, al tiempo que otras experimentan una sensación de hiperactividad. Las últimas son quienes limpian de inmediato el cuarto del bebé y guardan todo en una caja. Este comportamiento es positivo si la caja es conservada en algún lugar de la casa, y no arrojada a la calle. Es mejor no regalar de inmediato las pertenencias del bebé, ya que no se sabe si en otro momento sentiremos una necesidad de recordar al bebé a través de estos objetos. Algunos padres conservan algunos objetos del bebé, como prendas de vestir, chupetes o juguetes, para recordarlo en momentos de paz. Es mejor esperar un tiempo antes de elegir qué objetos se desea conservar.

Amigos inexpertos

Nos referimos a aquellas personas inexpertas o que permanecen en silencio ante nuestra tragedia. Se trata de personas que se sienten confundidas o incómodas y no saben cómo actuar ante nuestro dolor. Incluso pueden evitar un llamado o una visita. Algunos ni siquiera envían una nota de condolencia. Con posterioridad, pueden incluso evitarnos por vergüenza. Jennifer Wilkinson relata... *"algunas personas se sentían incómodas ante nuestro dolor y parecían buscar ayuda y orientación".*

La verdad es que nuestra sociedad no nos enseña a actuar ante la muerte, y muchas personas necesitan una guía. Quizás seamos nosotros quienes debemos tomar la iniciativa e iniciar un diálogo acerca de nuestro bebé. Una madre víctima del SMSL se sintió muy desilusionada cuando un colega ignoró una foto de su bebé que ella intencionalmente había colocado sobre su escritorio. Creyó que comprenderían que ella necesitaba hablar de su hijo, y cuando observó que no lo hacían, se enojó y sintió resentimiento hacia ellos. Luego de varias semanas siguió la sugerencia de su grupo de apoyo y fue ella quien inició el tema de conversación. Entonces pudo darse cuenta de que varios de sus colegas realmente deseaban conversar acerca de la muerte de su bebé.

Preguntas acerca de la posibilidad de tener hijos en el futuro

No existe una forma adecuada de preguntar a un padre o madre en duelo si piensan en tener otro bebé, no sólo porque es un tema muy personal, sino porque a veces puede interpretarse como un reemplazo (como si el bebé fallecido fuese un par de zapatos que puede reemplazarse en cualquier momento). Sin embargo, como muchas personas preguntan acerca de este tema, es bueno tener pensada una respuesta de antemano. Como cualquiera sea la respuesta generará una opinión de la persona que pregunta, un buen argumento puede ser... *"Mi esposo y yo estamos meditando acerca de este tema en privado".*

Llanto frecuente y cambiante

Algunas personas se preguntan si alguna vez dejarán de llorar, al menos cuando están haciendo compras. La verdad es que pasará mucho tiempo antes de poder dejar de hacerlo. Una madre nos contó que lloró todos los días durante diez meses hasta que determinado día dejó de hacerlo. Debe permitirse a cada persona el tiempo necesario ya que el llanto es saludable y no sólo para aquéllas personas cercanas al bebé. Muchos padres víctimas del SMSL nos comentaron que para ellos fue positivo poder llorar frente a personas que se preocupaban por ellos y que sentían su pérdida. Los ayudó a expresar su dolor y a liberar tensiones. Si comentamos a otras personas que sentimos una necesidad o un deseo de llorar, los estaremos ayudando a apoyarnos.

Otro bebé

Nadie observa tanto la silla de paseo de un bebé como una mujer embarazada, y nadie reconoce a cada bebé a la vista como un padre que perdió un bebé a causa del SMSL. Un bebé puede atraernos o hacernos huir, y se considera que ambas reacciones son normales. Si podemos expresar nuestros sentimientos, seguramente serán comprendidos.

Bajo rendimiento laboral

Aquellos padres que regresan a trabajar al poco tiempo de fallecer su bebé se encuentran confundidos y desorientados. También es normal sentir que el trabajo no tiene valor, que no resulta productivo, y que es intrascendente cuando se lo compara con la pérdida de un hijo. Si se siente de esta forma, quizás sea importante conversarlo con su jefe o con sus colegas. Ellos deben saber que usted está viviendo momentos difíciles y que está trabajando de la mejor forma posible. Si fuese posible, usted debe tomar algunos días de licencia para vivir su duelo.

Elevado rendimiento laboral

Muchas personas utilizan al trabajo como una catarsis de su dolor. Puede tratarse de un comportamiento positivo siempre y cuando no reemplace al período de duelo. Puede obstaculizar tanto el periodo de duelo como la relación con personas cercanas. Es frecuente que nos sintamos impacientes ante un extenso período de duelo. Sin embargo, es importante otorgarnos el tiempo y el espacio necesarios para vivir nuestras emociones y así poder superarlas.

Encuentro con aquéllos que desconocen lo acontecido

Es difícil recibir condolencias, pero es aún más complicado recibir las felicitaciones de aquéllos que desconocen el fallecimiento del bebé. Sin embargo, es normal que ciertas personas no se hayan enterado de lo sucedido. Para ellos puede resultar frustrante y vergonzoso "felicitar por el nacimiento de alguien" que ya falleció. Poco podemos hacer en una situación tan poco común, sólo contarles lo sucedido y conversar con ellos (si desean hacerlo). Tenga la certeza de que en la mayoría de los casos ellos se sienten tan mal como usted.

Desvinculación del mundo

Luego del fallecimiento de un bebé, muchos padres no pueden sentirse identificados con el resto del mundo. Es común sentirse aislado y solo, y es el momento adecuado para relacionarse con un grupo de apoyo. Aunque no pueda solucionar su inactividad, impaciencia y olvido, quizá se sienta mejor al saber que otras personas se sienten de la misma forma. Puede comunicarse con "*SIDS Alliance*" para que lo deriven al grupo de apoyo del lugar en el que vive (su número telefónico se encuentra en el apéndice del presente libro). Si en su zona no hay un grupo de apoyo a víctimas del SMSL, debe comunicarse con un hospital cercano para que lo contacten con un grupo de "Amigos Solidarios" (*Compassionate Friends*) quienes brindan apoyo a familiares de niños de cualquier edad que fallecieron por diversas causas, o con un grupo de apoyo a personas que sufrieron un aborto o el fallecimiento de un niño (grupos *MIS*).

Medicamentos y paliativos

Algunos médicos prescriben en forma automática una medicación para aquellos padres que perdieron un hijo. Algunos padres buscan auto medicarse, consumiendo bebidas alcohólicas o alimentos en exceso. Otros trabajan en forman desmedida. Algunos se vuelcan a las apuestas o al ejercicio físico. Algunos incluso consumen drogas. Cualquiera de los comportamientos mencionados puede tornarse adictivo si no es supervisado, y el proceso de duelo en sí mismo es bastante difícil como para agregarle la dificultad de tener que recuperarse de una adicción. Debe vivirse el duelo día a día, y finalmente se observará un progreso.

Dificultad para relacionarse con otras personas

Cada persona realiza su proceso de duelo en forma diferente, aun los integrantes de una pareja que se conocen hace años. El esfuerzo de cada uno de los padres es inmenso, y muchas parejas deciden solicitar asesoramiento para preservar su matrimonio (Leer el relato *"Lograr una Buena Relación con el Asesor"* presentado en el Capítulo 13). Joani encontró gran ayuda en la intimidad de su relación con su esposo Gabe, ya que se apoyaron mutuamente para sobrevivir a la tragedia. Sin embargo, como todas las parejas en proceso de duelo, descubrieron que cada uno poseía sus propios tiempos y que su dolor se manifestaba de modos diferentes, y aprendieron a respetar este hecho. Para que la tragedia no sea la causa de una posterior disolución, debe respetarse al compañero para que pueda manifestar su dolor en forma personal.

Evocación del día jueves 21 de marzo del año 1991

~ Michelle Morgan Spady

Cuando recuerdo aquel horrible día jueves 21 de marzo del año 1991, me gustaría poder oprimir...

BORRAR (como en una videograbadora)

El recuerdo de aquel día está tan presente en mi memoria. Había comenzado como un día normal. Armani había dormido con nosotros la noche anterior, como lo había hecho durante toda su vida. Nos despertamos y jugamos como siempre. Lo alimenté y lo coloqué en una mochila sobre mi espalda, como solía hacer y algo que lo divertía mucho. Pero ese día Armani lloró... por favor que alguien oprima....

PAUSA

Esa mañana no comió demasiado, razón por la cual preparé una ración abundante para llevar a la casa de la niñera. Vestí a Armani y como no me decidía acerca de la vestimenta lo cambié dos o tres veces. Mientras yo me vestía, Armani jugó con su padre a las escondidas. Gateaba detrás del sofá, por favor que alguien oprima...

PAUSA

Cuando papá se preparaba para ir a trabajar, Armani y yo lo observamos desde la puerta del cuarto de baño mientras se afeitaba. Le dije -*"Algún día tú también serás grande y te afeitarás"*. Armani lo observaba, por favor que alguien oprima...

DETENER (deseo grabar este momento)

Cuando llegamos a la casa de la niñera, Armani estaba algo inquieto, por esa razón me quedé con él aproximadamente veinte minutos. La niñera insistía en que podía irme, pero me quedé con él e intenté alimentarlo. No tenía hambre y lo incentivé para que jugara con otra bebé llamada Allison. Tres veces gateó hacia ella pero luego regresaba hacia mí y se sujetaba de mis rodillas. Por favor que alguien oprima...

DETENER

La niñera dijo -*"Armani está bien, ¿por qué no se marcha?"* Giré y lo saludé. Armani no lloró. Por favor que alguien oprima...

PAUSA

Cuando llegué a casa me preguntaron -"*¿qué te retuvo tanto tiempo?"*, y yo respondí -*"Armani no deseaba que me marchara y me quedé con él durante un momento"*. Comencé con mis tareas y diligencias y durante todo el día me sentí desorientada. No podía tomar decisiones ni encontrar el camino a casa. En una tienda tomé varios juguetes para comprar a Armani pero luego los dejé pensando... *"Tenemos todo el tiempo del mundo para comprar juguetes"*. Al final sólo compré uno. Aproximadamente a las tres de la tarde pensé que debía llamar a casa. Nadie respondió y decidí detenerme en una tienda camino a casa para comprar algunos alimentos y pañales. Luego de abonar la compra me dirigí a un teléfono y llamé a la casa de la niñera para informarle que ya estaba en camino. Se trataba de mi momento favorito del día, ya que siempre había detestado dejar a Armani. La niñera prefería que yo la llamara para poder prepararlo. Por favor que alguien oprima...

BORRAR

Una vos masculina respondió la llamada. Era el esposo de Sophia, la niñera, y era inusual que él se encontrara a las cinco de la tarde en la casa.

Yo: "*Hola, ¿puedo hablar con Sophia?"*

Esposo: "*Sophia no puede hablar en este momento, ¿quién es?"*

Yo: *"Michelle, la madre de Armani. Por favor dígale que estoy en camino para recoger a Armani"*

Esposo: *"Michelle, ¿qué le sucede?, usted no puede recoger a Armani"*

Yo: *"¿Por qué?"*

Esposo: "*¿No sabe lo que sucedió hoy?"*

Yo: *"¡No!, ¿qué sucedió?"* (Pensé de inmediato que Armani estaba enfermo)

Esposo: *"¡Armani falleció!, ¡falleció hoy! Todo el mundo la estuvo buscando"* (De inmediato oí a una mujer llorar)

Yo: *"¿Qué?, ¡permítame hablar con su esposa!"*

Esposo: "*¡No!"*

Sophia: *"¡Déjame hablar con Michelle! ¡Michelle!"*
Yo: *"Sophia -¿adónde está mi bebé?, ¿adónde está Armani?, ¿qué le sucedió?"*
Sophia: *"No lo sé. Falleció hoy. Aproximadamente a la una y media lo coloqué a dormir su siesta. No había almorzado demasiado y Allison deseaba jugar con él. Ella sacudía su cuna y le decía -"Armani, despiértate, Allison quiere jugar contigo". Pero Armani no se movía, y cuando me acerqué para alzarlo, lo encontré sin vida. ¡Michelle, lo siento, su esposo la está esperando en el Hospital Arlington!"*
Yo: *"¡Cuelga!"* (Buscaba otra moneda para llamar a casa. Estaba nerviosa, temblaba y lloraba. Marqué el número telefónico y mi hermano respondió). *"¡Steve, quiero hablar con Arnett!"*
Arnett: *"¿Adónde estás? ¡Iremos a recogerte!"*
Yo: *"¡No! ¿Qué pasó con Armani?, ¿de qué están hablando?, ¿adónde está mi bebé?"*
Arnett: *"¿Adónde estás? Iremos a recogerte"*
Yo: *"¡No! Estoy en la tienda camino a casa"*. Que alguien por favor presione...

BORRAR *(Deseo borrar este horrible día de mi vida)*

Corrí hacia mi automóvil, ubiqué los alimentos en él, debía ver a mi bebé. El médico me informó -*"Sra. Morgan, debe tranquilizarse. No podemos permitirle ingresar a la sala de emergencias si usted no se tranquiliza. Hay personas muy graves allí"*

"Por favor permítanme ver a mi bebé, ¿qué le sucedió?". Puedo verlo recostado en una camilla, tiene puesto un pañal limpio. No parece haberle sucedido nada malo, ¡Debo tocarlo!, No puede ser. Armani, por favor dile a mamá qué sucedió hoy. Me dicen que Armani no puede explicarme. Creen que se trata del Síndrome de Muerte Súbita del Lactante, pero no lo sabremos hasta tener el resultado de la autopsia. Sin embargo, aparentemente esa es la causa. *"Sra. Morgan, el SMSL es, ¿desea alzar a Armani?"*. *"Sí, por favor"*. *"Sra. Morgan,le sugerimos buscar ayuda en un grupo de apoyo a víctimas del SMSL"*, *"Por favor, deseo estar a solas con mi bebé"*.

Estaba tan frío, tan inmóvil, tan sereno... Esta mañana estaba saludable, inquieto, lleno de vida, ¿SMSL?, ¿qué es el SMSL? Tiene ocho meses y medio. Dentro de poco tiempo debía llevarlo a su control pediátrico, ya teníamos una cita. Era un bebé sano, feliz, tenía dos pequeños dientes y comenzaba a caminar. Había recibido todas las vacunas, no había sufrido gripe ni fiebre. No habíamos percibido señal alguna, ¿qué es el SMSL? Me habían realizado todos los estudios genéticos: amniocéntesis, sonogramas, análisis de sangre. ¿Qué sucedió?. Nadie nos había advertido acerca del SMSL. Lo íbamos a bautizar en su primer cumpleaños. No puede ser verdad, es una horrible pesadilla. ¡Por favor despiértenme!

Al recordar a Armani en su primer aniversario de fallecimiento, desearía poder oprimir teclas como en una videograbadora... *REBOBINAR, BORRAR, REPRODUCIR* y finalmente *ADELANTAR* nuestras vidas. Deseaba poder relatar por escrito lo sucedido aquel día y de ese modo cerrar el capítulo. Ahora que he finalizado, dudo poder borrar los detalles tan presentes en mi memoria.

Comienza el día

Para Daniel C. Roper, IV: 9/9/95 - 4/12/95
~ Janice John Roper

El día comenzó como un círculo ardiente,
doloroso y avanzando con cautela sobre los hogares.
Los rayos de láser enceguecen
y laceran mi rostro. Otro día
sin Danny. Giro en la cama
y me cubro con cobijas.

Las cobijas son cálidas y suaves, y el lugar
en el que Danny se abrigaba está oscuro, el lugar
que comienza a la altura de mi corazón y concluye con
sus pequeños pies en mis muslos. Mis brazos lo rodean.
Su cabeza reposa sobre mi mano.
Me observa. Soñamos
acerca de todas nuestras futuras aventuras.

Al observar el interior de mis párpados, el beso
de un ángel es como el paso de una nube, como una invisible brisa.
Se deshace en mi abrazo
hacia la deriva en una neblina de confusión,
hasta que la realidad nos perfora
como un láser. El láser es una espada que utilizo
para abrir el mundo en busca de
mi hijo Danny,
para que él nuevamente esté vivo, para que despierte
rozagante, respirando, para que sus
pequeños pies vuelvan a estar sobre mis muslos.

El láser es una espada que el destino utiliza
para cortarme por la mitad,
para observar mi reacción.

Una mitad de mí se levanta cada mañana para ir a trabajar.
La otra mitad abriga a Danny.

Aquel fatídico 10 de Febrero del año 1999

~ Candace N. Herkins-Jones

Se suponía que no me sucederían estas cosas... Recuerdo haber repetido esta frase una y otra vez. No sabía qué hacer. Pensaba que si gritaba fuerte mi dolor desaparecería. Deseaba que el día comenzara otra vez. Mis recuerdos son tan nítidos, pero aún así siento una gran confusión.

Mi tercer hijo y único varón falleció. Aguarda un minuto, pensé: según el orden natural de los acontecimientos, se supone que primero deberían morir mis abuelos, luego mis padres, y no mi bebé sano. Los pensamientos se confundían en mi mente -¿Qué le diría a mis hijas de cinco y ocho años de edad?, ¿cómo lograré explicarlo cuando yo no puedo comprenderlo?

Todos los anteriores pensamientos me abrumaban al tiempo que regresaba del hospital en el que habían declarado a mi hijo Zackary muerto a causa del Síndrome de Muerte Súbita del Lactante. Zackary había sido un niño sano que pesó más de tres kilos al momento de nacer. Ni yo podía creerlo cuando me informaron que tendría un varón, ya que luego de haber tenido dos hijas y de haber estado rodeada de objetos color rosa y de muñecas Barbie, pensé que siempre tendría niñas.

El parto fue lo que puede esperarse de una cesárea planificada, y el día 11 de diciembre del año 1998 casi a la una de la tarde dimos la bienvenida al mundo a un pequeño muy amado. Mi hijo era perfecto en todo el sentido de la palabra, tenía ojos azules, era rubio y su tez era rosada y suave. Era un bebé feliz y yo estaba como en el paraíso. Luego de la cesárea me sometí a una intervención quirúrgica para ligar mis trompas ya que en ese momento pensé que mi familia, con dos hijas y un varón, estaba completa. Si sólo hubiera sabido lo que ocurriría cincuenta y nueve días después.

Me convertí en mamá de tres. Lo más difícil era que sólo tenía dos manos, dos ojos, dos oídos, y tres niños requerían de mi atención. Mis tareas incluían amamantar y cambiar pañales al más pequeño, dedicarme a la que ya estaba en preescolar y a la que asistía a quinto grado. Aunque era un trabajo duro, disfrutaba el hecho de ser mamá y me emocionaba con todo lo que Zack nos regalaba a diario. Nunca había sido tan feliz en mi vida.

Llegó el día...

Luego de lo que sería una cirugía menor, me darían de alta el día 10 de febrero de 1999. Zack, de dos meses de edad, era una verdadera alegría para todas las personas que lo conocíamos. Mi ex esposo y padre de mis tres hijos cumplía años el mismo día en que falleció Zack. Ese día dejó a Zack al cuidado de amigos muy cercanos y viajó varios kilómetros hasta su trabajo. Había planificado regresar en poco tiempo para recoger a Zack y luego a mí en el hospital.

Zack estuvo con nuestros amigos sólo durante una hora. Luego de haberlo alimentado y jugado con él, comenzó a ponerse irritable y parecía cansado. Luego de cambiarle los pañales, mi mejor amiga decidió colocarlo a dormir una siesta. Adam, mi ex esposo, me dijo que la noche anterior también había sido complicada. Zack se había despertado muy seguido, hambriento y mal humorado, pienso que me extrañaba.

A los veinte minutos de haber sido colocado a dormir, yo llamé por teléfono para decirles que acababan de darme de alta. Adam también llamó para informarles que estaría allí en unos minutos. Con horror y conmoción recibimos la respuesta del capitán de bomberos de Rocklin, California, quien nos informó que Zack había dejado de respirar. Me encontraría con Zack en el hospital y su padre llegaría tan pronto como le fuera posible.

Me arranqué la vía intravenosa y bajé las escaleras corriendo hacia la sala de emergencias, seguida por las enfermeras. El papá de Zack condujo a más de ciento sesenta kilómetros por hora para llegar al hospital. Ambos llegamos aproximadamente a los seis minutos de la llamada telefónica. Me informaron que los médicos estaban intentando reanimar a Zack. Grité... *"¿qué significa eso?, ¡quiero ver a mi hijo!"* A los pocos minutos, un médico nos informó que no había nada que hacer, que Zack había fallecido. Grité nuevamente.

No podía dejar de llorar ni pensar, sentía como si estuviera por estallar.

Llegamos a casa, adonde ya había muchísimas personas. Ya se habían realizado los llamados; ya se habían reservado los pasajes aéreos, y todo el mundo estaba en camino hacia nuestro hogar en Rocklin. Nuevamente quise gritar. Vagué por la casa observando los objetos de mi bebé. Entré en su habitación y me recosté en la alfombra, como si quisiera desaparecer en ella y nunca más volver. No podía ser verdad – pensé que debía tratarse de algún tipo de broma cruel.

Luego tuve que explicarle a mis hijas. Primero a Ally, mi hija de cinco años de edad, quien salió corriendo llorando. Luego a Jessica, de ocho años, quien me observó como si estuviera loca. En ese momento en realidad pensaba que me estaba volviendo loca. Pensar...pensar...pensar... era todo lo que podía hacer. Deseaba que un caballero de armadura plateada llegara a mi rescate, pero nadie podría hacerlo.

¿Entierro?, ¿funeral?, ¿cremación?, ¿adónde?, ¿cuándo? Nuevamente grité. Optamos por la cremación e imprimimos tarjetas con el rostro sonriente de nuestro bebé y una frase de la Biblia. Durante unos instantes más deambulé por la casa.

La casa estaba llena de gente. Sus rostros no tenían expresión, sus almas estaban vacías. Se sentían perdidos y atemorizados, y se los podía observar sosteniendo fuertemente a sus hijos. Incluso el perro se había escondido. Realizamos el velatorio en el hospital en el que Zack había sido declarado muerto. Vinieron los médicos y las enfermeras, aunque no tenían demasiado para decirnos.

Recuerdo mi primera salida luego del fallecimiento de Zack. Pensé que sería sencillo llevar a lavar el automóvil pero lo primero que vi fue a una madre que tenía en su automóvil un asiento para bebé exactamente igual al de Zack y en él a un bebé de aproximadamente dos meses de edad. Mis amigos me acompañaron al automóvil al tiempo que pensaba que la vida era terriblemente injusta. Decidí que aún no era el momento de salir al mundo, un mundo al que yo deseaba detener. No podía comprender a las personas que hacían sus compras, que reían, que bebían café, y deseaba gritarles - "¡MI BEBÉ ACABA DE MORIR!, ¿NO LES IMPORTA?".

Parecía ejecutar mis acciones por primera vez. Por ejemplo, salir de casa era muy difícil, así como evitar el llanto. Meses después del fallecimiento de Zack, dejamos de recibir llamados de amigos. También llegó el final de nuestro matrimonio. Recuerdo haber iniciado terapia y decirle a mi terapeuta que deseaba que todo volviese a la normalidad. Ella me respondió que yo debía crear una nueva dimensión de "lo normal" porque lo que yo conocía hasta ese momento era ahora diferente. Mis trompas estaban ligadas; mi matrimonio se había disuelto; tenía dos hijas enojadas y desdichadas y yo ya no podía funcionar como en el pasado. A pesar de haber trabajado como asesora durante diez años, no podía ayudarme a mí misma.

Luego tuvieron que medicarme y posteriormente internarme en una institución psiquiátrica en la zona de Sacramento. Lo más complicado era aceptar que Zack se había marchado y que ya no volvería. Mis amigos ya no deseaban que les hablara acerca de mi hijo, entonces me separé de ellos. Fue entonces cuando decidí responder en una línea telefónica. De ese modo me transformé en una especie de enviada de Dios.

Casi diez meses después del fallecimiento de Zack comencé a vislumbrar un poco de luz al final del túnel. Nuestra primera Navidad fue muy difícil, pero debía pensar que mis hijas me necesitaban. Por eso compramos un árbol de Navidad e intentamos celebrar. También fue muy triste el día que Zack debía cumplir años. Colocamos una foto del bebé y el camarero del restaurante le cantó el "Cumpleaños Feliz".

Cuando se acercaba el aniversario de su fallecimiento - o según mis hijas el "día de la partida" - me refugié en México para demostrarme que podía sobrevivir el primer año sin Zack.

Muchas veces sentimos que vivimos una lucha cotidiana, y que a veces poder afrontar cada nuevo día es muy complicado. Sufrimos lo que decidimos llamar "Ataques de Zack", cuando las niñas o yo lo extrañamos de modo intolerable.

¿Qué puedo hacer con el dolor que siento cuando sé que no podré abrazarlo nunca más?

Luego de doce meses de responder en una línea telefónica y de haber hablado con miles de familiares de víctimas del SMSL y de haber creado una página web para Zack, decidí que era el momento oportuno para desligar mis trompas - intervención que se concretó en marzo de 2002. El médico me informó que había recuperado en un 90% mis posibilidades de quedar embarazada nuevamente. En segundo lugar decidí ayudar a otras personas en su proceso de duelo. Al recordar el pasado comprendí que me había sentido muy sola ante la muerte de Zack, y que las únicas personas que realmente podían ayudarme eran aquéllas que podían decir -*"Sé lo que sientes"* y aquéllos con quienes podía conversar a las tres de la madrugada cuando no podía dormir. De esta forma nacieron *WWW.zacksplace.com* y *"Zacks Walk"*.

"Zacks Walk-KIDS Against SIDS" (contra el SMSL) comenzó su labor en el año 1999. Dio su primer paso en el mes de octubre del año 2000, y con muchísimo esfuerzo y trabajo –más de lo que imaginaba- recaudó más de noventa mil dólares. Ayudamos a más de treinta y cinco familias a solventar el costo del entierro de sus bebés y donamos a *"SIDS Network Inc."* un cheque por diez mil dólares. Brindamos capacitación y logramos que varias familias viajaran a la conferencia nacional de *"SIDS Alliance"*. Logré sentir

que Zack y yo estábamos haciendo algo importante.

La labor de "*Zacks Walk*" durante el año 2001 fue intensa. Se llevó a cabo con posterioridad al ataque del día 11 de septiembre en Estados Unidos de América. El dolor de las familias ante tantas pérdidas de seres queridos intensificó mi duelo y me hizo extrañar mucho a Zack. Deseaba que el dolor de estas personas no me alcanzara. Ayudamos a donar copias del libro "Bailando en la Luna" (*Dancing on the Moon*) para ayudar a niños y padres a superar su dolor e intentamos reunir la mayor cantidad de fondos posibles.

Conocí a Gerald y me enamoré de él. Es un hombre increíble que también perdió una hija en el año 1988 por otra causa. Nuestra relación fue en poco tiempo muy cercana y recientemente contrajimos matrimonio. La alegría y la esperanza continúan presentes.

Nos preparamos para el siguiente "*Zacks Walk*" que se realizaría en el mes de octubre del año 2002 con muchísimo apoyo. Logramos ayudar económicamente a solventar el presente libro y ayudamos a muchas familias del área de Sacramento. Una parte del dinero reunido se destinará a la traducción al español del presente libro. El objetivo es que dicha traducción alcance a un mayor número de personas que atraviesan su proceso de duelo.

En lo que va del año 2003, he conversado con más de diez familias víctimas del SMSL. Los he alentado, ayudado a solventar el entierro o la cremación de sus preciosos bebés; los he escuchado a las tres de la mañana y los he ayudado cuando creían que ya no podrían continuar con sus vidas.

He realizado un trabajo de capacitación de bomberos y policías con el objetivo de sensibilizarlos en el contacto con recientes víctimas del SMSL. Mi esfuerzo se inspira en Zack y en todos aquellos bebés que nunca se despertaron de su sueño.

¿Y ahora...? Los poemas han sido escritos. Su rostro ha aparecido en proyecciones, en la televisión, en Internet y en las lunetas de muchísimos automóviles en toda California. Continuaré con esta labor hasta sentir que debo realizar otra obra. Comenzamos a planificar una carrera de motocicletas y un circuito en bicicleta, así como un proyecto para solventar lápidas, todos los anteriores con el objetivo de ayudar en la lucha contra el SMSL.

El fallecimiento de Zack no ha sido en vano, ya que mi bebé me ha hecho conocer a algunas de las personas más maravillosas del mundo en mi lucha contra el SMSL. Mi hijo Zack ha bendecido mi vida, y estoy convencida de que él me sonríe y está orgulloso de todo el trabajo de su mamá.

~ El anterior artículo ha sido escrito en conmemoración de Zackary Shane Herkins 11/12/98 - 10/02/99 www.zacksplace.com

Bebé Ben

~ Lynne S. H. Javier (sintetizado por Jean K. Hulse-Hayman)

Era un martes 9 de junio aproximadamente a las cuatro de la tarde. Tenía en brazos a mi hija Melissa, de dos años y medio de edad cuando respondí una llamada telefónica. La voz temblorosa de la persona que llamaba me heló la sangre...

"Oh, Lynne", dijo mi hermana menor Jean fuera de control. *"Estoy en el hospital. Algo acaba de sucederle a Benjamin, dejó de respirar en la casa de la niñera, no puedo ubicar a Dale, y tampoco a mamá o a papá"*, Sus palabras estaban sumidas en llanto.

"Dios mío, todo estará bien, Jean", le respondí. Mis pensamientos eran como una vorágine al tiempo que intentaba mantener el control. *"Estaré allí en unos minutos... no te preocupes... todo estará bien, te amo".*

¿Bebé Ben estaba en el hospital?, ¿cómo pudo suceder? Ben era un bebé sano y fuerte. Había estado con él hacía sólo diez días. Era un niño dulce e inquieto de tres meses de edad, tranquilo y feliz en presencia de otras personas. Era rubio y tenía ojos azules y era el fruto de un sólido matrimonio de seis años.

Recuerdo la noche de su nacimiento el 17 de febrero luego de una cesárea. Nació fuerte y robusto. También recuerdo haberlo visitado el día siguiente en una ocasión plena de felicidad. Mis ojos se llenaron de lágrimas.

Cuando llegué al hospital, me dirigí a la primera sala que encontré para preguntar adónde estaba Ben, y entonces vi a Dale, el papá del bebé, quien también los buscaba. Nunca olvidaré la ingenua expresión de su rostro, sus ojos transmitían miedo y confusión al tiempo que se aferraba a mi brazo.

"Lynne, ¿qué sucedió?"

"Oh, Dale", contuve mis palabras. *"Dejó de respirar en la casa de la niñera, y..."*

Me detuve... ambos vimos a Jean

"*Dale...*" dijo Jean, al tiempo que se deshacía en lágrimas mientras abrazaba a su esposo. Los observé confundida, sin saber qué hacer.

Una amiga de Jean de la escuela me abrazó.

Dale preguntó- *"¿Qué sucedió?"*

"Me llamaron a la escuela. Luego del almuerzo Patricia lo acunó para dormir". Se secó una lágrima. *"Luego lo acostó a dormir. Aproximadamente a las dos de la tarde Ben se despertó, pero no quiso tomar el biberón. Patricia observó que aún tenía sueño, entonces lo recostó nuevamente. Lo controló aproximadamente quince minutos después y su corazón se había detenido, comenzó a realizarle reanimación cardio pulmonar".* Inspiró profundamente e intentó continuar. *"Parece que lograron reanimar su corazón. No me permitirán verlo, está allí..."* Jean señaló una sala al final del hall.

El capellán del hospital nos informó - *"Lo están preparando para llevarlo al Hospital de la Universidad de Georgetown (Georgetown University). Allí poseen una excelente unidad de cuidados intensivos "* Jean interrumpió -*"¿Cuándo podremos verlo?"*

"Cuando lo hayan colocado sobre la camilla. El helicóptero llegará en unos minutos. Su corazón ha comenzado a latir por sí mismo, los mantendré informados"

El capellán nos llamó poco después. Estaban sacando a Ben. Jean y Dale corrieron hacia él, besaron su frente y le susurraron algunas palabras al oído.

Aproximadamente a las seis y media llegamos al estacionamiento del Hospital de la Universidad de Georgetown. El encargado de la entrada dijo unas palabras a Jean y la condujo hacia un sector especial del estacionamiento cerca de la entrada a la sala de emergencias. Una enfermera nos condujo a una sala de espera especial de la Unidad de Cuidados Intensivos Pediátricos (UCIP).

Jean les rogó que le brindaran algo de información acerca del estado de Ben. La enfermera informó que el estado del bebé era grave. Esperamos un informe de los médicos. La espera parecía eterna al saber que Ben se encontraba detrás de una puerta cerrada. Todo lo que podíamos ver era un torbellino de personas que entraban y salían de la sala de emergencias. Caminábamos por los pasillos.

Algunos amigos muy cercanos de Jean y Dale nos habían seguido hasta el hospital, e intentaban darnos valor y alentarnos. En el grupo había una mujer que yo no conocía, quien lloraba constantemente. Luego supe que era Patricia, la niñera que cuidaba a Ben cuando dejó de respirar. Le dije que todos sabíamos que había hecho lo correcto.

Cuando una de las integrantes del equipo médico del la UCIP se presentó en la sala de espera, sus palabras no nos tranquilizaron, ya que Ben todavía no lograba estabilizarse. Las próximas doce horas serían cruciales y si Ben sobrevivía esa noche quizás habría esperanza, pero el equipo de médicos no estaba seguro de que sobreviviera. Nos informó que abrirían la puerta y que podríamos verlo cuando quisiéramos.

Todos estábamos muy ansiosos por ver a Ben. Mientras nos acercábamos a la sala, observé a mi hermana y a su esposo. Hasta esta tarde habían sido una hermosa familia. Jean y Dale amaban a Ben tanto como a sí mismos.

Intenté prepararme para lo que vería, ya que debía ser fuerte por ellos dos. Respiré profundamente y caminé silenciosamente detrás de ellos. Fue entonces cuando comprendí que no estaba en absoluto preparada. Ben había sido ubicado en una cama de adultos, que lo hacía verse pequeño y desprotegido. Tenía tubos por todo su cuerpo: una vía intravenosa, un catéter, monitores conectados a su corazón, un tubo salía de su boca y clips adheridos a sus pequeños dedos azulados para medir niveles de oxígeno. En otros sectores de su cuerpo poseía buen color. Luego observé su rostro y se quebrantó mi corazón ¡Un rostro tan dulce!. Para adherir el tubo que salía de su boca lo habían pegado con cinta adhesiva a sus mejillas. ¡Sus ojos!... los habían cerrado con cinta para que no se secaran. ¡Apenas pude soportarlo!

Los médicos nos dijeron que podíamos tocar a Ben, y realizar lo que pensáramos que sería reconfortante para él. Jean tocó su mano, lo besó y le susurró palabras al oído. Hablamos con las enfermeras y los médicos que salían y entraban de la sala de emergencias, quienes fueron bastante sinceros con nosotros, contestando de la forma más sencilla posible. Sin embargo, no pudieron responder nuestra pregunta principal, ¿por qué?, ¿por qué había sucedido ésto? Una semana antes Ben había sido llevado al médico por un resfrío – nada anormal. Por la mañana había estado bien, ¿por qué un bebé totalmente saludable había dejado de respirar?

Al tiempo que pasaba la noche intentábamos ser optimistas, pero yo había comenzado a dudar acerca de las posibilidades de que Ben sobreviviera. Cada vez que quitaban la cinta adhesiva de sus ojos y los iluminaban con la linterna, yo contenía la respiración, ¿se vio algo?, ¿acaso no movió sus ojos? Pero no había movimientos. Una doctora nos había informado que luego de un trauma tan severo, a veces los ojos no reaccionan durante las primeras doce horas. A las siete de la mañana, habían transcurrido diecisiete horas sin que Ben reaccionara.

El miércoles a las once horas, la doctora nos brindó un informe- *"deseo informarles acerca del estado actual de Ben. Sus signos vitales no mejoran"*. Ella pudo notar nuestro dolor e intentó ser sutil. -*"El bebé debería respirar por sí mismo, tener latidos, responder a los reflejos, y tener actividad cerebral. Sin embargo, Ben sólo posee latidos. Como médica creo que Ben ya no posee actividad cerebral".* En ese momento se detuvo y nos observó, podría afirmar que percibió nuestra angustia. Luego agregó- *"le realizaremos un electroencefalograma para comprobar la ausencia de actividad cerebral".*

En ese momento mencionó por primera vez al Síndrome de Muerte Súbita del Lactante. Yo había escuchado acerca de este síndrome en el pasado, pero nunca le presté demasiada atención. En ese momento significó mucho más de lo que estábamos preparados para aceptar.

Mi hermana le preguntó -*"No puedo comprender, pensé que habíamos actuado a tiempo, ¿por qué no mejora?"*. Era una pregunta que todos nos formulábamos.

Ella nos respondió -*"Es verdad que actuamos a tiempo, Ben debería haber revivido, pero los bebés que sufren el SMSL no logran vivir"*

Ella lo había explicado, Ben no viviría. El objetivo de las evaluaciones sólo era confirmar que había fallecido. Sólo podíamos esperar... Oh, Dios...

Aproximadamente a las cuatro de la tarde el electroencefalograma estaba completo. La doctora nos explicó -*"El electroencefalograma muestra una línea chata, lo que significa la ausencia de actividad cerebral, pero a su vez aparecen ondas esporádicas, como las provocadas por un espasmo. Esperábamos encontrar sólo una línea chata, pero ante este hallazgo, para que todos estemos completamente seguros, realizaremos una prueba de perfusión sanguínea".*

Realizó una pausa y luego continuó -*"Como médica pienso que Ben esta clínicamente muerto, pero como madre no aceptaría un hecho tal. Por consiguiente sugiero realizar otro análisis dentro de doce horas. Si los resultados son satisfactorios, entonces realizaremos una tomografía axial computarizada (CAT scan). Realizaremos este estudio al final, ya que debemos minimizar el estrés que provoca mover al bebé, lo que podría ocasionar una insuficiencia cardiaca. En lo personal creo que ya lo hemos perdido, porque su actividad cerebral ya ha cesado, ¿desean alzarlo en brazos?"* preguntó súbitamente. Jean y Dale literalmente saltaron de la silla, por supuesto que deseaban alzarlo.

Pocos minutos después de las nueve de la noche del miércoles el corazón de Ben dejó de latir. Jean y Dale estaban junto a su cama. El pequeño bebé sano y sonriente que hacía sólo treinta horas abrazaban y besaban ya no existía. Los demás integrantes de la familia dejamos a Jean y a Dale a solas con el bebé. Luego Jean me contó que durante ese momento cortaron un bucle de su cabello, ya que la única forma de dejarlo sería si se llevaban algo de él.

El servicio religioso se realizó en una pequeña iglesia metodista cerca del hogar de Jean y Dale. En la recepción podían observarse varias fotografías de Benjamin, que Jean y Dale habían escogido y un amigo dedicado al diseño gráfico había ampliado. Durante la ceremonia fueron pocas las personas que no se emocionaron. Los integrantes de la familia habíamos llegado temprano para recibir a la gente y compartir nuestros sentimientos.

El ministro de la iglesia leyó el último párrafo de un diario que Jean escribía para Ben: *"Todo parecía estar bien el martes 9 de junio de 1987, cuando salimos de casa, excepto por un pequeño resfrío. Cuando llamé a las doce y media del mediodía, habías sido acostado para dormir. A las tres de la tarde, me llamaron a la escuela para informarme que debía dirigirme al hospital. Habías dejado de respirar... Benjamin, no puedo creer que te hayas ido...¿cómo podré vivir sin abrazarte?, te amo tanto. Ayer miércoles 10 de junio de 1987 falleciste a las nueve de la noche. En realidad, no estoy segura de que te hayas recuperado del primer paro respiratorio, por lo tanto creo que no has sufrido. Bebé, te extrañaremos tanto... deseo alzarte y abrazarte. Nuestro verano habría sido bellísimo, así como nuestra vida juntos. Papá y yo necesitaremos un largo tiempo para recuperarnos, ya que nada parece valer la pena en este momento... ¿a quién le importan todos los proyectos?... Tendré que vivir sin poder abrazarte".*

El ministro ofreció una plegaria. Luego Jean y Dale se levantaron, avanzaron lentamente y luego salieron de la iglesia. El saludo final a Benjamin Dale Hayman había finalizado. Sin embargo, Jean continuó escribiéndole.

10 de agosto de 1987: te extraño tanto. Eras tan feliz y amado ...siempre sonreías. Todo ha terminado, no puedo comprenderlo. No importa si lloro para siempre, si río o si juego. Aunque continúe con mi vida o no tenga consuelo, nada cambiará el hecho de que ya no estás. No te veré crecer, no te conoceré, nunca más te abrazaré, todo ha sucedido tan rápido.

El último día que estuviste con nosotros te llevé a ver a tu papá que aún estaba en la cama, y le dije -"Este es el bebé más maravilloso del mundo". Hubiera deseado que tuvieras tu oportunidad de vivir, ya que deseábamos compartirla contigo. Deseo que estés en paz, te extrañamos.

23 de septiembre de 1987: he regresado a mi trabajo como maestra. Es muy bueno haberlo hecho. Amo mi trabajo y a mis compañeros, son maravillosos. Deben haberse puesto de acuerdo porque nadie me preguntó cómo estaba -pregunta que me fastidia.

Todos dijeron -"Es un placer que hayas regresado". Son un grupo de personas muy especiales.

Todo me recuerda a ti –una mancha en un sofá, las habitaciones de nuestro hogar, las palabras que leo en un artículo- ¡todo!

Estuve en la reunión del vigésimo quinto aniversario de la "Fundación Nacional para el Síndrome de Muerte Súbita del Lactante" (NSIDSF National Sudden Infant Death Syndrome Foundation), que se realizó en Bethesda. Duró tres días y conocí a muchas personas que perdieron a su bebé. Los oradores fueron increíbles.

Me estoy sintiendo un poco mejor. Te extraño con locura, pero quiero que mi vida continúe. Soy frágil y estoy herida. Dios mío, cómo deseo abrazarte otra vez, te extraño tanto, Ben.

Diciembre de 1987: te extrañamos en Navidad. Intentamos estar muy ocupados. Navidad fue la primera celebración sin ti. Durante la celebración, noté la luz de la lámpara de Winnie the Pooh que provenía de tu habitación. Cuando entré pude ver a mi amiga Bonnie acostando a dormir a su hija de tres meses de edad en tu cuna. Me resultó extraño.

"Oh, Jean, espero que no te moleste..."

Respondí ocultando mi asombro -"No, está bien. La cuna está aquí, y nosotros también deberíamos utilizarla". Cuando salía de la habitación pensé que ni siquiera habíamos lavado las sábanas". Observar a Rachel en tu cuna me lastimó pero al mismo tiempo me ayudó, y comprendí que mi amiga me transmitía un mensaje en forma sutil. Quizás había llegado el momento de lavar esas sábanas.

Enero de 1988: un compañero de trabajo me dijo que me veía mucho mejor que en septiembre. Dale y yo hablamos acerca de ti todos los días. A veces lloramos, a veces sólo nos sentimos desdichados. Se que alguna vez volveremos a sonreír cuando te recordemos. En nuestro parque plantamos un roble por ti y colocamos tu chupete junto a la raíz. Si tu vida debía durar sólo quince semanas, entonces estoy feliz por haber pasado ese tiempo contigo. Eras un bebé hermoso y maravilloso, te extraño, Ben.

17 de febrero de 1988: Hoy es tu cumpleaños. Tu papá y yo nos abrazamos mucho esta mañana. Enviaré una donación a "SIDS Foundation" y a la iglesia. Ataré un lazo a tu roble, al que llamamos "Roble Ben". Hemos recibido varias tarjetas hoy. Una amiga nos trajo flores, y familiares y amigos realizaron donaciones en tu honor a diferentes organizaciones dedicadas al SMSL. Es maravilloso saber que muchas personas piensan en nosotros y nos apoyan. Me pregunto cómo te verías hoy y qué estarías haciendo... hubiésemos pasado muy buenos momentos juntos. ¡Te extraño, Ben! ¡Felíz Cumpleaños!

Un vacío entre mis brazos

En conmemoración de mi hijo Zachary Adam

~Stacy Parks

Hay un gran vacío dentro de mí
Y un vacío entre mis brazos.

Cierro mis ojos, extiendo los brazos
y los acerco a mí
Nuevamente puedo sentir aquellos momentos
en que te abrazaba y acariciaba
tu pequeño rostro.

Puedo sentir tu perfume en el aire.
El talco de bebé, tu sábana, tu cepillo, estás
en todas partes, menos en mis brazos.

Sin título

~ Abraham Lincoln (quien perdió tres hijos)

En este mundo infeliz, el dolor nos alcanza inexorablemente...

Nos alcanza en una amarga agonía...

Nunca lograremos un consuelo completo, sólo el que nos brinda el paso del tiempo...

No podemos aceptar que algún día nos sentiremos mejor...

Y es un error.

Estamos seguros de volver a ser felices algún día.

Esta certeza verdadera

Hace que hoy seamos menos desdichados.

La experiencia vivida me afirma que tengo razón.

Momento de reposo

~ Joe Digman

No escuches a esas personas necias y escépticas
que te sugieren olvidar.
Recoge tus rosas y recuerda
su fragancia

Cuando llegues a tu hogar y te dispongas a descansar
en el rincón junto al reloj
y bebas tu té de rosas,
éste abrigará tu rostro, tus dedos
y tu vientre.

Y al tiempo que percibas
sus tenues movimientos
comprenderás la trascendencia
de la calidez en tu vientre,
del abrir de sus pequeños dedos,
y del rostro que siempre has conocido.

Atesora este momento, consérvalo
como hace toda madre.
Siempre será tu hijo.
Y cuando tu descanso haya concluido
los recuerdos desdichados nunca empañarán
la dulzura de este momento.

Capítulo 3

"¿Podría haber?; ¿Debería haber?" Cómo sobrellevar el enojo y la culpa

El poder del dolor es algo asombroso. Un padre desolado comentó "Es algo que fluye. Es como un dique que se quiebra y produce un continuo fluir hasta que uno se pregunta... ¿cuándo terminará?". A pesar de la opinión de la gente, esos sentimientos nunca desaparecen totalmente. Pero ese torrente de dolor finalmente forma un río, y éste se transforma imperceptiblemente en un arroyo. Y aunque el arroyo sea más angosto, persistirá durante toda la vida.

~ *Candy Lightner y Nancy Hathaway*
Giving Sorrow Words (Palabras de Consuelo) (1)

El enojo y la culpa son emociones espontáneas que aparecen durante el duelo. Con frecuencia son emociones inesperadas y pueden ser reemplazadas por otras; pero aun así tener un efecto agobiante para la persona. Ambas poseen aspectos positivos. El enojo puede actuar como el desahogo saludable de la frustración y la rebeldía ante una situación injusta. La culpa puede llevarnos a actuar en forma sensata. Pero ambas poseen también aspectos negativos. Según afirma Frederick Buechner en el libro "*Wishful Thinking: A Theological ABC*" (Ilusiones: Un ABC Teológico) (2): "*Luchar contra el enojo es una hazaña digna de un rey. La mayor desventaja es que se lucha contra sí mismo*".

En forma similar, la culpa nos descontrola en determinadas situaciones, torturando nuestra conciencia y consumiendo nuestro espíritu.

A veces se deben buscar profundamente las raíces del enojo y la culpa. Quizás adaptarse a ser padres fue difícil, y el sentimiento puede entonces ser de enojo hacia el bebé. Tal vez, como en el caso de Joani, el anhelo de tener un hijo (o hija) debe dejarse a un lado. Quizás el día de la muerte de su bebé el empleado del almacén fue muy lento, y por su culpa usted llegó a casa cinco minutos tarde, lo que le impidió salvarlo. Tal vez su pareja no fue el tipo de padre o madre que usted imaginó. Las anteriores son causas poderosas de culpa y enojo, y un duelo adecuado requiere descubrirlas y ocuparse de ellas.

Durante los primeros meses posteriores a la muerte de su bebé, Joani le escribió una breve carta que fue publicada en un boletín de noticias del SMSL. Escribió que a veces llegó a desear que Christian no hubiera nacido para no haber tenido que sufrir, junto con su familia, el dolor de su pérdida. Se preguntó si dos meses de felicidad perfecta podían compensar tantos días y noches de llanto. El artículo parecía gritarle a Christian por haber muerto. Transmitía devastación, desesperación, frustración y resentimiento.

Algunos lectores de la publicación se enojaron con Joani: *"¿cómo puede siquiera pensarlo? ¿cómo puede enojarse con su bebé por haber muerto?, ¡no fue su culpa!"*. Sin embargo, una madre que había perdido a su bebé quince años antes a causa del SMSL, y cuya familia la culpaba por su muerte, comentó a Joani: *"me sentí aliviada cuando leí su carta. Creía que era la única persona en el mundo que tenía pensamientos tan desagradables, y pensaba que era la única que sentía enojo hacia mi bebé".*

Tres años después, Joani ya no siente enojo sino gratitud por los dos bellos meses que pasó con Christian. Sin embargo, no se arrepiente de la triste carta que escribió en aquel momento. *"El enojo es una parte importante del duelo y no es algo malo estar enojado con el bebé por haber muerto. Él comprendería que la causa de ese sentimiento es el dolor, y que todo es parte de un proceso necesario de duelo".*

Muchas personas tratan de reprimir su enojo hacia el bebé argumentando que se trata de un sentimiento irracional. Por supuesto que es irracional, pero también son irracionales los sentimientos que se experimentan durante las primeras etapas del duelo. Superar esas etapas implica aceptar aun aquellos sentimientos.

También es aceptable enojarse con Dios ya que Él puede comprenderlo. Quizás puede sentirse aquel temor proverbial a un castigo divino imaginario. Joani consultó a Joanne Hill, consejera religiosa, acerca de estos temas. Joanne afirmó que está bien – y es más saludable – enojarse con Dios. Si la persona es religiosa y considera a Dios su padre, piense entonces en decirle a su propio padre *"¡te odio!"* ; él comprendería que no quiere decirlo realmente. Y aun si esa fuera la intención, se es afortunado porque la mayoría de las personas que creen en Dios también creen que Él perdona.

Se considera que la culpa es el enojo consigo mismo, por no haber podido controlar determinada situación. Queremos sentir que podemos controlar y dirigir las cosas más importantes de nuestra vida. Cuando nuestro bebé muere, perdemos todo sentido de control y comprendemos que somos totalmente vulnerables. Una forma de recuperar el control es acusarse a sí mismo. En muchos casos, hasta asumiríamos la culpa, a pesar de ser algo terrible, para no aceptar el simple hecho de que existen situaciones que no podemos controlar.

Para liberarnos del peso de la culpa, en primer lugar debemos comprender la causa de ese sentimiento. William Ermatinger, que colabora en Maryland en el grupo de padres que perdieron un bebé a causa del SMSL, tiene una buena explicación: *"Sentimos que si sólo pudiésemos descubrir una sola cosa que hicimos mal, entonces mágicamente podríamos retroceder en el tiempo y recuperar a nuestro bebé".* Por supuesto que es algo irracional, pero gran parte del duelo lo es. Sin embargo, es algo real, importante, normal y debemos ocuparnos de él.

Asistir a grupos de apoyo del SMSL puede ayudar a superar el sentimiento de culpa. Al estar rodeado de personas que han vivido la misma situación, se logra comprender que casi todos sienten culpa acerca de algo. También comprenden que se juzgan con mayor dureza de lo que juzgan a los demás. Deben encontrar el modo de hacer las paces con su conciencia, aun en caso de haber cometido alguna equivocación u omisión real. Al fin y al cabo, lo último que una persona desea es lastimar a su hijo.

También puede ayudar escribir una carta al bebé enumerando y explicando todo lo que usted cree que hizo o pudo haber hecho para provocar su muerte. Luego, tome asiento y lea la carta como si hubiera sido escrita por otra persona, y formúlese las siguientes preguntas: ¿culparía a esa persona por las atrocidades que menciona su carta?, ¿se trata de alguien cruel a quien no le importó el bienestar del niño?, ¿se trata de un delito?, la intensidad de la culpa, ¿tiene fundamento?, o ¿es simplemente un ser humano normal cuyas intenciones fueron buenas?

El poder curativo del enojo

~ Nancy Purcell

El día 8 de mayo del año 1992 falleció mi hija más pequeña, Amy Caroline, a causa del SMSL. Tenía cuatro meses y medio de edad. El año posterior a su muerte fue un año de conflictos, confusión, depresión, dudas, y finalmente aceptación y comprensión. Me acosaba la pregunta ¿por qué?, ¿por qué me había pasado esto?, ¿por qué nuestra hija?, ¿por qué había muerto la hermana de mis hijos? ¡por qué!. Me enojaba y rechazaba a aquellas personas que se acercaban y subestimaban nuestra tragedia diciendo que se trataba de la voluntad de Dios, o que ese era su destino. ¿Cómo podía ser eso posible?. El nacimiento de Amy había sido uno de los días más maravillosos y felices en nuestra vida como padres. De hecho, su nacimiento nos había hecho planificar que Amy no sería nuestro último bebé. Nuestros ojos brillaban de felicidad porque teníamos tres hijos hermosos.

Michael y Jennifer, hermanos de Amy, la aceptaron y la amaron de inmediato. Para festejar su nacimiento, Michael y yo cocinamos galletas con forma de manos y pies de bebé para que él compartiera con sus compañeros de escuela. También comenzó a escribir un libro acerca de su nueva hermanita. Jennifer estaba en casa por la mañana. Me ayudaba a bañar a Amy e imitaba a mamá cuando jugaba con sus muñecas, y bautizó a una de ellas con el nombre de la bebé. Era la hermanita adorada, que dio el balance perfecto a nuestra cálida familia.

Amy era. Amy debió haber sido. No puedo aceptar que su muerte haya sido el deseo de Dios o que ese haya sido su destino. No puede ser el deseo de Dios arrebatarnos a alguien tan amado, a alguien tan inocente. La muerte llegó como un ladrón sigiloso a mitad de la noche, y Amy se fue para siempre. Podría decirse que fue un terrible error, una broma cruel, un acto vil, lo peor o lo más injusto de la vida, pero no que ese era su destino. Afirmar lo anterior es tratar de justificar lo que no tiene explicación, es tratar de defender desesperadamente un mundo imperfecto, para asegurar que posee un orden aun en medio de la tragedia. Es una explicación simple para algo complejo.

El dolor del duelo es algo tan complicado que no posee una respuesta simple. No existe fórmula mágica que lo cure y lo haga desaparecer. El dolor impregna cada aspecto de la vida. C.S.Lewis inicia su libro "Tomar conciencia del dolor" *(A Grief Observed)* (3) con la descripción de este sentimiento: *"Nadie me había dicho que el dolor se parecía tanto al miedo. No tengo miedo, pero la sensación es esa. La misma agitación en el estómago, la misma inquietud, el cansancio. Continúo reprimiéndolo. Otras veces la sensación es la de estar algo ebrio o confundido. Parece existir un manto invisible entre el mundo y yo. Nadie me habló acerca del desgano que produce el dolor. Excepto en mi trabajo (donde nada parece haber cambiado). Me resisto al menor esfuerzo. No sólo escribir, hasta leer una carta me resulta casi imposible".*

Yo también sentí el manto invisible del dolor entre el mundo y yo. Era una protección deseada pero también sofocante. Me protegía al permitirme sentir mi dolor en soledad y al apartarme del mundo.

Me engañaba al pensar que el resto del mundo tampoco podía vivir sin Amy. Durante un tiempo esta ilusión me ayudó. Sin embargo el mundo sí sigue su curso, y a veces llegué a sentir que yo también quería hacerlo. Pero el manto del dolor me cubría y yo no podía liberarme de él.

El manto me sofocaba porque no me permitía ser la persona que yo quería ser. Quería volver a disfrutar de la vida, disfrutar de mis otros hijos, ser una buena esposa, ocuparme del hogar, y hacer nuevos amigos, pero todas esas cosas tenían que esperar. Sólo podía cuidarme a mí misma. Haber perdido a Amy hizo que mi vida cayera al nivel más elemental. A veces hasta hacer las compras se transformaba en una proeza. Y lo mismo podría decir de muchas otras responsabilidades de las que antes me ocupaba sin pensar demasiado, como llevar a mis hijos a la escuela, preparar la cena, y ocuparme del hogar. Tenía tan pocas energías que mis labores de esposa y madre fueron extremadamente difíciles. A pesar de ser los dos aspectos de mi vida que más amo, constituía un gran esfuerzo poder llevarlos a cabo.

Durante el duelo experimentamos una situación de cambio y pérdida. Nos convertimos en personas nuevas – el sentimiento de dolor ante la pérdida de un ser amado se convierte en algo conocido. Sentimos que nuestro cuerpo no tiene energía, y aquellas tareas que en el pasado realizábamos sin esfuerzo de pronto son extenuantes. La mente se encuentra en un estado de confusión, y los pensamientos saltan como un disco roto, para remontarnos al mismo momento, al mismo rostro una y otra vez. Sentimos confusión y emociones desenfrenadas. Por momentos son intensas, y por momentos débiles.

El duelo nos permite reorganizar nuestro cuerpo, nuestra mente y alma para poder experimentar un renacimiento de nuestro ser. Se trata de una reorganización difícil, ya que reaparecen sentimientos y emociones dolorosas. En lo personal, el más fuerte de esos sentimientos fue el enojo.

Recuerdo determinado día luego de haber transcurrido seis meses desde la muerte de Amy, en que una amiga me preguntó si estaba superando su pérdida. En ese momento yo sentía que el dolor recién comenzaba. Me sentía enojada e impaciente porque el proceso parecía no concluir y se lo comenté. Me preguntó asombrada cuál era la causa de mi enojo. Le respondí que estaba enojada con la vida, por el hecho de no tener más a Amy. A ambas nos sorprendió el hecho de que tenía demasiados motivos para sentirme de esa forma.

El enojo es uno de los mayores rivales de nuestros sentimientos durante el duelo. Se manifiesta de muchas formas, como gritos, impaciencia, irritación, llanto, cansancio y confusión. También puede ser la causa de comportamientos más destructivos, como el alcoholismo, el consumo de drogas o el derroche de dinero. Nunca me había gustado estar enojada. Por eso, cuando experimenté ese sentimiento, sentí asombro y horror. Todo me producía impaciencia, en especial cuidar a mis hijos que en ese momento tenían dos y cuatro años de edad. Por ejemplo, el momento de acostarlos para dormir, algo trivial y rutinario, implicaba un esfuerzo agotador. Gritaba, me irritaba, gemía y lloraba.

Al estar tan abrumada por el dolor, quedaba poco de mí para los dos hijos que aún tenía y adoraba. Me sentía rendida, agotada y cansada de luchar. Mi paciencia era poca, y como resultado, no sólo había perdido a Amy, sino que además estaba perdiendo una parte de Michael y Jennifer. Lo anterior me dio otra razón para sentir enojo, y para comprender que debía manejar este sentimiento en forma constructiva.

Una buena forma de superar ese sentimiento es desahogarlo en vez de ocultarlo, para que no se apodere de nuestra persona. En primer lugar, se puede realizar una ejercitación física agotadora. Un entrenamiento físico intenso puede ser útil para liberar tensión y enojo. Por ejemplo, una clase de aerobics, salir a correr, patear una bolsa llena de pelotas, golpear una bolsa de boxeo o una almohada, o quizás realizar una gran limpieza de la casa.

Luego, tómese su tiempo para relajarse. La actividad física es beneficiosa, pero a veces no existen energías para realizarla. En esos momentos se necesita un poco de paz, por ejemplo, leer un libro, tomar un largo baño caliente, contratar a una niñera para que se ocupe de los niños y salir.

Finalmente, hay que ser paciente, ya que el duelo implica mucho tiempo y esfuerzo. En mi caso, necesitaba recordar a diario que el proceso de duelo debía cumplir su propio camino. A pesar de que Amy se marchó en un instante, yo la llevé dentro de mí durante nueve meses y la tuve conmigo otros cuatro meses y medio. No había razón para suponer que la recuperación sería sencilla. Se necesita tiempo para cicatrizar las heridas.

Los momentos de enojo estuvieron matizados por otros momentos de silencio y cansancio. C.S.Lewis escribió: *"Durante la recuperación se pasa por el dolor y el padecimiento. También por un llanto excesivo. Casi se prefieren los momentos de agonía".* Lewis habla acerca del variable modelo del duelo. A menudo se siente que cada dos pasos que se avanza, se retroceden cinco. Es normal sentir impaciencia durante el proceso, pero cada momento tiene una razón de ser. Durante los momentos de calma aprendí a valorar el enojo y a comprender que ese sentimiento me ayudaba a superar mi proceso de duelo. Pude aceptar que el enojo tiene justificación, y ya no sentí temor ante él, porque es absolutamente razonable haberme sentido de esa forma ante la muerte de mi hija. Por esa razón, estoy de acuerdo con Lewis y puedo afirmar que yo también prefiero un momento de agonía. Son momentos en los cuales se progresa. A través del desahogo del enojo y la ira pude liberarme del manto del dolor. Ahora puedo respirar otra vez y volver a disfrutar de la vida.

Poder compartir una tragedia alivia el dolor

~ Kelley Trost

Acaba de pasar el día 26 de septiembre del año 1995, sólo pocos días después de lo que debería haber sido el cumpleaños de mi hijo mayor.

Al escribir estas líneas no deja de asombrarme el hecho de que mi esposo y yo hayamos podido superar este día. Dios ha sido nuestra fuente de fuerza y coraje. Nuestro hijo, Peter Nicholas Trost II; falleció en forma súbita e inesperada el día 20 de noviembre del año 1994, cuando tan sólo tenía ocho semanas de edad.

Aunque la mayoría de los testimonios del presente libro y de otras publicaciones se refieren al SMSL, me siento obligada a compartir mi historia también. Si bien mi bebé no falleció a causa del SMSL, su muerte fue una terrible tragedia.

Lo habíamos acostado en nuestra cama durante la noche y luego de algunas horas lo hallamos sin vida con una almohada sobre su pequeño cuerpo. Fui la primera en despertarme y durante un momento pensé que estaba soñando. Grité y arrojé la almohada. Mi esposo se despertó e inmediatamente intentó reanimar a Peter. Yo llamé al servicio 911.

La emergencia llegó a los pocos minutos y los paramédicos intentaron salvar al bebé. Yo sabía que era demasiado tarde, pero deseaba que pudieran hacer algo. Mi esposo, conmocionado, se bloqueó y yo intenté ser la persona fuerte. Alguien debía explicarle a la policía y al personal de emergencia qué había ocurrido.

Nos dirigimos al hospital, donde declararon muerto a nuestro precioso bebé. Mi esposo, en un estado de conmoción total, no tuvo la fuerza para ver a nuestro pequeño Peter. Yo lo observé envuelto en una pequeña sábana y con un tubo en su nariz. Toqué su pequeño rostro y y estuve a punto de desvanecerme.

Luego lo vimos en la casa funeraria el día de su entierro.

No había sido la primera vez que colocábamos a Peter en nuestra cama. La primera noche que él había estado en casa recuerdo haberlo recostado en nuestra cama, porque pensé que no estaba cómodo en su pequeño moisés. Pensaba que era mejor para él estar cerca de mí. Por las tardes también me recostaba con él para dormir la siesta. No sé qué pudo suceder con mi sensatez, ya que había leído muchísimas revistas y libros acerca de la crianza de un bebé, y estaba informada acerca de la muerte en cuna o SMSL. En el moisés de mi bebé no había almohadas, sin embargo no pensé en las que había en nuestra cama. Amábamos tanto a Peter, simplemente deseábamos tenerlo cerca de nosotros en todo momento.

Decidí compartir mi historia con otras personas con la esperanza de que pudiera salvar vidas y me ayudara a cerrar mi herida. Si bien la incidencia de este tipo de fallecimientos es muy baja -sólo se denunciaron cuatro casos en Wisconsin durante el año 1994- es posible prevenirla. Nuestro bebé era completamente sano. Yo me sentía afortunada por haber vivido un embarazo muy bueno y un trabajo de parto de sólo cuatro horas. Era un pequeño ángel que sólo lloraba cuando sentía hambre. Nos sentíamos bendecidos.

Nuestra fe nos ha ayudado a seguir adelante, y realmente creemos que Peter está en el paraíso. Sin embargo, las circunstancias de su fallecimiento nos perseguirán mientras vivamos y hasta el día en que podamos reunirnos con él. Rezo cada día para poder cumplir ese anhelo. La culpa es abrumadora y a veces nos consume por completo. Nos ayudaron inmensamente nuestros familiares, amigos y grupos de apoyo.

Durante los primeros meses posteriores al fallecimiento de Peter, pudimos conversar con muchas personas acerca de lo que nos había sucedido. Sólo nuestra familia y nuestro primer grupo de apoyo de *"Children´s Hospital"* pudo comprender la magnitud de nuestro dolor. Sentíamos culpa y vergüenza, y temíamos la opinión de los integrantes del grupo. Todos los bebés habían fallecido a causa del SMSL. Afortunadamente, conocimos a un grupo de personas muy solidarias que nunca nos juzgaron.

Aún revivo por las noches nuestra terrible experiencia, y le pregunto a Dios por qué no salvó a nuestro bebé. Estábamos enojados con Dios y yo estaba enfadada con mi persona. Siempre me preguntaré por qué mi bebé no pudo salvarse. Nunca podré comprender el fallecimiento de un bebé -independientemente de las circunstancias.

Finalmente, creo que la causa de fallecimiento no es realmente importante. Peter Nicholas está ahora en el lugar más bello. Sin embargo, a veces aún sentimos soledad. No existen grupos de apoyo para padres de bebés fallecidos por sofocación accidental. Todas las personas que perdieron un bebé saben que se trata de una batalla cuesta arriba. Si bien el tiempo y la fe ayudan a aliviar el dolor, no existe sufrimiento comparable a la pérdida de un hijo. Deseo acompañar con mis pensamientos a todos aquellos padres que perdieron un hijo, independientemente de las circunstancias.

~ El artículo precedente fue publicado originalmente en el "*Wisconsin Perspectives*", la publicación del "Centro de Fallecimiento Infantil de Wisconsin" *(Infant Death Center of Wisconsin)*. Ha sido impreso nuevamente con la correspondiente autorización.

Carta a Dios

~ Joani Nelson Horchler (durante los primeros meses del duelo)

Querido Dios:

El día 8 de marzo del año pasado, Tú nos enviaste el obsequio más maravilloso del mundo. Nos enviaste a Christian, un bebé hermoso, sano, que pesaba casi cuatro kilogramos. En un día como hoy, sus tres hermanas mayores, Gabe, su orgulloso y adorable papá y yo, su cariñosa mamá, le hubiéramos preparado una gran fiesta de cumpleaños para todos sus amiguitos, con globos brillantes y juguetes de varón. Sin embargo, ya no festejaremos los días 8 de marzo, será un recuerdo desgarrador de lo que pudo haber sido, de lo que debió suceder. Ahora su hermanita Julianna de tres años dice, *"las personas mayores no mueren, sólo mueren los bebés"*, y se lamenta... *"Desearía que Christian pudiese volver".* Gabrielle, nuestra hija de siete años, pregunta por qué Dios secuestró a nuestro bebé. Y Ionna, de nueve años, escribe en su diario a Christian... *"Siempre te recordaré y te amaré".*

Dios, no tengo respuestas pero sí muchísimas preguntas ¿por qué permitiste que Christian muriese? Era nuestro único varón, nuestro tesoro más amado, y fue arrebatado por un Dios desaprensivo e injusto. ¿Por qué no te llevaste nuestro dinero, nuestras posesiones?, ¿por qué no me llevaste a mí?. Deberías haberme llevado, ya que mi mayor dicha ya no está. ¿Por qué te llevaste lo que más amábamos?, ¿cómo pudiste arrebatar a un hermanito de los brazos de hermanas que lo amaban, que lo celaban y lo cuidaban más que a cualquier juguete?, ¿cómo pudiste causar tanto dolor a unas pequeñas? Algunas personas me dicen que mi hijo está mejor contigo...¿cómo podría alguien amarlo más que yo?, ¿cómo podría estar en brazos de alguien que lo amara de la forma en que yo lo amo?

Christian nos sonreía, era un bebé feliz. Amaba que lo cuidaran, le gustaba observar a sus hermanas mientras jugaban y se bañaban. Hubiésemos hecho todo por él.

Estoy enojada contigo, porque se suponía que eras todo amor y todopoderoso. ¿Por qué no usas tu poder para ayudar a aquellos que te sirven en la Tierra?, ¿por qué nos traicionas cuando al mismo tiempo nos pides que seamos buenas personas?, ¿por qué no castigas a aquéllos que hacen el mal y gratificas a aquéllos que vivimos en la virtud?, ¿por qué hay asesinos y violadores en libertad y castigas a aquéllos que te amamos? Quizás te llevaste a nuestro bebé para probarnos, para que fuésemos mejores. Entonces creo que quienes hemos perdido un bebé a causa del SMSL preferiríamos corrompernos pero tener a nuestro hijo otra vez. Además, en primer lugar, no somos asesinos. Somos personas decentes que hubiésemos criado a nuestro hijo en la fe, para creer en Ti y adorarte.

Y si el SMSL es un accidente de la naturaleza que Tú no puedes controlar, entonces ¿por qué nos molestamos en rezarte para que nos protejas? Otros padres que perdieron un bebé víctima del SMSL, y que seguramente son mejores cristianos que yo, me dicen que rezar no es como ir a una tienda de dulces donde podemos comprar todo lo que deseamos. Dicen que sólo debo buscar un alivio en mis oraciones. Lo siento, Dios, pero yo sueño con la tienda de dulces. Quiero a mi bebé otra vez, y ¡AHORA! Y lo siento, pero no puedo evitar odiarte a veces por no haber cuidado a mi bebé cuando yo creía que estaba a salvo en su cuna. Yo confiaba en Ti para protegerlo, y me decepcionaste en el momento en que yo más te necesitaba.

Dios, tus seguidores dicen que le concederás dones a quienes menos lo merezcan. Soy quien menos te merece porque te he despreciado; te he gritado, y ahora, con agresión y soberbia te incomodo con preguntas desagradables ante la gente. Quizás por esa razón he sufrido un aborto después de haber perdido a Christian. Quizás me castigaste por no haber aceptado mi triste destino con resignación. Pero Dios ¿cuántas cosas más debo aceptar? Siento que me has empujado hasta el límite -¿nos negarás otro bebé para castigarnos por no haber sido buenas personas o lo harás para probarnos? Entonces, explícame -¿por qué le concedes el don de un bebé a un drogadicto o a un abusador infantil?.

Necesito que me concedas tu gracia sin merecerla, que me concedas tu amor, eso es lo que necesito, y es lo que desesperadamente estoy tratando de alcanzar. Dije que te odio, pero en realidad creo que te amo. No puedo comprender tus mecanismos. No merezco tu gracia. Estoy destrozada y completamente humillada. Lloro por la vida que nos has arrancado. Dios, ¿cómo puedo aceptar la muerte de mi hijo?, ¿cómo puedo vivir su cumpleaños año tras año, y pensar en que hubiera crecido y hubiera llegado a ser más alto que su padre?

Dios, te suplico que cada 8 de marzo lo tomes en tus brazos. Dile que su mamá no es tan mala como parece en su carta. Dile que siento dolor y que no puedo comprender, porque soy simplemente un ser humano. Y Dios, sé que no te merezco, pero necesito tu consuelo en el peor momento de mi vida, para algún día poder estar contigo y con mi bebé otra vez. Y mientras te ocupas de lo anterior, ¿podrías responder a alguna de mis preguntas?

¿De qué forma puede ayudar la terapia a superar la culpa?

~ Patricia W. Dietz, LCSW

El diálogo durante la terapia fluye con libertad, y no está gobernado por las reglas de comunicación tradicionales. Por lo tanto, pueden surgir sentimientos dolorosos, atemorizantes y vergonzosos, y se los puede compartir y reflexionar acerca de ellos desde un punto de vista ventajoso. Por ejemplo, muchos padres sienten una culpa devastadora acerca de la muerte de su bebé. La culpa es un sentimiento complejo que proviene en gran medida del modo en que manejamos la responsabilidad (en forma directa o inconsciente). La culpa representa un conflicto entre lo que hicimos y lo que sentimos que deberíamos haber hecho al recordar el pasado. Hablar acerca de ella nos ayuda a responsabilizarnos de nuestras opciones. Por ejemplo, si nos marchamos hacia el trabajo o no controlamos al bebé antes de acostarnos, entonces debemos aceptar que optamos por hacer las cosas de esa forma. De manera similar, es importante reconocer la improbabilidad de que las acciones de los padres pudieran haber contribuido a la muerte del bebé a causa del SMSL. Sin embargo, los padres suelen sentir que su obligación era proteger la vida de su hijo.

Debemos comprender que los seres humanos no somos omnipotentes, y que somos vulnerables a sufrir una tragedia cuyas causas son desconocidas; para poder afrontar los sentimientos y el temor que se ocultan detrás de la culpa. Este sentimiento está asociado con nuestra necesidad de control: sentimos que podríamos haber evitado determinada situación si sólo hubiésemos actuado en forma diferente, cuando de hecho lo que debemos aceptar es que somos vulnerables.

A veces pudo existir un sentimiento ambiguo ante el embarazo o el nacimiento. Por ejemplo, el caso de una madre soltera; cuando se viven problemas matrimoniales; un embarazo no planificado; el hecho de haber pensado en abortar; sentirse demasiado joven o demasiado mayor como para tener un hijo; haber realizado pocas visitas al médico antes del nacimiento, o haber tenido algún hábito no saludable, contribuyen a un sentimiento no del todo grato en el momento del nacimiento. Asimismo, son la causa de una tremenda culpa, a veces inconsciente, cuando el bebé fallece. Se debe identificar si existe una conexión real o imaginaria entre nuestros sentimientos, nuestras acciones, y la muerte del bebé a causa del SMSL, para poder comprender esa culpa cuyo origen real son aquellos sentimientos ambiguos.

Quienes no logran superar sus sentimientos de culpa y arrepentimiento pueden llegar a sobreproteger a sus hijos y a sentir temor acerca de los riesgos normales de la vida. En forma gradual, es importante apoyarnos en aquellos riesgos normales para no transformarnos en prisioneros de nuestra culpa. La culpa puede liberarse finalmente cuando logramos reconocer que en la vida no podemos controlar todo ni evitar que le ocurra algo a nuestros seres queridos. Al mismo tiempo debemos comprender que es nuestra obligación moral y humana actuar en forma responsable con atención, información y sensatez.

Las mujeres de mi familia

~ Margaret Polizos

las mujeres de mi familia
han conocido a la muerte

han pellizcado
su horrible cabeza
y la han echado
a patadas

han sacudido sus hombros
y ensordecido sus oídos

las mujeres de mi familia

saben cómo tratar
con la vieja, escurridiza
y rastrera muerte
que llega con la cola
entre las piernas

la rodearon y empujaron
con la fuerza de vagones de carga

Pero esta muerte era osada
como el viento
que derriba puertas
y permanece de pie
y lucha
osada
muerte

ahora
ha ganado
y ha arrebatado
la sonrisa
de sus rostros
para siempre
ha teñido de azul a los bebés
y ha envejecido a estas mujeres
cuando no la veían.

Buscar explicaciones infundadas para justificar la culpa

~ Joani Nelson Horchler

Desde el momento en que tomé en mis brazos a mi bebé sin vida, "supe" que había hecho algo mal. Debió haberse ahogado con mi leche luego de recostarlo. También pensé que quizás no lo había ayudado lo suficiente a eructar. *"Maté a mi propio hijo"*, pensé desesperada, al tiempo que quería morir yo también.

Lo que en ese momento pensé es común en quienes pasaron por la misma situación. Una madre que halló a su bebé sin vida a causa del Síndrome de Muerte Súbita del Lactante gritó *"sofoqué a mi bebé"*. Luego su hijita de cuatro años repetía -*"mamá dijo que sofocó al bebé"*. Luego supo acerca del SMSL y que en realidad no había sofocado al bebé, pero los ecos de su grito inicial continuaban resonando. Jennifer Wilkinson, al no saber que un bebé puede morir por causas desconocidas, también pensó en un primer momento que había sofocado a su bebé.

Los sentimientos de culpa se expresan a través de frases tales como "si sólo..." y "¿si yo...?". "¿Si sólo lo hubiera controlado más?"; "¿si no lo hubiera dejado dormir tanto?"; "¿si yo no hubiese ido a trabajar ese día?"; "¿si no hubiera tomado medicamentos mientras estaba embarazada?"; "¿y si lo coloqué boca arriba?"; "¿si hubiera sabido realizar la técnica de reanimación cardiopulmonar?"; "¿y si el bebé no tenía realmente un resfrío?".

"Las madres que perdieron un bebé a causa del SMSL dicen haber experimentado sentimientos de culpa no específicos", escribe Luisella Zerbi Schwartz en un estudio titulado "El Origen de los Sentimientos Maternos de Culpa en el SMSL" (*The Origin of Maternal Feelings of Guilt in SIDS*) (4). Lo anterior se aplica aun a aquellas madres que no tuvieron ninguna responsabilidad en la muerte del bebé. *"Los sentimientos de culpa son normales en el hombre y la mujer, por lo tanto el SMSL pone de manifiesto algo que ya estaba latente".*

En su libro "Padres en Proceso de Duelo" (*The Bereaved Parent)* (5), Harriet Sarnoff Schiff relata varios casos de padres víctimas del SMSL que estaban convencidos de haber matado a sus hijos cuando no lo habían hecho. Una madre angustiada le dijo a todos que había sofocado a su bebé a pesar de que el informe del médico forense indicaba lo contrario.

¿Por qué sentimos culpa? La culpa surge de nuestra necesidad desesperada de explicar un hecho terrible. Necesitamos explicaciones para encontrar sentido al presente y poder enfrentar el futuro. Los psicólogos afirman que una muerte inesperada e inexplicable causa por lo general más sentimientos de conmoción, enojo y culpa que una muerte anticipada y asumida. Lo anterior resulta irónico porque el informe del SMSL debería tranquilizarnos desde el momento en que los médicos nos dicen que se trata de un tipo de muerte impredecible e inevitable. ¿Cómo podemos luchar contra algo cuya primera señal de alarma es la muerte? Milda Dargis Ranney, en su libro "SMSL: ¿Quién Puede Ayudar y de Qué Forma?" (*SIDS: Who Can Help and How*) (6) afirma: *"El SMSL no puede evitarse ni revertirse a pesar de una intervención oportuna y adecuada".*

Entonces, al no disponer de una explicación, buscamos en nuestra conducta pasada para encontrar una respuesta, y con frecuencia distorsionamos la realidad. La muerte a causa del SMSL deja mucho espacio en nuestra imaginación, la cual busca un motivo para culparnos a nosotros mismos.

El hecho de que el SMSL ocurre casi siempre en el hogar o dentro de la comunidad parece avivar los sentimientos de culpa.

¡Nuestro hogar es nuestro castillo!, y se supone que debemos defenderlo en forma infalible. Por lo tanto, cuando sentimos que hemos fallado en proteger nuestro hogar y a nuestro bebé, entonces nos sentimos culpables.

Un vecino mayor aumentó mi confusión y condena personal al decirme algunos días después de la muerte de Christian... *"el SMSL ocurre cuando los bebés se sofocan en su propia ropa de cama".* Afortunadamente, la mayor parte de nuestros conocidos no pensaba igual y no nos condenaba por eso. Sin embargo, una afirmación de esa índole puede causar confusión, vergüenza y culpa en un padre que ha perdido a su hijo víctima del SMSL.

La culpa también surge cuando la persona posee una baja autoestima. El SMSL suele suceder en una etapa en la que las madres somos particularmente vulnerables: aún nos estamos recuperando del embarazo; estamos excedidas de peso; cansadas de no dormir bien durante la noche para alimentar al bebé; y a veces incluso llegamos a quejarnos de lo anterior. Entonces, cuando el bebé muere pensamos que quizás Dios nos está castigando por no haber sido agradecidas".

Cuando ya tenemos dos o tres hijos y se nos muere un bebé, solemos pensar -*"si no hubiera sido tan confiada; si no hubiera estado tan tranquila con este bebé. Si hubiera estado más atenta quizás podría haberlo salvado".*

De hecho, uno de los "si sólo..." más frecuentes es... "si sólo lo hubiera controlado con más frecuencia". Bien, supongamos que controló al bebé cada diez minutos puntualmente, lo cual es casi imposible. Aun si lo hubiera hecho, no hubiera podido resucitarlo a tiempo. El cerebro del bebé sólo puede tolerar cuatro o cinco minutos sin oxígeno. Aun si hubiera intentado reanimarlo luego de esos cuatro minutos, no hay garantía de que hubiera salvado al bebé. Hay casos documentados de bebés que murieron al causa del SMSL aun luego de habérseles realizado intento de reanimación casi inmediatamente de haber dejado de respirar (ver Capítulo 15 para mayores detalles).

Como padres, creemos que nuestra responsabilidad es garantizar la vida de nuestro bebé. En mi caso, sentía culpa no sólo por haber "dejado" morir a mi bebé, sino por haber quebrado una rama de nuestro árbol familiar. No sólo Christian había muerto, sino todos sus futuros descendientes. Me sentía responsable acerca de la descendencia de la familia.

También se ve afectada nuestra autoestima cuando observamos a otras madres jóvenes en la iglesia, en el parque o en la piscina que no han perdido a un bebé: *"tiene cuatro niños saludables. Debe estar haciendo las cosas bien, y yo debo haber hecho algo mal".*

Sentía culpa por haber asumido que mi bebé era un niño sano. Pensaba que a pesar de verse saludable, yo debería haber percibido que algo andaba mal. Creo que hubiera sentido menos culpa si hubiera sabido acerca del SMSL y no hubiera asumido inmediatamente que él se había sofocado. En toda la educación que yo había recibido, nunca me habían dicho que un bebé podía morir "sin causa".

Con el paso del tiempo, otros sentimientos de culpa "luchan en el interior". Se siente temor y culpa por no poder recordar con exactitud cómo se veía el bebé, cómo se sentía, las cosas que hacía. Es normal que aquéllos que colocamos a nuestro bebé a dormir boca abajo experimentemos angustia al conocer la cantidad de vidas salvadas gracias a la "Campaña bebés boca arriba" (lanzada en el mes de junio de 1994 en los Estados Unidos de América). *"Si lo hubiéramos sabido antes".* Sin embargo, no siento culpa por haber colocado a dormir a mi bebé boca abajo, ya que seguía con obediencia el consejo de los médicos en aquel momento (1991).

Cuando en el año 1992 la "Academia Americana de Pediatría" recomendó evitar la posición prona, el Dr. Benjamín Spock, autor del clásico "Cuidado del Bebé y del Niño del Dr. Spock" (*Dr. Spock's Baby and Child Care*) aún recomendaba *"acostar a los bebés boca abajo desde el comienzo si esa posición les resultaba cómoda" (7).*

No creo que los padres se sientan culpables incluso si sus bebés fallecieron en posición prona luego de la recomendación, ya que décadas de haber practicado esa posición no se pueden cambiar de la noche a la mañana. Además, los investigadores descubrieron que millones de bebés que duermen boca abajo en colchones blandos y en habitaciones muy calefaccionadas no mueren a causa del SMSL; mientras que otros que lo hacen boca arriba sobre colchones firmes y en habitaciones frescas fallecen de todos modos.

Han muerto lactantes en todas las posiciones, incluso boca arriba y de costado. A menudo los bebés prefieren dormir en posición prona, y es casi imposible, especialmente cuando crecen, evitar que giren hacia la posición boca abajo. Los tres bebés que tuve antes de Christian durmieron boca abajo y nunca tuvieron problemas. Actualmente, coloco a mi bebé Genevieve boca arriba o de costado, pero observo que ella gira hacia la posición boca abajo. Durante sus primeros seis meses de vida, colocaba sábanas plegadas para que ella estuviera en posición de costado, pero al tiempo que crecía se movía tanto que resultaba casi imposible mantenerla en esa posición. El SMSL me ha enseñado que no puedo tener un control absoluto de todo. Por eso procuro que su posición para dormir no me vuelva loca. Todo lo que puedo hacer es seguir los consejos actuales de los expertos.

En lugar de sentir culpa, siento enojo cuando los medios de comunicación informan que se salvan aproximadamente tres mil niños estadounidenses por año como consecuencia de la campaña bebes boca arriba. Por supuesto que me llena de felicidad que se salven esos niños, pero mi enojo se fundamenta en que la campaña debió haber comenzado mucho tiempo antes, lo que podría haber salvado a mi bebé y a muchos otros niños. Los médicos estadounidenses, que normalmente van a la vanguardia del resto del mundo en lo relativo a investigación y adelantos médicos, parecen haber quedado rezagados en este tema tan importante. En Estados Unidos de América, la campaña fue lanzada en el año 1994 como resultado de estudios epidemiológicos realizados en el exterior desde mediados de la década del ´80. Las investigaciones demostraron que el índice de SMSL disminuyó aproximadamente un 50% en aquellos países donde se realizaron campañas para que los bebés durmieran boca arriba o de costado, según informes del Departamento de Salud (*Department of Health and Human Services)* de los Estados Unidos de América. ¿Por qué no fue Estados Unidos quien realizó estas campañas e investigaciones? Mi enojo se fundamenta en que mi hijo falleció mientras dormía boca abajo y que ese es el único factor de riesgo en su caso, además de ser varón (los varones poseen mayor incidencia que las mujeres, con porcentajes de 60% a 40% respectivamente). A pesar de todo, mis "si sólo..." no cambiarán el pasado, por lo tanto debo hacer las paces conmigo misma acerca de la posición para dormir ya que cumplía con la recomendación del momento.

Otra de las preguntas que producen culpa en los padres víctimas del SMSL se refiere a la sofocación: *"¿Cómo puedo saber que mi bebé no se sofocó?"*. Varias investigaciones han demostrado que los bebés no se sofocan con la ropa de cama usual. Se han obtenidos resultados similares en las autopsias de bebés cuyos rostros estaban cubiertos y en otros cuyos rostros no estaban cubiertos por la ropa de cama.

El Dr. J. Bruce Beckwith, que ha investigado el SMSL durante mucho tiempo, se ha referido al tema de la sofocación versus el SMSL en su folleto publicado por *"Colorado SIDS Program"* (8). Afirma que uno de los hallazgos más comunes en los bebés fallecidos por el SMSL son "pequeñas hemorragias (petequias) intratorácicas", que se identifican en más del 80 % de los casos. Este científico explica que esas hemorragias son el resultado de una obstrucción completa e instantánea de la vía aérea superior. *"Si yo saliera a la calle e intentara estrangular a alguien o cubriera su cabeza con una bolsa de plástico, sería casi imposible producir esas hemorragias. Los descubrimientos difieren en el SMSL y en la sofocación, con un nivel de exactitud del 95%".*

Para poder resolver el tema de la culpa acerca de algún punto particular, necesitamos la ayuda de alguien que observe la situación desde otro punto de vista. Por ejemplo, cuando hablé con una amiga acerca de mi sentimiento de culpa por haber tomado antibióticos y medicamentos suaves cuando estaba embarazada, ella me respondió: "*¡Pero estabas cuidando tu salud! Quizás si no hubieras tomado esos medicamentos te habrías enfermado más y eso podría haber afectado al bebé".* El hecho de recriminarme me impedía considerar que mis intenciones habían sido buenas.

Cuando sienta que "si sólo..." hubiera hecho algo diferente su hijo estaría con vida, recuerde todas las veces en que sí hizo algo en forma diferente y que probablemente cambiaron el desenlace final. Piense en todas las veces en que observó niños en una piscina y que impidió que alguno se ahogara. Piense en aquélla vez en que tomó a alguien del brazo para evitar que un automóvil lo atropellara.

Además, trate de imaginar una situación en la que usted o alguien que conoce actuó en forma negligente (todos lo somos alguna vez). Si nada ocurrió en ese momento, el hecho seguramente fue olvidado. En otras palabras, millones de personas realizan acciones insensatas y nada sucede. Los seres humanos no somos perfectos, y los accidentes pueden ocurrir.

Cuando nos "empantanamos" en el proceso de duelo –por la culpa, el enojo, u otra causa- es porque no queremos renunciar a nuestro hijo. Pensamos que si renunciamos a nuestras emociones entonces estamos renunciando al bebé. De hecho, debemos reemplazar esas emociones negativas por recuerdos positivos de la corta vida del bebé.

Si usted lo permite, los "si sólo..." lo matarán. No existe nada más auto-destructivo que la culpa. Joanne Hill, consejera espiritual, me explicó que yo me estaba aferrando a culpas infundadas para autocastigarme. Delores Charboneau, amiga y consejera de un hospital psiquiátrico, escuchó una y otra vez todas mis culpas y me dijo que yo estaba tratando de "buscar explicaciones infundadas" para culparme. También obtuve asesoramiento médico de mi prima Michele Walz Stegeman, partera de Minneapolis, de Mary Guhin Whittaker, obstetra y ginecóloga de Dallas, y de los expertos en SMSL, el Dr. Beckwith, el Dr. O'Brien y la Dra. Barbara Bruner.

Todas las personas mencionadas me ayudaron a comprender

que la culpa es una característica de mi personalidad. Quienes poseemos esta característica nos atormentamos con culpas imaginarias e irreales. Comprendí hasta qué punto me había sumergido en la culpa cuando le comenté a otros padres víctimas del SMSL que escribiría un artículo para el capítulo de la culpa y me respondieron que yo era la persona indicada para escribirlo. Me siento culpable hasta cuando el perro odia la comida de perro. Me siento culpable cuando el hámster muere de viejo. ¡Me siento culpable por sentirme culpable!.

Hasta el día en que murió mi hijo, yo creía que la vida era básicamente justa, y que las personas recibían lo que merecían. Excepto por el fallecimiento de mi padre y de mi hermano, mi vida había sido bastante justa. Por eso, cuando el SMSL nos golpeó, pensé que había hecho algo para merecerlo.

La Dra. Francine Toder, en su libro "Cuando Muere su Hijo: Cómo aprender a Vivir Otra Vez" *(When Your Child is Gone: Learning to Live Again)* (9), incluye un mecanismo de enumeración de culpas realizado por el Dr. Donald Mosher de la Universidad de Connecticut: *"Si se siente muy culpable, el malestar creado por ese sentimiento le hará pensar constantemente en las posibles equivocaciones, con objeto de condenarse o absolverse".*

William Ermatinger, colaborador en nuestro grupo local de padres de víctimas del SMSL, me ayudó a poner mi culpa en perspectiva... *"Si piensas que sabes cuál fue la causa de la muerte de tu hijo, entonces sabes más que todos los expertos médicos que han estudiado el SMSL durante décadas".*

El Dr. O'Brien me ayudó a aliviar mis sentimientos de culpa cuando afirmó que es sorprendente que no mueran más niños a causa del SMSL, considerando los enormes cambios que se producen en el sistema nervioso central durante el período de lactancia.

Debemos comprender que ningún pensamiento negativo que hayamos tenido acerca del embarazo mató a nuestro bebé, ya que los pensamientos no matan. Debemos abandonar el "pensamiento mágico" de nuestra infancia, que puede hacernos pensar que nuestras acciones pueden controlar el mundo. La madurez implica aceptar que no tenemos todo bajo control.

Puede ayudar escribir todas las cosas que pensamos que deberíamos haber hecho y aquéllas que deberíamos haber evitado. Como no se las puede cambiar, deben aceptarse para entonces poder perdonarse a sí mismo.

También pueden enumerarse todas aquellas cosas buenas que hizo por su bebé.

Cuando nos sumergimos en la culpa, tendemos a olvidar todas las cosas positivas que hicimos. Como dice mi esposo Gabe, nuestro hijo fue concebido en el amor, vivió amado, y murió amado. Lo divertimos, lo mimamos y lo consentimos. Entonces... ¿qué más podríamos haber hecho?

Si cree que debe torturarse por sus pecados, entonces insúltese fuertemente mientras realiza una actividad física intensa. En el capítulo "Formas poco comunes y novedosas de enfrentar la culpa" *(Strange and Novel Ways of Addressing Guilt)* del libro "Vivir después de la pérdida de un ser amado" (*Living Beyong Loss*) (10), David Epston sugiere con ironía modos de torturarse a sí mismo para demostrar lo ridículos y exagerados que pueden ser los sentimientos de culpa.

Si puede, dialogue acerca de los sentimientos de culpa con personas allegadas o con el grupo de apoyo. Se sorprenderá cuando ellos no se levanten para golpearlo. Y es muy probable que compartan alguna de sus dudas y temores.

De ser posible, intente reírse de su culpa y su baja auto estima. Durante el primer año de mi duelo encontré una excelente historieta de Bob Thaves que me ayudó mucho. Un terapeuta decía a su paciente... *"usted debe aprender a gustarse a sí mismo";* y el paciente respondía... *"me niego a bajar tanto mi objetivo".*

Otro proverbio que me ayudó es... *"El mayor ignorante es aquél que se preocupa por aquello que no puede solucionar".* Sentir una culpa injustificada es la mayor pérdida de tiempo, ya que sólo causará desesperanza.

Con la ayuda de muchos amigos y expertos en el SMSL, finalmente comprendí que yo estaba intentando culparme de cualquier forma sin importar mis acciones reales durante el embarazo o al poco tiempo de nacer el bebé. Si hubiera tomado píldoras anticonceptivas luego de nacer mi bebé (de hecho no lo hice aunque había algunas que podía tomar), entonces habría pensado que Christian falleció a causa de ellas a pesar de no existir relación conocida entre el SMSL y las píldoras anticonceptivas. Si me hubieran realizado una ligadura de trompas y hubiera tomado medicamentos, habría pensado que los medicamentos pasaron a mi leche y mataron a mi bebé. Si me hubieran realizado algún tipo de prueba genética, habría pensado que eso mató al bebé a pesar de no conocerse relación entre las pruebas genéticas y el SMSL. El punto era simplemente culparme a mi misma.

Sin embargo, hice todo lo que pude. Atendí a mi bebé puntualmente, lo llevé al médico cada vez que tenía un resfrío. Durante mi embarazo, no fumé, no tomé bebidas alcohólicas ni medicamentos a excepción de una medicación suave para una gripe. Cuando lo acosté a dormir esa noche, realmente pensé que estaba bien, y si hubiera hecho algo mal, no habría sido intencional. De ser posible, habría saltado hacia un precipicio para salvarlo. Por todo lo anterior he dictado una sentencia final: soy inocente.

Aun así, debo confesar que ocasionalmente, cuando estoy cansada, enferma o triste, el sentimiento de culpa se desliza en mi mente y pienso que si hubiera hecho algo diferente podría haber cambiado el desenlace final. Cuando sucede lo anterior, trato de disipar esos sentimientos y de analizarlos en forma racional. Sin embargo, algunos asistentes sociales me explicaron que los padres víctimas del SMSL siempre sentiremos algún grado de culpa, y que no debemos intentar liberarnos por completo de ella sino convivir.

Tres años después de la muerte de Christian, todavía me asombra que un bebé pueda morir sin un motivo aparente, por eso continúo sintiendo culpa. Yo pensaba... *"no puede suceder algo tan espantoso sin que alguien se haya equivocado en algo, por lo tanto, debo haber hecho algo mal".* Mientras leía acerca del SMSL y de los factores de riesgo (como muchos otros padres) intenté ubicarme en algún punto de esa escala. Sin embargo, los investigadores no han descubierto evaluaciones de riesgo clínicamente confiables que determinen qué bebés corren riesgo de sufrir el SMSL.

Además, más de dos tercios de los bebés y las mamás víctimas del SMSL no presentan factores de riesgo aparentes. La Dra. Marianne Bombaugh creía que el SMSL era consecuencia de abuso infantil, de negligencia, de un cuidado insuficiente durante el embarazo o de haber consumido drogas durante el mismo. Sin embargo, su segundo hijo Teddy falleció a causa del SMSL a pesar de haber recibido el mejor cuidado durante el embarazo y sus dos primeros meses de vida. Cuando el servicio de emergencias dio la noticia a la Dra. Bombaugh, lo primero que pensó fue que Dios la estaba castigando por haber creído que el SMSL sucede sólo a aquellos que lo causaron de alguna forma.

A pesar de que ciertos comportamientos son considerados factores de riesgo, como por ejemplo fumar, no existe relación causal directa entre éstos y el SMSL. Asimismo, sólo fallece uno de cien bebés que poseen los mayores factores de riesgo –hijos de madres drogadictas o que recibieron un cuidado insuficiente durante el embarazo. Más aun, el índice de fallecimientos a causa del SMSL no aumentó durante los últimos quince años, a pesar del aumento en la cantidad de lactantes hijos de madres drogadictas durante el mismo período (algunos investigadores han llegado a la conclusión de que mientras el consumo de cocaína y otras drogas durante el embarazo no es una causa del SMSL, estos bebés pueden nacer en forma prematura, lo cual sí implica uno de los mayores factores de riesgo). Si le preocupa el hecho de haber fumado o consumido drogas durante el embarazo, perdónese y no lo haga la próxima vez. Atormentarse una y otra vez no tiene sentido.

Sin importar lo culpable que se sienta, existe un camino conocido que usted debe transitar y que pasa por las etapas de confesión, penitencia, absolución y perdón de sí mismo. Admita su culpa, diga "lo siento", haga algo que la ayude a sentir una reparación, y luego deje de culparse.

De hecho, muchas personas alcanzan una paz increíble a través de la religión. La doctrina sostiene que Dios perdonará a aquéllos que estén arrepentidos. A pesar de que muchos padres se enojan cuando les dicen que fue "la voluntad de Dios" que sus bebés fallecieran a causa del SMSL, ese pensamiento me reconfortó en algunos momentos en que sentía una intensa culpa. Me ayudó a liberarme de un peso y a pensar que existe un gran diseño del universo en el que está escrito lo que me sucedió. Muchos católicos y personas de otras religiones encontrarán consuelo en el capítulo acerca de la culpa del libro "Respuestas de Madre Angélica, No Promesas" (*Mother Angelica's Answers, Not Promises*) (11). La escritora dice que *"no es el deseo de Dios que nos ahoguemos en la culpa sino que aceptemos su amor, el amor que todo lo perdona".*
Por todo lo anterior ¡dejemos de culparnos!

Lo que quedó atrás

En conmemoración de Daniel C. Roper IV: 9/9/95 - 4/12/95

~Janice John Roper

Observo un ángel de cristal sobre una luna creciente,
deseo comprarlo y colgarlo en mi árbol de Navidad.
Me recuerda a ti, pero no está destrozado como mis sueños...
Lágrimas de cristal son fragmentos de dolor.

El caos de átomos que forman las células de mi desdichado cerebro,
se han agrupado para unirse a un ángel de cristal del tamaño de mi mano...
que se entibia al contacto pero que sólo es una pobre representación de ti...
mi hermoso hijo.

Si pudiese reconstruirte, pintarte, escribirte, cantarte, repararte, y gritarte para que regresaras...
Reuniría uno a uno a todos esos átomos, los buscaría, los guardaría en mi cuerpo para darte vida otra vez... Extraería mi sangre para dártela

Danny, así como fuiste mi creación una vez...
y era tan sencillo tomarte en mis brazos y oler profundamente el perfume de tu cabello... sentir la calidez de tu piel de bebé...
Ahora es diferente... porque sólo queda amor...
el amor que yo siento por ti...

Capítulo 4

"¿Por qué le sucedió a mi bebé?, ¿por qué me sucedió a mí?"

Durante los primeros meses del año 1994, la campeona mundial de patinaje Nancy Kerrigan apareció varias veces en los programas de noticias por televisión sosteniendo su rodilla herida y llorando trágicamente... "¿Por qué?, ¿por qué me sucedió ésto?" Quienes perdieron un bebé a causa del SMSL conocen muy bien esta pregunta... ¿por qué?, ¿por qué le sucedió ésto a mi bebé? Cuando nos golpea un tipo de muerte tan fortuita e insensible nos formulamos estas preguntas una y otra vez.

La pregunta de Nancy Kerrigan obtuvo una respuesta cuando se comprobó que su ataque había sido planeado por personas vinculadas a la principal competidora de Estados Unidos de América Tonya Harding. Cuando la acusación fue formulada y muchas personas admitieron su culpa, respiramos aliviados. Al menos en ese caso la insensibilidad fue derrotada. La vieja codicia no pasó inadvertida y todos tuvimos un culpable a quien señalar. Pudimos sentirnos mejor y menos vulnerables, ya que la tragedia deja de ser desconcertante o frustrante cuando podemos encontrar un culpable. Pero desafortunadamente, en el caso del Síndrome de Muerte Súbita del Lactante no podemos señalar a un responsable. Se desliza como un ladrón en mitad de la noche y se lleva la vida de nuestro bebé que duerme plácidamente. La conmoción inunda a todos aquéllos que aman al bebé, quienes sienten que se les ha robado la sensación de seguridad, la idea del orden y la confianza en lo que debería ser.

Preguntar acerca de las causas de este tipo de muerte y protestar constituyen reacciones naturales. De hecho, es un mecanismo necesario que nos permite aclarar algunas cuestiones. Cuando Joani buscaba una respuesta a esta pregunta obtuvo una muy buena de Gwen y Kevin Robinson, quienes habían perdido a su primera bebé, Rachel, a causa del SMSL. Le sugirieron que creyera lo que la hiciera sentir mejor. Podía tratar de buscar una respuesta en Dios si era creyente o si refugiarse en la fe le brindaba paz y esperanza. Del mismo modo, podía refugiarse en el concepto de la reencarnación si creía en esta teoría filosófica. También le dijeron que quizás sentiría la necesidad de pasar de una teoría a la otra en la búsqueda del "porqué".

Es perfectamente normal que un padre que perdió un bebé a causa del SMSL sienta dudas acerca de sus creencias y de su fe en Dios. Joani estaba tan confundida acerca de los designios de Dios cuando falleció su bebé que decidió visitar a un consejero religioso dos veces por mes durante más de un año. Su esposo era una persona muy religiosa, y Joani no podía comprender por qué Dios le había pagado así a él y a su familia. Delores Charboneau, una amiga de Joani que los acompañó luego de su pérdida, expresó este sentimiento en pocas palabras... "No puedo comprender por qué Dios traiciona a sus amigos".

Cuando Joani intentó por primera vez responder a esta pregunta, creyó que Dios se había llevado a Christian para que su vida tuviese más sentido. Sin embargo, este sentimiento la enojaba porque ella estaba segura de que la mejor forma de que su vida tuviera sentido era abrazando a su bebé. En la actualidad, encuentra más consuelo al pensar que la muerte de su bebé fue un accidente de la naturaleza, y que Dios recibió su alma luego de morir.

Cuando los grupos de apoyo debaten acerca del "por qué", algunos padres encuentran consuelo al pensar que el bebé era un espíritu superior enviado por Dios para aprender algunas cosas y enseñarnos otras. Otros creen que no tendrán un bebé en otra vida si no tuvieron uno en ésta. Otras personas creen que el plan de Dios era brindarles un bebé pero sólo durante unos meses de vida. Hay personas que, como Joani, creen que el SMSL es un accidente de la naturaleza, un hecho fortuito que se produce en un mundo imperfecto.

Muchas personas escribieron acerca del "por qué". En el libro "Cuando sucede algo malo a una buena persona" (When Bad Things Happen to Good People)(1), Harold S. Kushner explica que "Dios no es responsable de lo que nos sucede, pero que está presente para ayudarnos a superar nuestra tragedia cuando dejamos a un lado nuestros sentimientos de culpa y enojo que nos separan de él". Siempre suceden hechos terribles, y "las leyes de la naturaleza no excluyen a las buenas personas". El rabino Kushner no cree en la existencia de un dios que se dedica a planificar tragedias... "No creo en un dios que almacena una cantidad de tumores malignos y que los distribuye luego de consultar una computadora para saber quien los merece o quien será capaz de soportarlos". En lugar de preguntarnos qué hicimos para merecerlo, nos propone pensar en lo que haremos y en aquéllas personas que pueden ayudarnos.

Otros escritores no comparten la idea del rabino Kushner de que Dios no controla los acontecimientos o de que no posee un plan "¿quién puede confiar en un dios así?" John Bramblett, padre de un niño que falleció a los dos años de edad en un accidente, escribió "Cuando el adiós es para siempre: cómo aprender a vivir nuevamente después de la pérdida de un hijo" (When Good-Bye is Forever: Learning to Live Again After the Loss of a Child) (2). El Sr. Bramblett encuentra esperanza en un dios que controla los acontecimientos de nuestra vida... "Se trata de un dios eterno, un dios que derrota a la muerte". La creencia en este tipo de dios le brindó la tranquilidad acerca de su propia muerte y el consuelo ante el vacío que dejó el fallecimiento de su hijo Christopher.

Una respuesta poco convencional al interrogante del "porqué" puede encontrarse en "Muchas Vidas, Muchos Maestros" (Many Lives, Many Masters) (3), escrito por el Dr. Brian L. Weiss, jefe de psiquiatría del Centro Médico Monte Sinai de Florida (Mount Sinai Medical Center). El Dr. Weiss relata el caso de un paciente a quien estaba brindando terapia. A través de las declaraciones de este paciente, el Dr. Weiss encontró revelaciones acerca de la vida de su propia familia y de su hijo, quien había fallecido a los veintitrés días de nacer. El Dr. Weiss comprendió que su hijo había nacido para ayudarles a "pagar sus culpas o Karma" y para ayudarlo a comprender a la medicina y a la humanidad. También cree en un fuerte vínculo entre la ciencia y la metafísica, lo que le otorga una sensación de conexión entre el más allá y la tierra.

Los libros mencionados con anterioridad han resultado de utilidad para numerosas familias víctimas del SMSL, aunque algunas personas deben encontrar sus propias respuestas. "Sería fantástico si alguien pudiese darnos todas las respuestas, aunque sé que nadie puede", dijo una madre víctima del SMSL. Muchos padres relatan haber llegado a un punto en el que ya no se preguntan - ¿por qué me sucedió ésto?, ya que dicha pregunta no les aporta nada positivo. Otros padres dejan de torturarse psicológicamente al pensar que el hecho de vivir no excluye padecer hechos desafortunados. Otros creen que si no encuentran una respuesta en esta vida, la encontrarán en otra. Otras personas que asisten a grupos de apoyo y que encuentran personas que cargan con dificultades muchísimo mayores, comienzan a preguntarse - "¿por qué debía yo quedar excluido de este destino si otras personas sufren tanto durante su vida?"

Cualquiera sea nuestra conclusión, todos llegamos inexorablemente a la convicción de que como seres humanos "no podemos controlarlo todo". Godwin escribió "Hay cosas como la marea que poseen su propio curso, y que escapan de nuestro control". Esta incapacidad de controlar nuestra vida nos produce temor, pero debemos aceptarla y convivir con ella.

Debemos aceptar que aunque logremos conocer la causa del fallecimiento de nuestro bebé, no podremos cambiar lo que sucedió. Conocer las causas no nos permite cambiar el pasado. La búsqueda desesperada de causas puede hacernos sentir desdichados y demorar nuestro proceso de duelo. Debemos dejar de buscar causas y admitir que como seres humanos no podemos conocer la causa de todo lo que sucede.

Huellas

~Anónimo

Cierta noche tuve un sueño. Soñé que caminaba por una playa con Dios, y se cruzaban en el cielo escenas de mi vida. Cada vez que aparecía una de estas escenas también podía observar dos pares de huellas sobre la arena. Un par de huellas eran las mías y las otras las de Dios. Cuando apareció la última escena, observé las huellas sobre la arena. Pude ver que de vez en cuando sólo había un par de huellas sobre la arena, y que correspondían a los momentos más desdichados de mi vida. Ésto me molestó y pregunté a Dios

-"Dios, tú me dijiste una vez que si yo decidía seguirte, caminarías siempre junto a mí. Sin embargo, acabo de notar que durante los momentos más desdichados de mi vida sólo aparecieron un par de huellas. No puedo comprender por qué me abandonaste en los momentos en que más te necesitaba".

Dios le respondió -"Hermoso hijo mío, te amo y jamás te abandonaría en un momento desdichado. Si pudiste observar sólo un par de huellas, corresponden al momento en que yo te llevaba en mis brazos".

Un punto de vista

~Jay Lamb

Desde que mi esposa y yo comenzamos nuestro periodo de duelo luego del fallecimiento de nuestro hijo Ben, leemos con frecuencia poemas y cartas escritas por otras personas que describen la tristeza de haber perdido un hijo. Algunas también expresan amargura y enojo. Al leerlas, sentimos una compasión especial por sus autores y nos preguntamos si existirá alguna palabra que pueda aliviar su dolor. Este hecho nos hace pensar en la posible existencia de alguna filosofía que nos ayude a superar el fallecimiento de Ben.

Creemos que existe un dios y que todo lo que nos sucede posee una explicación. Cuando perdemos a un ser querido, los sentimientos de tristeza y de dolor se manifiestan en forma natural. Sin embargo, creemos que no está bien prolongar esa agonía durante años. En un encuentro de un grupo de apoyo a víctimas del SMSL, uno de los participantes comentó que el objetivo de nuestra vida es rendir homenaje al bebé que perdimos. Debemos preguntarnos qué es más positivo: que nuestro homenaje transmita un mensaje de amor y guía o que transmita un sentimiento de autocompasión y dolor. "Nuestro hijo, ¿preferiría que recordemos los momentos felices junto a él o los momentos desdichados? Su llegada a nuestra familia - ¿nos ha enriquecido o empobrecido?"

Luego del nacimiento de Ben, decidimos que ya no tendríamos más hijos. Teníamos una familia perfecta, con nuestra maravillosa hija Sara y con Ben. Trece meses después del fallecimiento de Ben, nació Rebecca, quien nos brindó una alegría absoluta. Nos preguntamos -"¿Haríamos cualquier cosa para que Ben estuviese nuevamente con nosotros?" La respuesta es positiva. Pero si nos preguntamos -"¿Cambiaríamos a Rebecca, de un año de edad, para que Ben estuviese con nosotros? ¡Nunca!" Como padres sabemos que se ama a cada hijo en forma incalculable, y que nunca podríamos elegir a uno de ellos. Es imposible valorar en forma cuantitativa la vida de cada uno de nuestros hijos. No podemos, desde nuestra condición humana, calcular cuál hubiese sido el mejor desenlace si hubiésemos podido elegir. Cuando nació nuestro hijo Ben sentimos una alegría inmensa, lo mismo que sucedió al nacer Rebecca, a quien consideramos una bendición. ¿Cómo serían nuestras vidas actualmente si Ben hubiese vivido? Esta pregunta enloquecedora es respondida a través de la creencia de que los acontecimientos suceden porque deben suceder, aun los acontecimientos trágicos.

Creemos que como seres humanos no podemos realizar todos los juicios de valor. Los acontecimientos de nuestra vida poseen un significado y se ensamblan en un gran esquema, y tienen una estrecha relación con nuestro objetivo en este mundo. No podemos comprender por qué nuestro hijo nació para luego fallecer en forma tan repentina, pero al mismo tiempo sabemos que cuando dejemos este mundo encontraremos todas las respuestas. Desde este punto de vista espiritual, sabemos que podremos ver el revés de nuestras vidas, y las razones de cada acontecimiento cobrarán sentido.

«¿Por qué?, ¿Por qué me sucedió?»

~Dr. Richard A. Watson

El día que relato sucedió hace diez años a las seis de la mañana. Estaba arrodillado sosteniendo en mis brazos el cuerpo sin vida de mi hijo de seis semanas de edad, Mark Thomas. En ese momento no pensé en Dios, ya que apenas podía pensar. Los pensamientos racionales cedieron ante una mezcla de emociones; una sensación aterradora de irrealidad, descreimiento, frustración, ira y desamparo. Una voz interior me acusaba desafiante -"Eres su padre, eres médico -¡Haz algo!, ¡Haz algo!"

Sin embargo, no había nada que yo pudiera hacer; había fallecido durante la noche a causa de Síndrome de Muerte Súbita del Lactante o "muerte en cuna". Su cuerpo estaba frío y los intentos de reanimación serían en vano.

Durantes las horas subsiguientes experimenté sentimientos variados y una cantidad de emociones se agolpaban en mi mente. Quise rezar pero al mismo tiempo me enojé con Dios. Nunca en mi vida había necesitado tanto de su ayuda. Recé para que me diera fuerzas, pero una voz interior gritaba con ira -"¿por qué me sucedió ésto?"

Cualquiera hubiera sido mi comportamiento en el pasado, de ninguna manera merecía lo que me estaba sucediendo. "¡Quiero a mi bebé otra vez! ¿Por qué me estás haciendo ésto?, ¿Por qué?" Durante las semanas posteriores, muchas personas católicas con buenas intenciones nos ofrecieron – a mi esposa y a mí - toda clase de explicaciones justificativas acerca de las razones y las intenciones de Dios. Sin embargo, dichos razonamientos no nos ayudaron. Una misionera de la iglesia católica, quien había vivido en misión en África y había sufrido penurias extremas, compartió con nosotros una perspectiva coherente. Explicó que Dios sabe que en la tierra no puede ofrecer una explicación adecuada ante un dolor tan intenso e injustificado. Sin embargo, Dios nos pone a prueba –como una gracia especial- y desafía nuestro amor hacia Él, ¿Puedes amarme aunque no pueda ofrecerte en la tierra una explicación ante un sufrimiento tan enorme y cruel?

Luego de haber vivido una tragedia de esta magnitud, descubrí que aprendí a ser más sensible ante el dolor ajeno, en especial el dolor de un padre. Hace algunos años, una pequeña cayó dentro de un profundo pozo de agua seco y quedó allí atrapada durante muchas horas. Las impenetrables rocas que rodeaban el pozo imposibilitaban la labor de los encargados del rescate y les impedían llegar a la niña. En un primer momento se preguntaban si la niña habría sobrevivido a la caída. Finalmente pudieron enviar un pequeño micrófono al interior del pozo. ¡Qué alivio habrá experimentado el padre al oírla cantar una canción de cuna y al saber que estaba viva! Aunque luego se la oyó llorar de pronto y gritar - "¡Papi, me duele, Papi...¿adónde estás?"

"Oh, mi bebé, no te preocupes, ¡Papá va a ir a buscarte! Si pudiese romper el granito con mis manos desnudas y ensangrentadas, ¡Papá va a ir a buscarte!". Pero nada podía hacer. Durante las largas horas de la noche, al tiempo que avanzaban poco a poco abriendo con cautela un camino hacia la niña, podía oírse su llanto -"Papi, -

Papi... ¿adónde estás?"

En otra ocasión los periódicos relataron el caso de un padre impotente ante el incendio de su casa. Su pequeño estaba atrapado entre las llamas, y junto con los bomberos escuchaban su llanto. Sin embargo, no podían atravesar el fuego para rescatarlo -"Papi, Papi, me duele, Papi, ¿adónde estás? ¡Por favor, ayúdame!". Me imagino cuánto habrá sufrido el padre, ya que sólo pudieron detenerlo tres hombres para impedir que se arrojara a las llamas.

Dios no podría explicar o justificar un sufrimiento humano tan innecesario. Sin embargo, Él mismo nos ofreció la vida de su propio hijo. Dios no puede decirnos -"Yo les puedo explicar", pero sí puede demostrarnos que Él y su Hijo sufren más que nosotros.

Pienso que la iglesia nos enseña acerca del sufrimiento de Jesús –Dios Hijo- en el calvario. Sin embargo, casi nunca nos enfocamos en el dolor de Dios Padre ante nuestro sufrimiento. Quizás nosotros, como padres, podamos interpretar un sentido: Dios, el creador de todo el universo, los cielos y los mares, observa cómo los mortales clavan a su único hijo a un árbol. Observa a su hijo, a su cuerpo atormentado por el dolor buscando una respuesta en el cielo -"Papi, Papi, ¿adónde estás? Te necesito. ¿Por qué los dejas que me hagan ésto?, ¿por qué?"

¿Qué tipo de poder en toda la creación sería capaz de detenerse - como lo hicieron esos bomberos- ante la intervención de Dios Todopoderoso, nuestro padre? Sólo el poder del amor de Dios por todos nosotros.

Pero, ¿es necesario?, ¿por qué?

Mi esposa y yo encontramos consuelo al pensar que Dios recuerda a través de nuestro dolor mortal el sufrimiento que Él padeció por su hijo. La fe y la esperanza nos hacen pensar que algún día seremos los invitados de Dios a su reino celestial. Ese día no sentiré ni amargura ni enojo, pero sí llevaré una cantidad de preguntas -"¿Por qué?, ¿por qué falleció mi hijo?, ¿por qué debió fallecer tu propio Hijo?, ¿por qué debemos padecer tanto sufrimiento?, ¿por qué existe la enfermedad y la muerte?"

Dios, que es todo bondad, comprenderá que yo formule todas las anteriores preguntas porque Él ha atestiguado nuestro dolor. Yo preguntaré sin rencor ni remordimientos, como un padre imperfecto hacia otro Padre, y tendré la libertad de conocer los designio de Dios por toda la eternidad, ¿por qué?, ¿por qué?

~El artículo anterior fue publicado por primera vez en "The Linacre Quarterly" en el mes de mayo del año 1991. La presente publicación fue autorizada.

La perspectiva judía del «por qué»

~Marjorie Romanoff

"Fue el deseo de Dios", o aún peor, "era su destino". Las anteriores frases constituyen algunos de los mensajes más irritantes de consuelo escritos u orales que recibimos mi esposo Milford y yo. Algunos incluso fueron escritos por personas que no conocíamos. Nuestra hija, Janet Beth, falleció en un accidente automovilístico en el mes de diciembre del año 1969 cuando tenía quince años y medio de edad. Milford y yo avanzábamos en la dirección opuesta cuando observamos a un automóvil embestir el Volkswagen en el que viajaba nuestra hija Janet Beth.

Más de seiscientas personas asistieron al funeral de Janet en nuestro templo, y luego tuve que enviar casi mil seiscientas notas de agradecimiento. La mayoría de los mensajes que recibimos se debieron a dos artículos publicados en periódicos en los que relataban el modo en que Janet había ayudado a sus amigos y a la comunidad. ¡Sólo tenía quince años y medio de edad! Siempre creí que Janet había nacido para entregar su infinito amor y entusiasmo, los cuales distribuía entre todas aquellas personas que la rodeaban, en especial quienes más lo necesitaban.

¿Deseaba Dios que Janet falleciera?, ¿era ese su destino? ¡Evidentemente no! El accidente se produjo en una avenida comercial demasiado transitada y con pocos semáforos. Además, los conductores de ambos automóviles tenían dieciséis años y poca experiencia para la maniobra que debían realizar.

¿Qué persona en su sano juicio afirmaría que Dios se llevó a mi hija?, ¿quién puede saber cuáles son los pensamientos de Dios? Afirmar lo anterior constituye una agresión a nuestro sentido común porque implica que conocemos a Dios.

Los judíos ortodoxos y fundamentalistas creen en la veracidad de todo lo que está escrito en la Biblia. Creen en un Dios que recompensa a quienes hacen el bien y que castiga a quienes actúan mal.

Los judíos reformistas creemos que Dios es una presencia inexplicable. Creemos en el mensaje de los tres profetas mayores y de los doce profetas menores, quienes nos piden ser una sociedad justa y con valores morales, en la que la rectitud y la hermandad sean las reglas.

Muchos sobrevivientes del Holocausto culpan a Dios por el asesinato de todos sus hermanos y amigos. Muchos son actualmente ateos o están enemistados con Dios.

Luego de haber perdido a uno de los integrantes de nuestra

familia, ni los hermanos de Janet -quienes la adoraban- ni nosotros culpamos a Dios, quien es asimismo inexplicable. Los seres humanos podemos vivir en el mejor de los casos ciento veinte años de edad, pero Dios tiene miles de millones de años. Dios existió antes que todo, ¿cómo podemos explicar la existencia de Dios o culparlo?

Nos solidarizamos con todas aquellas personas que pierden un hijo. Se supone que los padres no deben enterrar a sus propios hijos. Podemos afirmar que Janet está con nosotros cada minuto de nuestras vidas, mientras trabajamos incansables horas y mientras compartimos nuestro tiempo con amigos y familiares. Quizás ese sea el motivo por el que mi esposo Milford, de setenta y cinco años de edad, trabaja en quince comisiones comunitarias y continúa trabajando como contratista, y yo continúo mi labor como supervisora de docentes y enseñando a estudiantes provenientes de otros países. Creo que si no trabajáramos pensaríamos en Janet en forma constante.

Amamos a nuestros siete nietos, cuyas edades oscilan entre los doce y los veintitrés años. Ellos conocen a Janet a través de los relatos de sus padres. Quizás esa sea la razón por la cual ellos se esmeran en ser una bendición para nuestra familia.

Entonces, ¿podemos asegurar a alguien que ha perdido un hijo que el tiempo curará sus heridas? Por supuesto que no. Sin embargo, el tiempo sí borra el dolor devastador inicial que nosotros creemos que nunca cesará. Y la vida continúa. El trabajo intenso en algo que nos brinda placer es la mejor medicina. Sin embargo, cada persona debe avanzar por sí misma y resolver sus problemas en forma individual. Dios no puede hacerlo por nosotros.

~A pesar de que la autora del artículo precedente no ha perdido un bebé, su historia ha sido incluida porque nos brinda un punto de vista judío acerca de las causas de los hechos desdichados de la vida.

Una abuela pregunta -¿por qué?

~Millie Lutz

Extraño a mi nieto, deseo que esté con nosotros otra vez.
Necesito abrazarlo y sentir su contacto de bebé.
Dios tiene planes para todos nosotros, según afirma la Biblia;
"Los designios de Dios son incomprensibles para el ser humano"

He sufrido y llorado por su muerte,
sólo pudo estar con nosotros poco tiempo.
¿Acaso Nuestro Señor decretó que él debía morir?

No puedo aceptarlo y dejar de preguntar -¿por qué?

Nunca había oído acerca del SMSL...
Una muerte inexplicable y súbita que ataca a los bebés.
Alguna vez la llamaron muerte en cuna, pero luego cambiaron su definición.
No tiene importancia, ¡la pérdida continúa siendo la misma!

Tienes un bebé sano, inteligente y travieso,
que se supone vivirá hasta la vejez;
pero cuando es tan sólo un bebé lo acuestas a dormir,
y de pronto se muere cuando no lo ves.

Este intenso dolor no se irá tan fácilmente.
Cada día parece ser más desdichado.
Y aunque he intentado superarlo,
lo extraño y deseo besar su mano.

Al tiempo que me pregunto si jugué con él lo suficiente,
surge el interrogante -¿desea Dios mostrarnos sus designios?
¿Podremos encontrar la respuesta en la iglesia?
Los científicos afirman que la investigación nos brindará la solución.

Me pregunto constantemente -¿podemos hacer algo
para que el SMSL no se repita nunca más?
Me tortura la pregunta -¿deben morir otros niños?
¿cómo puedo aceptarlo?, ¿me preguntaré siempre por qué?

Durante algunas pesadillas siento que duermo en un pozo.
Luego una noche me despierto y exclamo -¡Así es!
Ni el dolor ni la agitación del funeral
nos devolverán a nuestro bebé

La calma no ha llegado luego de haber llorado tanto.
Sin embargo sé que puedo conservar su recuerdo,
y creo que podrá existir algún consuelo para usted y para mí,
si hacemos algo más que llorar y preguntar "¿por qué?"

Actualmente busco auspiciantes para "PROJECT SIDS",
con la esperanza de que todos los niños lleguen a crecer;
creo que el destino de nuestro bebé era morir,
para que ayudemos a buscar una respuesta al "por qué"

Cuando no creemos en Dios

~Ned Balzer

Se ha escrito mucho acerca del modo en que la creencia en un dios puede ayudar a un padre a superar la muerte de un hijo. Pero, ¿qué sucede con aquellos padres que no creen en Dios o dudan de su existencia?

Soy uno de ellos. Mis padres eran Menonitas, pero yo asistí a la "Iglesia Unida de Jesucristo" (United Church of Christ). Cuando terminé la escuela secundaria abandoné la iglesia, y finalmente dejé de creer en la existencia de Dios. La idea de un dios cuyos caprichos debemos obedecer para no ser castigados no tiene sentido para mí. Creo que es un invento de los sistemas políticos y culturales que luchan contra los que piensan diferente. Sí creo que el universo y la vida poseen misterios, que se revelarán ante la ciencia o que continuarán ajenos a nuestra comprensión humana. Creo que la existencia de un dios no explica los complicados misterios del universo.

Cuando Margie y yo contrajimos matrimonio, tener hijos no estaba en mi lista de prioridades. Sin embargo, sí era muy importante para mi esposa, y como era lo que ella deseaba, entonces yo la acompañaría. Esperamos algunos años y la primera vez que Margie quedó embarazada fue "por accidente". Me sentí atemorizado ya que pensaba que no estaba preparado. Pocas semanas después Margie perdió al bebé, y yo le aseguré que continuaríamos intentándolo. Debo confesar que yo lo hacía más por ella que por mí. A los tres meses Margie quedó embarazada otra vez. Soportó casi ocho meses de náuseas y fatiga, así como un trabajo de parto complicado. La noche del día 10 de noviembre del año 1992 mi mundo cambió por completo cuando vi a Willie en brazos del médico que lo ayudó a nacer. Estaba vivo, y yo lloré en forma incontrolable al tiempo que me enamoraba de mi bebé.

A los tres meses Margie regresó a su trabajo como maestra y yo a mis estudios. Willie comenzó a asistir a una guardería familiar. Cuando Willie tenía tan sólo cuatro meses, yo estaba en una clase cuando un estudiante se acercó a la puerta del aula con un mensaje telefónico. Me informó que le habían avisado de una emergencia familiar, y que yo debía llamar por teléfono a una trabajadora social del Hospital Highland. Ella me informó que Willie estaba en el hospital. Me solicitó la dirección y me informó que un automóvil de policía pasaría a recogerme. Recé a un dios en el que nunca había creído para que Willie estuviera bien. Luego de una larga espera, llegó un automóvil de la policía y subí a él. Una oficial sentada en el asiento trasero me informó que una de las personas de la guardería había encontrado a Willie sin vida en su cuna. Los intentos de reanimación, tanto en el lugar como en el hospital, habían sido en vano. Al principio no podía comprender lo que me decía. Si no habían podido reanimarlo, ¿por qué seguían intentando? Al tiempo que comprendía lo que había sucedido, logré finalmente preguntar - ¿falleció? La oficial me respondió -"Sí, lo siento mucho". Puedo afirmar que fue el momento más terrible de mi vida.

Los sentimientos que experimenté las semanas posteriores a su muerte fueron de descreimiento, tristeza y enojo hacia Willie, hacia mí, hacia todas las personas y hacia un dios en quien ni siquiera creía. Para aliviar el dolor que me consumía, intenté concentrarme en las pequeñas tareas que debíamos realizar después de su muerte: retirar su vestimenta y sus juguetes de la guardería; realizar duplicados de fotografías y escribir cartas a amigos distantes para contarles lo que había sucedido. Yo había sido padre por primera vez y comenzaba a acostumbrarme a cuidar a Willie. De pronto todo terminó y me aferré a cada pequeña tarea que me permitiera recordarlo. Intenté prolongar esas tareas durante el mayor tiempo posible ya que cada vez que concluía con alguna de ellas, sentía que otra parte de Willie moría. Quizás la oración ayude a aquellas personas que creen en Dios, pero en mi caso no resultó, a pesar de que lo intenté.

Al poco tiempo me invadió otra emoción: el temor de haber sido castigado por mi falta de fe. Mi vida había sido feliz, nunca me había sucedido algo malo. Comencé a pensar que quizás sí existía un dios a la espera del momento más feliz de mi vida listo para golpearme no sólo a mí, sino también a mi bebé.

Durante las semanas posteriores al fallecimiento de Willie, asistimos a grupos locales de apoyo a familiares de víctimas del SMSL. Mi falta de fe en un dios se intensificaba con el paso del tiempo, y llegué a sentir resentimiento hacia aquellas personas que podían aferrarse a su fe para salir adelante, como si el dolor que sentían fuese menor que el que sentía yo. Incluso algunas veces entré en algunas iglesias del lugar, sin saber qué era lo que estaba buscando, ¿comprensión acerca de lo que había sucedido; alivio del dolor; fe en un dios; o al menos la creencia de que no estaba equivocado? Cualquiera haya sido el motivo, no pude encontrarlo.

Algunas experiencias que me sucedieron durante los primeros meses posteriores al fallecimiento de Willie comenzaron a proporcionarme un tipo de aceptación. En un viaje que Margie y yo realizamos a través de la costa sur de California, subíamos por un sendero empinado rodeado de rocas y mar, cuando comprendí que no temía a la muerte. La sensación no era suicida, sino por el contrario sentía temor acerca de mi pequeño, quien ya había cruzado ese umbral. El camino nos condujo a un matorral de flores silvestres, en el que me invadió la paz. Nos detuvimos en un claro para almorzar y estar en silencio. De pronto un gato montés salió de los arbustos y nos observó durante unos instantes. Luego huyó desconcertado. Su mirada me hizo pensar que nadie está en el mundo durante mucho tiempo, y que mientras estemos vivos seremos desconocidos.

Creo que el propósito de toda religión o creencia espiritual es un deseo de responder a determinadas preguntas, tales como el sentido de la vida y la muerte. He intentado encontrar una explicación a la muerte de Willie, pero mi lucha se dificulta porque el SMSL es un tipo de muerte súbita que aún no tiene explicación. Como ateo, también me pregunto por qué debo encontrar una justificación a la muerte de mi hijo. Pero no he encontrado respuestas coherentes a mis preguntas. Quizá si yo fuese una persona diferente, con alguna creencia o fe, encontraría respuestas. Aunque creo que mi dolor fue necesario para poder aceptar lo que me había sucedido.

El fallecimiento de mi hijo no ha fortalecido ni debilitado mi falta de fe religiosa, pero sí me ha ayudado a relacionarme con el mundo de una forma más serena y a aceptar determinados hechos. Esta aceptación de quién soy y de mis creencias me ayudó a comprender mejor a otras personas y a relacionarme con ellas, sin importar sus creencias. A pesar de mi ateísmo, sueño con el día en que me reúna con mi hijo otra vez. Y aunque sé que el anhelo anterior es incompatible con mi falta de fe, es lo que mantiene vivo a Willie en mi corazón.

De qué forma nos ayuda la fe

~Jeannie Nelson

¡Fue amor a primera vista! Él era joven e invencible. Yo tenía dieciocho años y estaba por comenzar mis estudios universitarios. Él tenía veintidós años y un espíritu libre que vivía el presente. Un año después nos casamos. Trabajábamos tiempo completo y estábamos ansiosos por asumir nuestro proyecto como padres. Fuimos bendecidos con una hermosa niña, y elegimos un nombre muy especial para ella, Kelsay Deanne –eran los nombres de mis abuelas y uno de mis nombres. Aunque éramos muy jóvenes, pensábamos en la importancia de la familia. ¡Qué increíble fue su primer cumpleaños! Fue más una celebración de nuestro éxito como padres, ya que siempre habíamos sentido temor ante nuestra paternidad y queríamos que todo saliera bien.

Cinco años después, retomé mis estudios ansiosa por cumplir mi sueño de unirme a la comunidad médica. Mi esposo Donny le demostró a todos que sí era una persona capaz de asumir responsabilidades. Comenzó a estudiar una carrera relacionada con tecnología de computación y continuó siendo el mejor papá del mundo, ¿estábamos creciendo? Decidimos que no queríamos esperar demasiado para tener nuestro segundo hijo, y fuimos bendecidos otra vez con la llegada de nuestra hija el día de Acción de Gracias del año 1993. Era un ser angelical que nos hipnotizó desde el primer día. También elegimos para ella nombres de abuelos, Victoria Louise. Creo que nunca había sentido el verdadero significado de la palabra amor hasta tener a mis dos hijas. Cuando cumplió su primer año, Donny y yo nos sentíamos ya padres expertos. Nuestros conocidos nos decían lo hermosas que eran y lo afortunados que éramos en tener dos hijas sanas. Cada vez que escuchábamos acerca de alguna tragedia, reflexionábamos acerca de nuestra fortuna.

No estábamos seguros de estar preparados para un tercer hijo, ya que deseábamos darles lo mejor. Teníamos el amor suficiente para más hijos, pero el amor no paga los aranceles médicos ni las hipotecas. Realmente nos esforzábamos.

Inesperadamente volví a quedar embarazada en el mes de febrero de 1996. Habíamos estado tan ocupados que llegué a preguntarme -"¿vi a mi esposo durante el último mes?. Debe haber ocurrido aquella noche en que nevaba tanto". Como casi no nieva en Dallas o Texas, no era muy difícil deducir la fecha. Podía afirmar que tenía demasiadas responsabilidades de las cuales hacerme cargo. Recuerdo haber dicho a Donny, "espero que Dios sepa lo que está haciendo". Luego de la conmoción inicial, comprendimos que todo seguiría su curso natural. Donny y yo estábamos muy emocionados, y las niñas aun más. Octubre parecía lejano, y estábamos impacientes. Las actividades de Kelsay y las travesuras de Tori nos mantuvieron ocupados y a mí particularmente bajo estrés.

Reconozco que no me comporté como una persona muy agradable durante el embarazo. Sentía que no era capaz de controlar mi vida y mis emociones. Con frecuencia pensaba -"volveré a ser feliz cuando nazca el bebé y todo regrese a la normalidad", es decir, al caos normal.

Finalmente, el día 18 de octubre casi a las cuatro de la

mañana, ¡nació mi bebé varón! Donny, mi hermana y mi mejor amiga Jen estuvieron durante el parto. Mis dos hijas habían nacido por parto natural con bastante facilidad. Por esa razón, esperábamos que este parto fuese rápido. Mi embarazo, según mi obstetra, había sido "ideal", y lo natural era esperar que este parto durara la mitad de tiempo que los anteriores. Pero no lo fue, el trabajo de parto no fue el "ideal".

Luego de dos horas de trabajo de parto y como las enfermeras no notaban un progreso, me sentí frustrada. Comencé a rezar para que Dios me ayudara, y a la media hora nació Tyler James Nelson. Luego del parto, mi amiga Jen me felicitó por haber sobrellevado tan bien el dolor del parto. Le contesté que en realidad había estado rezando, así que seguramente era gracias a la ayuda divina. En ese momento pensamos en la importancia de rezarle a Dios. Teníamos fuertes convicciones religiosas porque habíamos sido criadas en la religión católica y habíamos asistido a escuelas parroquiales durante nueve años. Sin embargo, no éramos fanáticos. Jen y su esposo Rusty eran nuestros amigos y les pedimos que fuesen los padrinos de Tyler. No tenían hijos aún, así que sería una buena oportunidad para practicar con nuestro bebé.

Las semanas subsiguientes aparecen confusas en mi memoria. Tyler había sido un bebé muy fuerte desde el comienzo. Con frecuencia había llamado mi atención durante el embarazo (durante un tiempo había temido que fueran mellizos porque me pateaba al mismo tiempo en las costillas del lado derecho y debajo de la cadera del lado izquierdo). Durante nuestro día de internación después del parto, las enfermeras me habían comentado lo fuerte que era, ya que se lo podía observar la mayor parte del tiempo elevando su cabeza cuando estaba recostado sobre mi pecho. Donny y yo estábamos fascinados por ser padres de un varón, ya que no nos habíamos imaginado que ese día llegaría, tan sólo deseábamos tener un bebé sano. Ni siquiera había pensado en lo hermoso que sería tener un varón, y entonces me sentí totalmente comprometida en ello. ¡Que sensación increíble, un varón! Ahora comprendía la expresión "los varoncitos son de mamá". Era la versión en miniatura de su papá: cabello oscuro, ojos vivaces, sentía un enorme amor hacia él. Le conté a todos mis amigos lo divertido que era observar el encantamiento que sentía Donny hacia este bebé y lo orgulloso que se sentía de ser papá. Nuestras hijas querían tocarlo, alzarlo en brazos y estar con él todo el tiempo. Kelsay se transformó en una pequeña mamá. Ambas estaban orgullosas del bebé, a quien consideraban de su propiedad, y realmente lo compartían, algo que me resultaba asombroso. El lunes posterior al Día de Acción de Gracias, regresé a mi trabajo en el laboratorio de mi padre. En realidad, nunca había dejado de trabajar, aunque durante el embarazo había muchas tareas que no podía realizar. Me había sentido culpable por la sobrecarga de trabajo que debía afrontar mi padre, y estaba ansiosa por poder ayudarlo otra vez. Mis padres se habían esforzado tanto por mí, era lo menos que podía hacer. Luego de algunas semanas en casa con posterioridad al parto, regresé al laboratorio con Tyler para realizar los trabajos de oficina. Mi madre había comenzado a ayudar en el laboratorio durante mi embarazo. Como amamantaba a Tyler, aún no podía acercarme a ciertos productos químicos. En realidad, la mayor parte del tiempo recibíamos la visita de los abuelos (le agradezco a Dios por haber disfrutado ese tiempo juntos). Mi padre deseaba que yo me reincorporara definitivamente al trabajo, y yo también. Disfrutaba de la relación que se había creado entre nosotros gracias al aspecto laboral. Era el momento de regresar.

Me considero afortunada por haber tenido la mejor niñera. Su nombre es Ruth Ann, y la considero un regalo del Dios, ya que pienso que todos deberíamos tener una niñera así. Lamento que Ruth no sienta lo mismo, ya que a las siete semanas de haber nacido, el día 5 de diciembre de 1996, Tyler falleció en su hogar en forma inesperada. Ruth lo encontró sin vida y tuvo que afrontar en forma inmediata esa terrible situación. Había cuidado niños durante casi veinte años. Por su hogar habían pasado niños sanos, otros enfermos, traviesos o educados. Pero nunca había vivido una situación semejante. Nunca olvidaré el radiomensaje que recibí y la llamada telefónica que realicé a su hogar, en la que me informaron que mi precioso bebé había dejado de respirar. Agradezco a Dios que Ruth me encontrara con tanta rapidez aquella tarde. Kelsay estaba conmigo. Tori estaba en casa de Ruth junto con otro integrante de su familia y con los otros niños que Ruth cuidaba. Donny había recibido un mensaje en el que le pedían que se dirigiera al hospital. Kels y yo nos cruzamos con la ambulancia al llegar al hospital. Aún no sabíamos lo que había sucedido, ¿se había ahogado o sofocado debajo de una sábana?, ¿cómo había dejado de respirar? Llamé a Jen a su trabajo, y llegó al hospital de inmediato. Mi padre estaba en camino. Una enfermera llamada Kathy y una persona del hospital encargada de darnos apoyo –cuyo nombre no recuerdo- nos condujeron a una sala destinada a familiares. Allí la enfermera nos informó lo que estaba sucediendo. Antes de que llegaran nuestros seres queridos, esta mujer que mencioné anteriormente estuvo a nuestro lado brindándonos fuerza, apoyo, consuelo y sus cálidas palabras.

Rezó junto a mí. Yo deseaba rezar, pero las únicas palabras que podía pronunciar eran -"Oh, Dios mío" (le agradezco a Dios por haberla tenido a mi lado para que rezara cuando yo no podía hacerlo).

Recuerdo vagamente las horas posteriores en el hospital. Mi mente perdió la sensación del tiempo, y sentía que estaba navegando por aguas desconocidas. Nuestra familia estaba con nosotros, así como amigos y personas que no conocíamos y que nos brindaban apoyo. Cuando llegó Donny, la enfermera nos informó lo que estaba sucediendo. Aparentemente, los paramédicos sólo advertían un pulso débil, pero Tyler no respiraba por sí mismo. Nos condujo hacia donde estaba nuestro bebé para que pudiéramos verlo. Nunca olvidaré ese momento, parecía una escena del programa televisivo "ER". La sala estaba llena de gente, todos dedicados a la tarea de salvar a mi hijo. Observé a Tyler y le imploré que respirara, que no muriera, que se aferrara a la vida. Lo alenté -"Puedes hacerlo", pero no podía. Pregunté a la enfermera cuánto tiempo hacía que mi bebé estaba así y todo pareció detenerse. Un paramédico me explicó que hacía quince o veinte minutos que estaban intentando reanimar a Tyler antes de obtener pulso. Sentí que mi cuerpo se desvanecía. Poseía los conocimientos suficientes como para saber que sólo un milagro lo salvaría. La enfermera nos condujo a la sala destinada a familiares, y allí realizamos algunas llamadas telefónicas. Luego regresó y le pidió a Jen que la acompañara. Yo sabía el motivo, y luego oí cuando ella le explicaba a mi hermana que Tyler no lograría sobrevivir. Jen les había solicitado contactar a un sacerdote -por las dudas- para que Tyler fuese bautizado (le agradezco a Dios por haberle dado esa idea). La enfermera le informó que el sacerdote ya estaba en camino y que continuarían los intentos de reanimación para que Tyler pudiera ser bautizado.

Habían traído a Tory al hospital, y Kelsay estaba ocupada con algunos amigos de la familia. Donny y yo llevamos a Kelsay a una sala privada y le explicamos lo que estaba sucediendo y que Tyler no podría sobrevivir. Resultaba increíble explicarle a una niña de ocho años que su mundo acababa de destrozarse. Ella decidió no ver a su hermano en el hospital sino recordarlo como la última vez que lo había tenido en brazos.

Cuando Donny, Jen y yo regresamos a ver a Tyler, el cuadro era totalmente diferente. Ya no se observaba toda la actividad precedente. Sólo dos personas le realizaban RCP para mantenerlo con vida el tiempo suficiente como para ser bautizado. Luego de ser bautizado, detuvieron la reanimación y me permitieron tomarlo en brazos. Mi hijo falleció en mis brazos; recuerdo que su rostro irradiaba paz y pensé que no había sufrido. Parecía dormir y a punto de despertar en cualquier momento, ¡Si nuestro amor hubiese podido salvarlo! Una a una todas las personas lo tomaron en brazos llorando. Mi padre había ido a recoger a mi madre, y cuando llegaron al hospital temí por la salud de mi madre porque hacía poco tiempo había fallecido su padre. Por el contrario, ella pensaba en mí, en Donny y en todo el dolor que estábamos padeciendo. Nunca me había sentido tan cerca de mi madre (le agradezco a Dios por haberme dado a mamá y a papá).

Nuestras familias tuvieron la oportunidad de estar con Ty antes de que el médico forense lo recogiera. Debían realizarle una autopsia. Ty era un bebé absolutamente sano, excepto por un leve resfrío por el cual dos días antes lo habíamos llevado al pediatra. Firmamos un consentimiento para que Tyler fuera donante de tejido blando, y aún desconocíamos la causa de su fallecimiento.

Luego supe que la policía estaba realizando una investigación. Recuerdo vagamente haberlos visto en la sala en que estábamos los familiares. Interrogaron a Ruth Ann, quien también quería conocer la causa de fallecimiento de Tyler. Además ella sabía que no tenía nada que ocultar. Interrogaron a mi esposo acerca de Ruth y de sus servicios como niñera, lo que hizo sentir incómodo a Donny, quien estaba seguro acerca de su eficiencia. En lo que a nosotros respecta, Ruth y su familia son como integrantes de nuestra familia (le agradezco a Dios el hecho de que no me hayan interrogado a mí).

Una enfermera nos habló someramente acerca del Síndrome de Muerte Súbita del Lactante y nos entregó el número telefónico de un grupo de apoyo. Recuerdo haberle dicho a alguien -"espero que la autopsia revele algún problema en Tyler, así no tendré que vivir con la idea de que mi hijo falleció sin causa alguna. Por favor, Dios, que no sea el SMSL, que no sea algo que yo no pueda comprender".

Llegamos a casa de mis padres, donde fuimos rodeados de familiares y amigos (le agradezco a Dios por toda la gente que nos apoyó).

La autopsia no reveló un resultado concluyente, tan sólo decía que la determinación de la causa de fallecimiento requeriría análisis posteriores. Recuerdo haber pensado que nunca lo sabríamos.

Organizamos una cadena de oración, el velatorio y el servicio del entierro. El servicio fue muy bello y asistieron muchas personas. Nos quedamos en casa de mis padres durante una semana y sólo salíamos de allí para buscar lo que necesitábamos y luego regresábamos. Las vacaciones se aproximaban, pero ninguno de nosotros deseaba hacer nada especial. Nuestras hijas nos observaban en busca de un ejemplo, el cual no podíamos ofrecerles. Yo temía que nuestra familia se destruyera.

Conversamos mucho con ellas acerca de Tyler, de su fallecimiento y de la forma en que nos sentíamos. Las incentivamos para que se expresaran sin presionarlas. Kelsay vivió su dolor en silencio y deseaba ocultarnos su sufrimiento. Es mucho más madura que otros niños de su edad. Tory se levantaba de su cama cada noche después del fallecimiento de "Ty-Ty" para acurrucarse en nuestra cama. Se sentía carente de afecto. Kelsay asistía a una escuela católica y se tranquilizó con la idea de que su hermanito estaba en el cielo con Dios (le agradezco a Dios por su fe, la cual necesito tomar como ejemplo).

Donny y yo estamos comenzando a adaptarnos y a aceptar la realidad, ya que durante el último tiempo funcionamos casi en forma mecánica. Podemos distraernos con determinadas personas o en ciertas situaciones, pero eso no impide que Tyler esté siempre en nuestra mente, ¡lo extrañamos! Nos apoyamos mutuamente sin saber lo que nos deparará el día de mañana, y rezamos para que Dios sepa lo que está haciendo. Las vacaciones terminaron y todo se está tranquilizando, ¿será la calma que precede a una tormenta? Rezo para que Dios me de fuerzas; rezo a Tyler para que me guíe y nos cuide.

Comenzamos a coleccionar ángeles porque sabemos que hay un ángel especial en nuestras vidas. Comenzamos a participar en un grupo de apoyo a padres de víctimas del SMSL y a leer información en la página web de SIDS Network. Don y yo pasamos largas horas leyendo, "Cómo aceptar la muerte súbita e inesperada de un niño", libro que nos brinda una fuerza especial, justo lo que necesitamos. Nos inscribimos para participar en un centro de apoyo a niños en duelo llamado "The Warm Place" (le agradezco a Dios por todas aquellas personas que nos ayudaron con sus palabras de amor y con sus oraciones).

Sólo ha pasado un mes y tres días desde que mi bebé dejó este mundo, y sabemos que nunca nos abandonará.

Para todas aquellas personas que perdieron un hijo

~Margaret Lee Dove-Hedges

El día 4 de marzo del año 1991 perdí a mi hijo Michael a causa del Síndrome de Muerte Súbita del Lactante. Tenía dos meses y un día de edad. En un primer momento, cuando nos dirigíamos al hospital, pensé que todo saldría bien, pero me equivoqué. Casi a las cinco de la tarde los médicos me informaron que habían hecho todo lo posible por salvarlo. Sentí en ese momento que mi mundo se detenía y que ya nada tenía sentido. Debía despedirme de mi hijo y decirle cuánto lo amaba.

Hace dos años que mi hijo ha fallecido, y aún lo extraño más que el día en que se marchó. Mi esposo afirma que todos tenemos un objetivo en la tierra, y una vez que cumplimos dicho objetivo dejamos este mundo. No puedo comprender por qué mi hijo debió morir tan pronto, pero sé que en este momento está a salvo y es feliz.

Michael, todos te amamos y te extrañamos mucho.

SMSL

~Désirée Spencer Stamps

Sobresalto
Desconcierto
Muerte
Negación
Extremo
Aturdimiento

Monstruosidad
Innecesaria
Error
Enojo
Negligencia
Temor

Sentencia
Vacío
Aceptación
Conmoción
Esperanza

Lamento
Anhelo
Pesadilla
Deseo
Recuerdo
Atrocidad
Miseria
Sufrimiento

~

Capítulo 5

El Padre: Un duelo socialmente ignorado

La pregunta más usual formulada a un padre en proceso de duelo suele ser -*"¿cómo está su esposa?"*. Esta pregunta asume implícitamente que el dolor del padre ante la pérdida de un hijo es menor al dolor de la madre. Por supuesto, los padres también sufren por el dolor y el bienestar de sus esposas. Sin embargo, si se le pregunta a un padre simplemente por su esposa, se está insinuando que sus sentimientos hacia el bebé no son tan profundos como los de ella.

Desde el momento en que un padre toma conocimiento de la muerte de su hijo (con frecuencia a través de un tercero) se posan grandes expectativas sobre él. Con frecuencia la noticia es transmitida delicadamente a la madre, mientras que el padre se entera en forma "directa", ya que se espera que *"actúe como un hombre"*. También se da por sentado que es él quien debe ocuparse de las necesidades de los hermanos del bebé, del pago de las cuentas y de la organización del funeral.

La experiencia de la familia Horchler fue representativa: mientras Joani, en cama, recibía la visita y el apoyo de amigos y familiares, su esposo Gabe y un amigo transportaban el pequeño ataúd desde la casa funeraria hasta la iglesia y preparaban la camioneta familiar para llevar el cuerpo del bebé a Filadelfia para su entierro. ¿Acaso Gabe estaba menos destrozado que Joani?, ¿acaso por el hecho de ser hombre no había amado a su bebé? Gabe, por naturaleza "reparador", no podía sentirse inútil y fuera de control. Ante él estaba la situación que más hubiese deseado reparar y que más había angustiado a toda su familia.

No es que una madre desee sobrecargar de tareas a su esposo o que le adjudique una fortaleza que él no posee. Sin embargo, es poco probable que una madre, durante un momento de tanto dolor, comprenda la presión que la sociedad ejerce sobre su esposo. La madre del bebé se encuentra desorientada y a menos que las circunstancias lo demanden -por ejemplo, si ella está a cargo del niño- poco se le exigirá en un momento así.

Es frecuente –e incluso normal- que un padre se sienta molesto acerca de esta situación. Para el padre del bebé fallecido, resulta absurdo que los demás piensen que él "puede repararlo todo", como si su habilidad para arreglar el automóvil, el fregadero de la cocina o el baño le permitieran automáticamente reparar el dolor que acompaña a la muerte. Sin embargo, algunos padres asumen estas obligaciones en forma voluntaria, desesperados por encontrar alguna ocupación. Por ejemplo, para un ejecutivo, ocuparse de estos temas puede constituir una catarsis. Lo importante es que la persona sienta libertad para decidir.

¿Es idéntico el duelo de un padre al duelo de una madre?

Afirmar que un padre merece tanto apoyo como una madre luego de haber perdido a su bebé no implica que sus respectivos duelos sean idénticos. Muchos psicólogos afirman que el duelo de un padre es diferente al duelo de una madre ante el fallecimiento de un hijo. En general, los hombres suelen sentir y expresar enojo, mientras que las mujeres sienten culpa. Los hombres prefieren mantenerse ocupados inmediatamente después de la muerte, mientras que las mujeres dedican mayor tiempo a su período de duelo. Es frecuente que los hombres expresen su dolor en forma privada y que incluso repriman su llanto y sus emociones, mientras que para las mujeres en general es más sencillo conversar acerca del bebé y llorar. Los padres suelen sufrir más que las madres durante el aniversario de fallecimiento del bebé, mientras que la mayoría de las madres sufren más el día que el bebé debería cumplir años.

Durante el año 1980, F. Mandell, E. McAnulty y R.M. Reece publicaron en la edición de *"Pediatrics"* un estudio en el que investigaron a veintiocho padres provenientes de cuarenta y seis familias víctimas del Síndrome de Muerte Súbita del Lactante. Encontraron patrones comunes a los hombres (1). Podemos mencionar entre dichos comportamientos la negación de la muerte del niño; la tendencia a evitar el proceso de duelo; la necesidad de organizar todo lo relativo al fallecimiento; la racionalización del dolor y la culpa; una tendencia a involucrarse en actividades fuera del hogar; la preocupación acerca de un futuro hijo y la negativa a recibir ayuda profesional. La mayoría de los padres evitan las conversaciones acerca de la muerte y de sus sentimientos. Aquellos padres que no se habían involucrado en el cuidado del bebé expresaron una disminución en su auto estima y remordimientos.

Por el contrario, las madres participantes del estudio lloraban con frecuencia, manifestaban comportamientos incoherentes, estaban consumidas por el dolor e inconscientes del mundo exterior. Necesitaban expresar sus sentimientos en forma oral; mostraban una tendencia al aislamiento y temor acerca de futuros embarazos. En general, los padres se mostraron más agresivos y enojados que las madres; quienes por el contrario se mostraron más depresivas e introvertidas.

Uno de los mayores conflictos entre un hombre y una mujer que perdieron un bebé es el anteriormente analizado. Algunas personas asumen que su pareja debería sentir dolor de "un modo determinado", deduciendo que la otra persona no amaba lo suficiente al bebé. Se debe reconocer que el hombre y la mujer realizan un duelo diferente, y se debe otorgar libertad al otro para que exprese su dolor a su manera, ya que dicha comprensión redunda en beneficio del matrimonio.

Volver al trabajo

El regreso al trabajo es otro de los temas en que padre y madre son considerados en forma desigual. Con frecuencia es el padre quien percibe un mayor ingreso en la familia. Por lo tanto, es normal que el padre regrese a su empleo antes de estar listo para abandonar el refugio del hogar. Quizás deba sonreír con clientes y colegas como si nada importante hubiese sucedido. Deberá encontrar la forma de afrontar cuestiones de presupuesto así como las diferencias entre sus subordinados. Si trabaja en ventas o en forma independiente, deberá tomar impulso para comenzar. La presión del período de duelo combinada con la presión laboral pueden resultar abrumadoras.

En el caso de otros padres, el trabajo constituye una catarsis; un lugar para sumergirse, un refugio alejado del dolor y el sufrimiento. Muchos padres prefieren un empleo con gran carga de estrés, ya que les permite evadir otra presión aún más incómoda: la del duelo. En ambos casos, ya sea que la demanda de trabajo se adelante demasiado o se postergue, muchos padres afirman que el asesoramiento profesional y los grupos de apoyo constituyen una ayuda invalorable. Aun cuando el padre deba ocultar sus lágrimas o sus sentimientos durante las horas de trabajo, éste constituye un escape saludable para sus emociones.

Como cualquier persona normal, el jefe de un padre en duelo sabe que la persona está sufriendo y que lo expresará a su modo. Si el jefe es adicto al trabajo, pensará que lo que más necesita el padre es trabajar. Quizás deduzca que lo que necesita sean algunos días o semanas. Desafortunadamente, el duelo de cada persona posee sus propios tiempos, y algunos padres pueden aumentar su productividad en cuestión de días o trabajar a un ritmo menor durante un año. Lo mejor que puede hacer un empleador por su empleado es comprender su dolor. Quizás la mejor opción sea entregarle una copia del presente libro para que así pueda aprender algo acerca del duelo.

Peligros de evitar o demorar el duelo

Desafortunadamente, muchos padres buscan evitar la angustia y las emociones que provoca el duelo. Sin embargo, varios años después, esas emociones continúan ocultas debajo de la superficie. Podemos mencionar el caso de un padre que postergó su duelo durante más de doce años y se dedicó por completo a su carrera profesional:

"Trabajaba mucho y hasta obtuve ascensos. Sin embargo, no era feliz y mi matrimonio se quebró tres años después del fallecimiento de nuestra hija". Cuando finalmente logró expresar sus emociones, debió ser internado durante dos semanas por depresión e intentos de suicidio. Actualmente afirma -*"Fue lo mejor que me pudo ocurrir porque luego de esa internación encontré un buen terapeuta y comencé a participar en un grupo de apoyo llamado "Amigos Solidarios" (Compassionate Friends). Me llevó más de un año poder expresar mis sentimientos, especialmente la culpa. Pero cuando logré hacerlo, sentí que comenzaba a sanar. Luego de tres años me siento tan bien que he comenzado a coordinar grupos de apoyo y he aprendido que nunca es tarde para iniciar el período de duelo".*

La culpa y el enojo de un padre

A pesar de que el progreso de la modernidad ha creado una sociedad más igualitaria, siempre se espera que la madre pase más tiempo que el padre con los hijos. Aun cuando ambos poseen una carrera profesional, se espera que sea la madre quien decide cuál será la guardería, quien compra la vestimenta de los hijos y quien se queda despierta con el bebé recién nacido o un hijo enfermo. Si bien en la actualidad tanto el padre como la madre pueden tomar una licencia para cuidar al bebé, algunas investigaciones han determinado que es poco frecuente que sea el padre quien cuida al niño, tanto por razones profesionales como por motivos económicos.

Las implicancias sociales de la situación mencionada no se analizarán en el presente libro. Lo que sí analizaremos son los sentimientos que experimenta un padre. Haber pasado poco tiempo con el bebé puede ocasionar un gran arrepentimiento. Gabe se arrepiente de no haber pasado más tiempo con Christian durante sus pocas semanas de vida -*"Pensaba que tendría toda mi vida para estar con él"*. Se arrepiente de haber utilizado esas semanas para construir un nuevo toldo para el patio.

A veces la culpa trae consigo el enojo, incluso en la madre, quien quizás pasó un tiempo invalorable con el bebé.

Muchas veces el enojo de un padre se relaciona con la pérdida de sus esperanzas y sueños acerca del futuro de su hijo. La noche que Christian falleció, Gabe dijo -*"Ya había planificado la escuela de Christian y las tareas en las que me ayudaría en la casa".* No podía dirigir su enojo hacia nadie, situación que hizo que se sintiera vulnerable y frustrado. Al mismo tiempo, Joani se sentía enojada y frustrada por el hecho de que Gabe hubiera perdido a su único hijo varón, con quien se había identificado tanto. Las emociones que compartían los acercaron; pero en algunas parejas el enojo puede ser causa de separación. Cuando dichas emociones salen a la superficie, es imprescindible expresarlas en presencia de otras personas que las puedan comprender.

El llanto

El llanto es algo importante, pero no se lo puede forzar. En el caso de muchos hombres, lograr llorar requiere tiempo y sólo se produce en privado. Lo anterior no significa que el padre llore siempre en soledad, porque necesita el resguardo de aquéllos que lo aman y lo aceptan –ya sea su familia, amigos cercanos, esposa u otros hijos.

Muchos padres temen llorar en presencia de sus hijos, en especial de sus hijos varones. Temen que su ejemplo no sea el de un hombre, aunque muchos psicólogos creen que es importante y positivo que un padre llore en presencia de sus hijos. El hermano de un bebé fallecido a causa del SMSL comentó muchos años después que había sido importante para él observar a su padre llorar en forma frecuente. Dicha situación le hizo meditar acerca del modo en que su padre amaba al bebé así como a cada integrante de la familia.

Grupos de Apoyo

Como se señaló anteriormente, es menos frecuente que los padres asistan a grupos de apoyo, porque nuestra sociedad los estimula a ocultar sus sentimientos. También es poco frecuente que busquen el asesoramiento de profesionales. Sin embargo, aquéllos que sí buscan ayuda obtienen enormes beneficios al expresar libremente sus sentimientos con otras personas que viven una situación similar. Aquellas personas que no deseen unirse a un grupo de apoyo, pueden optar por grupos como el "Centro de Ayuda a Quienes Perdieron un Hijo de Maryland" (*Maryland Center for Infant and Child Loss*) u organizaciones locales como *"First Candle"*, las que ofrecen contacto individual con un familiar que ya ha progresado algunas etapas en su período de duelo. Finalmente, también pueden consultarse algunos libros, entre ellos "El dolor de un hombre: Guía para aquellas personas que intentan superar el fallecimiento de un ser amado" (*Men and Grief: A Guide for Men Surviving the Death of a Loved One)* (2) de Carol Staudacher. También puede leerse material escrito por padres, como "Cuando el adiós es para siempre: Cómo aprender a vivir nuevamente después del fallecimiento de un hijo" (*When Good-Bye is Forever: Learning to Live Again After the Loss of a Child)* de John Branblett, y "Jonathan, te has ido muy pronto" (*Jonathan, You Left Too Soon*) de David Biebel (el cual trata en forma exclusiva el tema de la culpa de los padres).

La cruz de los padres

~Bob Shaw

Los padres que sufrieron el Síndrome de Muerte Súbita del Lactante, y que han sido golpeados por la peor tragedia de sus vidas, con frecuencia escuchan explicaciones de consejeros bien intencionados que afirman que cada persona realiza un duelo diferente. Algunos hombres lloran, otros parecen inmutables. Algunos dialogan mientras que otros "lo manejan en soledad" sin siquiera decir una palabra a otra persona. Se trata de una experiencia muy personal y no existe una forma correcta o incorrecta de vivir el periodo de duelo.

Creo que sí existe una forma equivocada de vivir el duelo y que trae consecuencias que los padres sufren con frecuencia. Los padres soportan una carga particularmente desconcertante cuando pierden un hijo a causa del Síndrome de Muerte Súbita del Lactante. Generalmente, no saben como expresar su dolor. A veces se sumergen en la soledad y en el enojo, sentimientos que pueden convertir a un hombre equilibrado y trabajador en un incapacitado emocional. Realizar un duelo en forma incorrecta puede ocasionar una desdicha constante y dolorosa durante toda la vida.

La anterior es una lección que he aprendido cuando falleció mi hijo Benjamin, el día 29 de abril del año 1991. Era nuestro primer bebé, y mi esposa y yo solíamos decir que este bebé sano y hermoso había sido un regalo de Dios.

No tiene sentido que le explique a un padre cuyo bebé falleció a causa del SMSL lo que se siente durante los primeros meses. Todos vivimos un horror similar al de estar en una montaña rusa que acaba de descarrilar. Se siente ira, vacío, enojo hacia Dios, se pierde el deseo de vivir y se siente que se ha perdido el futuro.

Como a la mayoría de los hombres, me habían enseñado que en momentos de crisis el hombre debe buscar con fortaleza una solución a los problemas. También me habían enseñado que son las mujeres quienes lloran, hablan acerca de sus sentimientos y muestran su dolor. De acuerdo con estas consignas y según mi propia personalidad, mi instinto me impulsaba a aislarme y a no dialogar acerca de mi dolor.

Al mismo tiempo, podía observar a mi esposa conversar con amigos y familiares de un modo profundo, y comprendí que mi estrategia de hombre fuerte y silencioso no estaba funcionando. No tenía con quien enojarme, no existía una solución y nada podía hacer por mí ni por otras personas.

Lo que la sociedad espera del hombre y de la mujer se veía reforzado cada vez que me preguntaban -*"¿cómo está tu esposa?"*. ¿Porqué nadie preguntaba cómo estaba yo o se compadecían de mi dolor? En general todos se preocupaban por mi esposa en parte porque se supone que es la madre quien pasa la mayor parte del tiempo con el bebé, y porque el padre no suele expresar sus emociones.

Afortunadamente, encontramos un excelente grupo de apoyo local y un buen consejero. Me estimularon para que me expresara acerca de nuestra tragedia, para que escribiera en un diario y para que enfrentara la realidad sin importar el dolor que me provocara. Al tomar una actitud activa, pudimos retornar a nuestras actividades normales y volver a ser felices, al igual que otras personas que habían vivido la misma situación.

Sin embargo, durante los años que he asistido o coordinado grupos de apoyo, he escuchado el testimonio de muchos hombres que no tuvieron la misma suerte. Muchas madres llegan solas a las reuniones de apoyo, y nadie les pregunta por la ausencia de sus esposos. Muchas de ellas relatan -*"Él no cree en estas reuniones. Nunca dice una palabra acerca de lo ocurrido. Sólo permanece sentado y yo creo que me culpa por lo sucedido, aunque no estoy segura de ello"*.

He escuchado el caso de algunos padres que nunca conversaron con su esposa acerca del fallecimiento de su bebé. Ocurre que algunos hombres no pueden comunicarse en una situación trágica. Algunas relaciones se fortalecen, pero otras se disuelven.

A veces, los hombres necesitan una excusa para expresar sus sentimientos y emociones con otras personas, ya sea la esposa, el grupo de apoyo o un consejero. Nadie se quiebra una pierna y la venda hasta que aparezca un médico. Del mismo modo, el sufrimiento ocasionado por una muerte a causa del SMSL necesita sanar como cualquier herida.

Algunas personas poseen una actitud más religiosa que los induce a preguntarse -¿cuáles son los deseos de Dios?, ¿desea que me convierta en un incapacitado emocional, que destruya mi matrimonio, que acabe con mi familia y mis deseos de tener hijos en el futuro?, ¿desea que sume otra tragedia a la anterior?

Algunos padres se enfocan en las necesidades de su familia, ya que solucionar su dolor es la mejor forma de acercarse a los hijos que quedan y que aún necesitan un padre.

El tipo de duelo que realiza cada padre no es lo importante. Lo importante es que pueda expresarse de una forma positiva para él y sus seres queridos.

¡Ánimo! El camino es largo.

~ Nota del Editor: Bob Shaw es presidente de "SIDS Alliance" de Iowa.

La persona ausente

Entrevista con Pete Petit de Healthdyne Technologies

~Joani Nelson Horchler

Pete Petit ha disfrutado observando crecer a sus hijos . Recuerda los juegos de fútbol; los torneos de gimnasia y las graduaciones. Pero siempre y en cada una de estas celebraciones medita acerca de la persona ausente. *"En esos momentos siento tristeza"*, comenta Pete, quien es el fundador, director ejecutivo y presidente de la comisión directiva de Helthdyne Technologies.

Sucedió hace veinticuatro años, pero Pete recuerda claramente el día en que falleció su hijo de seis meses de edad, Brett Petit. Fue un domingo de junio del año 1970 a las siete de la tarde. *"Había estado cortando el césped y estaba bebiendo un vaso de agua en el pórtico de mi casa cuando escuché el grito de mi esposa"*. Pete recuerda haber subido corriendo las escaleras hacia la habitación de su hijo, tomarlo en sus brazos y comenzar a realizarle reanimación cardio pulmonar. Brett no respiraba y lo llevaron al hospital en forma urgente, donde continuaron los intentos de reanimación. Sin embargo, no sobrevivió.

Como muchos padres que vivieron la muerte de un hijo a causa del Síndrome de Muerte Súbita del Lactante, desconocía que un niño aparentemente sano podía morir sin causa alguna. *"Resultó muy frustrante saber lo que había sucedido. Soy una persona informada y nunca me habían mencionado al SMSL".*

Una semana después de haber fallecido su bebé, Pete imaginó la fabricación de un monitor fisiológico portátil que pudiera ser utilizado para los bebés. Comentó su idea al Dr. Scott James, pediatra de Brett, para saber si un producto semejante tendría utilidad en los hogares. Afortunadamente, el Dr. James sabía que dicho monitor sólo podría ser utilizado si el niño había sufrido episodios de apnea. Le explicó que en el área de neonatología del hospital se utilizan dispositivos más avanzados y que según su opinión personal el SMSL es el resultado de apneas que se producen en el hogar.

"Afortunadamente, el Dr. James era muy innovador y me brindó mucho apoyo y aliento en mi proyecto". El Dr. James trabajó en forma conjunta con Pete en el desarrollo del primer monitor domiciliario de apneas, al que llamaron *"Infant Monitor"* (Monitor para Lactantes). El Sr. Petit dejó su empleo como gerente de desarrollo de productos en Lockheed y fundó Healthdyne, actualmente el mayor fabricante de monitores domiciliarios. Emplea a más de dos mil quinientas personas en varias áreas tecnológicas relacionadas con el cuidado de la salud en el hogar.

Muchos consejeros afirman que es frecuente que los padres regresen a sus actividades laborales antes de haber iniciado su duelo. Sin embargo, en el caso de Pete, el trabajo constituyó una terapia. *"Me sentía muy confundido acerca de la muerte de Brett, y deseaba trabajar para que esto no volviera a sucederle a otros bebés y a otras familias. Me dediqué por completo al diseño del monitor, y considero que esta actividad me ha ayudado a curar mis heridas".* Pete afirma que no siente culpa por la muerte de Brett. *"Recuerdo haber sentido enojo, pero no me permití ese sentimiento durante mucho tiempo. El enojo no es una emoción productiva para el ser humano. Debemos tener fe, perdonar y canalizar el enojo en forma positiva. En mi caso, diseñar el monitor domiciliario me hizo sentir que estaba ayudando a otras personas, y resultó positivo".*

Pete afirma -*"Todos debemos cumplir un rol en situaciones difíciles. Cada padre debe encontrar su rol particular. Puede encontrarlo colaborando en un grupo de apoyo, reuniendo fondos para la investigación del SMSL o colaborando en la educación de la población acerca del SMSL".*

¿Qué hubiera sucedido si Brett no fallecía?, ¿hubiese Pete inventado el monitor domiciliario?, ¿qué sería de las dos mil quinientas personas que trabajan en *Healthdyne Technologies?*, ¿tendrían otro empleo?, ¿cuánto tiempo hubiese pasado hasta que alguien inventara el monitor domiciliario?, ¿qué hubiese sucedido con todos aquellos padres que utilizan el monitor?

Pete posee una respuesta a las anteriores preguntas -*"Creo que existe una explicación a todo lo que nos sucede y que cada persona debe dedicarse a lo que considere importante"*. Pete cree que su objetivo era crear una empresa internacional dedicada al cuidado de la salud en el hogar, como resultado de su propia tragedia personal.

"Sé que el Señor nos hubiese ayudado a lograr nuestros objetivos aun si nuestro hijo no hubiera fallecido. Pero el hecho de haber perdido a nuestro bebé ha ayudado a muchas personas. De alguna manera, siento que mi pérdida tuvo sentido".

Pete comenta que su empresa recibe muchas cartas, poemas y artículos de personas que creen que su bebé sobrevivió gracias al monitor domiciliario, el cual les avisó cuando su hijo estaba en peligro. *"Calculo que miles de bebés se han salvado gracias a nuestro monitor así como a los fabricados por otras empresas".*
"Ha pasado mucho tiempo, pero aún siento emociones muy fuertes acerca de la muerte de mi bebé". En parte cree que quizás su bebé se hubiera salvado de estar conectado a un monitor domiciliario. *"Creo que tienen muchas ventajas de salvarse aquellos bebés conectados al monitor".*

Pete conectó al monitor a su propia hija nacida tres años después del fallecimiento de Brett. Era uno de los primeros monitores que habían diseñado -*"Afortunadamente, no tuvimos alarmas de gravedad, y actualmente mi hija es una joven sana y hermosa".*
Pete colaboró durante varios años como presidente de *"First Candle"*, organización cuyo objetivo es la erradicación del SMSL a través de la investigación médica y de la creación de conciencia en la población.

Ochenta y nueve días de sol

En conmemoración de Rachel Lorraine Andell: 13/07/94 - 10/10/94
~Jonathon L. Andell

Fuiste mía durante ochenta y nueve días fugaces.
Tu madre te tuvo durante once meses.
Lloró de felicidad el día que supo que estabas en camino.
Lamento no haber disfrutado más de ese momento.

Cuando estabas en su vientre
yo pensaba que no estaba preparado.
Luego me dejaste
Ni siquiera puedo describir el dolor de tu pérdida,
El vacío en mi corazón,

Mis anhelos y sueños destrozados.
He perdido empleos en el pasado.
Suma todos mis sufrimientos y multiplícalos por mil.
El resultado ni siquiera se acerca al dolor de haberte perdido.

Te amaba y te cuidaba muy bien.
Fue algo que aprendí en forma natural
De lo que me sorprendí y alegré.

No te imaginas cómo lo disfrutaba
Y cómo me gustaría poder hacerlo otra vez.

Durante ochenta y nueve días maravillosos,
tuve el mejor empleo del mundo.
Porque a pesar de las ansiedades y de los problemas,
Eras pura luz de sol, que iluminaba mi corazón.

Nunca comprenderé por qué me dejaste.
Y nunca dejaré de sufrir por haberte perdido.

Pero deseo y rezo para que algún día puedas comprender también:

Que nunca olvidaré.
La luz de sol que tú eras,
brillante,
bella,
y llena de felicidad.

Un sueño sorprendente

~Chuck Dohrman

"Estaba en un viaje de negocios en Nueva Jersey cuando recibí una llamada telefónica que cambiaría mi vida para siempre. Era el día 5 de febrero del año 1991 cuando me informaron que mi hijo Zachary, de dos meses y medio de edad, había sido llevado a un hospital cercano a nuestro hogar en Marlboro Norte, Maryland. No me informaron que ya había fallecido, sólo que debía dirigirme de inmediato al hospital. Cuando medito acerca de ello, creo que fue lo único que podían decirme para que viajara hacia allí. No sé cómo hubiera actuado si me informaban en ese momento que mi hijo ya había fallecido. Seguramente no hubiese viajado a casa. Volví con la esperanza de que pudieran salvar a Zach, y recuerdo haber implorado a Dios durante todo el viaje.

Luego de dos años creo que los acontecimientos se sucedieron de la mejor forma posible -desde el momento en que llamaron a la ambulancia hasta cuando recibimos dos días después del fallecimiento de nuestro hijo un llamado del "Programa de Asesoramiento e Información Acerca del SMSL de Maryland" (*Maryland SIDS Information and Counseling Program*) para informarnos que nuestro bebé había fallecido a causa del Síndrome de Muerte Súbita del Lactante".

Sin embargo, nada pudo evitar la sensación de devastación que sentimos mi esposa Terre, nuestras familias y yo. El nacimiento de nuestro hijo Zach había sido lo mejor que nos había sucedido en la vida. Terre provenía de una familia con tres hijas, y sus dos hermanas tenían tres hijas. Por lo tanto, cuando Zach nació todos lo colocamos en un pedestal. Para nosotros, Zach continúa siendo especial, simplemente porque estuvo en nuestras vidas. Continúa siendo nuestro primer hijo varón y siempre lo será. Su fallecimiento nunca cambiará ese hecho.

Nuestro segundo hijo varón, Luke Jackson Dohrman, nació trece meses después del fallecimiento de Zach. Su nacimiento nos devolvió la alegría de ser padres y aunque es diferente a Zach, Luke es tan especial como él. Luke es el hermanito de Zach y Zach es su hermano mayor. Sin embargo, una parte de nosotros siempre estará dedicada a Zach.

El tiempo que hubiera pasado con mi hijo lo dedico a su memoria colaborando para la lucha contra el SMSL. Nos ayuda el hecho de que Luke comprende lo que hacemos; sabe que es un niño especial y que sus padres lo aman, quizás aun más de lo que lo amaríamos si nunca hubiésemos perdido un hijo. También sé que quizás no hubiésemos tenido a Luke de no ser por Zach, porque posiblemente no hubiésemos buscado un hijo tan pronto.

Nunca sentí culpa acerca del fallecimiento de Zach. Creo que hicimos todo lo que podíamos por él y que nada lo hubiera salvado. Tampoco culpé a nadie por su muerte, ni a Terre, ni a la niñera que lo cuidaba. Sin embargo, sí sentía enojo hacia Dios en un primer momento y lo expresaba con frecuencia, en especial en presencia de aquéllos que amo. Luego comprendí que como soy una persona cuya personalidad está orientada a la acción, necesitaba canalizar mi enojo en alguna actividad. Podía elegir enfocarme en acciones positivas o en acciones negativas, y opté por las primeras.

Mi forma de sobrevivir al fallecimiento de Zach fue recaudando fondos para el "Programa de Asesoramiento e Información

Acerca del SMSL de Maryland" (*Maryland SIDS Information and Counseling Program*). Quería contarle a todo el mundo que mi hijo había fallecido a causa del SMSL y ayudar a encontrar las causas. Deseaba coordinar mis negocios con la posibilidad de ayudar a otros padres golpeados por la tragedia del SMSL. Con la ayuda de "*Bell Atlantic Mobile*" como auspiciante, inicié un torneo anual de golf y una cena en *Turf Valley* que recaudó cinco mil cien dólares el primer año; veintidós mil dólares el segundo año y treinta mil dólares el tercer año. Muchas personas me advirtieron que el exceso de trabajo no debía reprimir mi duelo. Sin embargo, creo que me ayudó a superar el fallecimiento de Zach. Nunca me cerré al dolor, me golpeó cada día y me impulsó a continuar con mi trabajo voluntario.

Asistí con mi esposa todos los meses a reuniones de grupos de apoyo a víctimas del SMSL del "Programa de Asesoramiento e Información Acerca del SMSL" *(SIDS Information and Counseling Program)*. Intenté ayudar a otros padres víctimas del SMSL a sentirse más cómodos porque sé que para la mayoría de los hombres es difícil asistir a las reuniones. Es más fácil sumergirse en el trabajo que sentarse a escuchar a otros y compadecerlos.

Durante el año y medio posterior al fallecimiento de Zach, me resultó muy difícil asistir a la iglesia, aun durante celebraciones. Lo anterior se explica por mi enojo hacia Dios, aunque actualmente no creo que los designios de Dios sean algo personal. Cuando llegó el momento de bautizar a Luke, conversamos con el sacerdote acerca del nacimiento, el bautismo, la vida y la muerte. Nos dijo algo que me conmovió -*"La muerte se llevó a Zackary, y Dios estuvo allí para recibirlo".* Actualmente creo en estas palabras.

Creo que Terre y yo hemos avanzado en nuestro periodo de duelo. Podemos observar las fotografías de Zach y sentir alegría cuando vemos un brillo en su mirada, en lugar de sentir dolor porque no está con nosotros.

Zach produjo muchos cambios positivos en nuestra familia. Sólo un año después de su fallecimiento pude reconocer cuánto sufrimiento existe en el mundo. Creo que este reconocimiento me ha transformado en una persona más sensible y generosa con los demás. Mi fe se ha fortalecido y actualmente comprendo cuáles son las cosas realmente importantes.

El sufrimiento más intenso en la vida de una persona es la pérdida de un hijo. Sin embargo, el fallecimiento de Zach me preparó para apoyar a mi familia cuando mi padre falleció once meses después. Creo que la muerte de mi hijo ayudó a mi padre a aceptar su inminente fallecimiento, ya que sintió que se reencontraría con su nieto en el más allá. Tengo treinta y cinco años y tampoco temo a la muerte, ya que creo en Dios y sé que existe otra vida en la cual me reencontraré con Zach.

Tuve un sueño sorprendente varios meses después del fallecimiento de mi padre. Estaba en casa de mis abuelos y todas las personas importantes de mi vida estaban allí. Aunque mi abuelo está muerto, estaba presente en mi sueño. Era un momento de felicidad. Yo caminaba por la ciudad cuando me encontré con mi padre, fuerte y curtido. Le pregunté qué hacía allí y me respondió que construía rascacielos. Siempre había disfrutado construir cosas. Me dijo -*"Debes venir a cenar y te presentaré al alcalde".* Cuando todos fuimos a cenar, mi padre anunció con orgullo... *"Aquí está el alcalde".* El alcalde era Zach.

Mi sueño de una familia perfecta

~Robert Lopez

Esta es la historia de una familia perfecta. En ella están mi esposa, mi hijo, mi hija y yo. Cuando pienso en aquel día del año 1989, recuerdo que mi esposa atravesó dieciocho horas de trabajo de parto para dar a luz a nuestro hijo Daniel. La obstetra estaba tan agotada que cuando mi hijo nació ella exclamó que era una niña, para corregirse segundos después afirmando que era un varón. Estábamos felices porque todo había terminado. Luego vinieron seis meses de cólicos, una experiencia que nunca olvidaremos.

En junio del año 1992, nuevamente esperábamos un bebé para fin de mes. Mi esposa me pidió que sintiera las patadas de nuestro bebé, y ambos pensamos que sería un varón. Sin embargo, su sexo no nos importaba demasiado mientras este bebé no sufriera cólicos como Daniel. Cuando llegó el día 27 de junio, nos sorprendimos al enterarnos de que era una niña. Nació sin complicaciones.

La llamamos Angelique. Recuerdo aquel día: el cielo era de un color azul profundo y el sol brillaba. Cuando regresé ese día a casa me sentía como atontado y no podía creer que teníamos una niña.

Durante las siguientes dos semanas me quedé en casa ayudando a mi esposa con la bebé. Realmente disfruté a esta bebé, en especial porque no sufría cólicos. En poco tiempo debí regresar a mi trabajo, y me angustió no poder estar más tiempo con ella. Sin embargo, esperaba la hora de regresar a casa para ser recibido por mi esposa, mi hijo y mi nueva bebé. Ni bien llegaba, tomaba a mi bebé en brazos y la besaba. Me recostaba en el sofá y la colocaba sobre mi pecho cerca de mi corazón. Además de haber elegido su nombre, elegí también su apodo, "nuestra mamanina".

Pasó el verano y nuestra hija crecía saludablemente. Cuando mi esposa debió regresar a su trabajo, llegamos a un acuerdo. Ella dejaría a Daniel y Angelique en casa de la niñera por la mañana y yo los recogería por la tarde. El primer día que mi esposa regresó a su trabajo, todo anduvo sobre ruedas. Al día siguiente, 10 de septiembre, todo había sido normal hasta que llegué a la casa de la niñera por la tarde. Cuando me aproximaba pude observar un camión de bomberos y automóviles de policía estacionados en el frente. Salí muy nervioso del automóvil y comencé a caminar hacia la casa cuando fui interceptado por tres bomberos y dos agentes de policía. Uno de ellos me preguntó si yo era el Sr. Lopez. Se los podía observar asustados y preocupados. Les respondí afirmativamente y pregunté por qué. Me dijeron que tenían malas noticias acerca de mi hija Angelique. Me explicaron que entre las tres y media y las cuatro de la tarde la niñera intentó despertarla para alimentarla y la bebé no respiraba. De inmediato le realizó reanimación cardio pulmonar sin éxito; luego llamó al servicio 911 y llegaron los médicos. También le realizaron RCP pero no pudieron reanimarla, razón por la cual la trasladaron de inmediato al Hospital *Holy Cross.*

Al oír estas noticias terribles, sentí que todo mi mundo se derrumbaba frente a mí. Cuando llegué a casa de la niñera el sol brillaba, luego el cielo oscureció. Me sentí débil y mareado, y no sabía qué decir. Me informaron que mi esposa estaba camino al hospital y me preguntaron si conocía el camino. Me ofrecieron llevar a Daniel al hospital, pero yo les dije que podía hacerlo. Me dijeron que estaban muy apenados por lo que había ocurrido y que investigarían el caso en detalle. Pude observar a la niñera salir de la casa llorando, pero no pudo hablar conmigo.

Me sentía ansioso camino al hospital. Deseaba llorar pero no quería confundir a Daniel. Él no sabía lo que estaba ocurriendo, ¿o si?. Recuerdo haberme asido fuertemente al volante, tanto que se formó una ampolla en uno de mis dedos. Le supliqué a Dios que nos ayudara y anhelé que todo saliera bien. También pensé en mi esposa.

Finalmente llegué al hospital luego de un viaje que pareció una eternidad. Ni bien entré en la sala de emergencias, pude ver a un médico, a una enfermera y a un capellán. Me informaron de inmediato que Angelique había fallecido a causa del Síndrome de Muerte Súbita del Lactante. En ese momento me quebré, lloré amargamente y pregunté por mi esposa. Me condujeron hacia un sector separado por cortinas; y allí pude observar la escena más devastadora que jamás había imaginado. Mi esposa estaba sentada y sostenía en sus brazos el cuerpo de Angelique. Lloré desconsoladamente, no podía creer que nuestra "Mamanina" se había marchado.

Luego de varias horas, nos solicitaron que colocáramos a Angelique sobre una cama, a lo que accedimos renuentes. Camino a casa llovía copiosamente, y al mismo tiempo yo lloraba tanto que apenas podía ver la carretera. No obstante, logré llegar.

Luego del velatorio, la misa y el entierro, me sentía aturdido por el dolor e intentaba encontrar respuestas a lo que había sucedido. Como no las encontraba, pensé que yo debía ser una mala persona y que Dios me estaba castigando por mis pecados. Me sentía culpable y decidí conversar con nuestro sacerdote. Él nos dijo que Dios no nos estaba castigando por nuestros pecados y que él tampoco podía responder por qué sucedían estas cosas. Nos sugirió que leyéramos el capítulo de Job en la Biblia y el libro "Cuando Sucede Algo Malo a una Buena Persona" (*When Bad Things Happen to Good People).* Leí ambos y comprendí que no debía culpar a Dios ya que Él no era el artífice de la muerte de nuestra hija.

¿Cómo sobreviví a esta terrible experiencia? Rezando a Dios y leyendo acerca del SMSL, acerca del fallecimiento infantil y del dolor. También conversé con otros padres cuyos hijos habían fallecido a causa del SMSL así como con consejeros.

Sólo han pasado cuatro meses desde el fallecimiento de nuestra "Mamanina". Lo más difícil ha sido dejarla ir sabiendo que nunca regresará. Siempre estará en mi corazón. Actualmente veo el mundo con ojos diferentes, y ya no disfruto como en el pasado. Ahora sé que mi objetivo en esta vida es caminar sobre las huellas de Nuestro Señor Jesucristo y amarlo y servirlo por el resto de mi vida. Sólo en Él y en la Virgen María puedo encontrar paz y alegría. Sólo ellos pueden brindarme la esperanza de reencontrarme algún día con Angelique.

Sé que Angelique llegó a nuestra vida con un propósito, y aunque lo desconozco, sé que es un propósito positivo. Siento que Angelique es un ángel enviado por Dios y que gracias a ella estoy más ligado al cielo que a la tierra. Después de todo, una parte de mí está allí y siempre lo estará.

Te amo, mi Mamanina, mi dulce ángel Angelique.

Cómo acompañar el duelo de una esposa

~Gabriel F. Horchler

El llamado a la puerta me despertó sobresaltado de un sueño profundo, y de inmediato pensé que algo terrible había sucedido. ¿Qué otro motivo los obligaría a despertarme de esta forma en este lugar, un retiro pensado para aislar a los asistentes de las distracciones externas? Mi habitación no tenía teléfono; y la persona que me despertó me informó que debía comunicarme con un vecino de Cheverly. Me estremeció el recuerdo de un llamado del pasado, cuando me encontraba en Filadelfia y me informaron que debía comunicarme con un vecino, quien luego me comunicó que mi padre había sufrido un ataque y había fallecido en la calle. Cuando me comuniqué con mi vecino en Cheverly, éste me indicó que debía llamar a mi esposa Joani al hospital. La llamé de inmediato y entonces supe que nuestro hijo Christian, de dos meses de edad, había fallecido. Nuestro fuerte y robusto bebé -que desde el momento de su nacimiento nos había asombrado con un llanto masculino fuerte y claro - había fallecido durante el sueño sin causa aparente.

La voz de mi esposa Joani al teléfono era llamativamente serena. Cuando llegué al hospital una hora y media después, la encontré en estado de calma, como si estuviese bajo control. Luego comprendí que en realidad estaba en un estado de confusión y descreimiento, que luego desencadenaría explosiones de ira y desesperación.

Nuestro vértigo de emociones acababa de comenzar, y nos embestiría durante los siguientes dos años.

Nuestro pequeño Christian se veía sereno y feliz en la gran cama del hospital. La vida lo había abandonado sutilmente sin dejar secuelas, a diferencia de las muertes que yo había atestiguado en la guerra de Vietman. Este hecho me tranquilizaba, aunque su muerte continuaba siendo incomprensible para mí.

Si consideramos la tendencia cultural actual acerca del control de la natalidad, muchas personas no hubiesen comprendido el entusiasmo de nuestra familia ante el nacimiento de nuestro cuarto hijo Christian. Su mamá estaba particularmente exaltada, ya que finalmente teníamos un hijo varón. Todo su ser irradiaba felicidad. Joani pudo olvidar de inmediato los dolores ocasionados por el parto natural y en seguida se dedicó a la tarea de alimentar a Christian. Las enfermeras estaban asombradas por su vitalidad y alegría. Los dos meses posteriores al nacimiento del bebé fueron una bendición. El trabajo de cuidar de un hogar numeroso y de un bebé a la vez no eran un problema para Joani. Tampoco se sentía mal por el hecho de haber abandonado prematuramente su exitosa profesión como periodista. Estaba feliz de ser madre y consentía al bebé de una forma que no había consentido a nuestras tres hijas anteriores.

De pronto todo había terminado, y era como si una parte de Joani hubiera muerto con Christian. A veces sentí más dolor por ella que por nuestro hijo. Él estaba en paz; mientras que ella estaba totalmente angustiada. Debido a que Christian era un bebé robusto que se alimentaba muy bien, los pechos de Joani continuaron cargados de leche durante varios días, lo que constituía un recuerdo desdichado de la intimidad que hacía poco tiempo había existido entre ellos.

Los dos meses subsiguientes fueron muy difíciles. A veces parecía que Joani comenzaba a aceptar nuestra pérdida, pero al poco tiempo volvía a sumergirse en el dolor. También sentía la poderosa necesidad de tener otro hijo lo más pronto posible, entonces utilizó sus habilidades periodísticas para investigar el modo de lograrlo. Recibimos la ayuda de familiares, amigos, miembros de la iglesia y varios grupos de apoyo durante ese tiempo. Los momentos de aceptación gradualmente dominaron a aquéllos de desesperación.

Sin embargo, fue el nacimiento de Genevieve lo que detuvo nuestro vértigo de emociones. Como Joani deseaba tanto tener un hijo varón, me preocupé cuando supe que llegaría otra niña. Sin embargo, desde el momento en que nació, Genevieve nos desarmó, y nuestro dolor se evaporó. Genevieve actuó como un poder curativo para nosotros, en una afirmación del poder de la vida sobre la muerte, una reencarnación del poder renovador de Dios.

Siempre estarás en mi corazón

~Marta Brown

[...] *"para amarnos y cuidarnos hasta que la muerte nos separe"*[...]

El momento en que intercambiamos nuestros votos matrimoniales con Bob me produjo un gran placer. Recuerdo haber observado a mi esposo – el hombre apuesto, fuerte y enamorado que yo había elegido- y haberle agradecido a Dios por habernos reunido. ¿Cuidarnos?

Realmente deseaba cumplir mi promesa, pero en ese momento sólo tenía una idea superficial del significado de esas palabras. Siete años después, la muerte súbita e inesperada de nuestro hijo Rob me hizo comprender el significado de ser "cuidada". El amor y la preocupación de Bob, en un momento en que él también estaba destrozado, es algo que nunca olvidaré.

Cuando Bob llegó a la sala de emergencias, un médico le informó que nuestro hijo de cuatro meses de edad había fallecido a causa del Síndrome de Muerte Súbita del Lactante. Cuando entró en la sala, lo abracé llorando -*"Oh, Bob, ¿qué haremos?"*

Nuestros siete años de matrimonio me habían enseñado a confiar en Bob ciegamente. Aunque él también estaba aturdido, procuró consolarme. Creo que Dios utilizó nuestro amor para apoyarnos en ese difícil momento. Cuando la enfermera preguntó -*"¿qué puedo hacer por usted, Sr. Brown?"*, él le respondió -*"ayúdeme a cuidar a mi esposa"*. Ése es el verdadero significado de "cuidar" a la otra persona.

Aquella noche volví a sentir su generoso amor. Mientras intentaba en vano dormir, oí ciertos ruidos en la cocina. Allí encontré a mi esposo sacando los envases de alimento para bebé, los biberones y otros recuerdos de la despensa. Me dijo que los estaba quitando de allí para que yo no me angustiara al verlos. Creo que comencé a sentir una necesidad de "cuidarlo" en ese momento.

Las semanas y meses posteriores a la muerte de Rob, continué apoyándome en mi esposo. Rezamos, lloramos y conversamos mucho. Al conocer a otras madres que habían perdido a un bebé a causa del SMSL, supe que no todas habían recibido el apoyo de su pareja. Agradezco que mi esposo haya reunido las fuerzas para consolarme y cuidarme durante esos días terribles.

Aún hoy -varios años después- el recuerdo de la preocupación y el amor de mi esposo continúan en mi corazón.

... *"para amarnos y cuidarnos"*... Encontramos la promesa a Dios en nuestros votos matrimoniales.

~ Nota del Editor: Marta Brown fue la anterior presidente de "SIDS International" y presidente de su conferencia del año 1996.

Capítulo 6

El duelo de los niños

"Mamá, ¡Christian nos está arrojando agua desde el cielo!, ¡Está jugando con nosotros!". Estas fueron las expresiones de Julianna, de cinco años de edad, hija de Joani, un día de lluvia. Dichas palabras hubiesen quebrantado el corazón de Joani de haberlas oído tiempo atrás al iniciar su período de duelo. Pero luego de dos años y medio, pudo reír y responder -*"Es verdad Julianna, Christian es un niño travieso, ¿no?"*

Joani explica -*"No hemos negado la muerte de Christian. Realmente creemos que su espíritu está con nosotros y que siempre nos acompañará, haciendo que sucesos cotidianos como la lluvia sean más especiales y divertidos. Conversamos mucho acerca de él, y en la actualidad esto nos trae más paz y felicidad que dolor".*

Llegar a esta etapa del periodo de duelo –en la cual la sola mención del bebé no cause un terrible dolor- lleva tiempo, tanto para los adultos como para los niños. En el caso de los niños, debe dejárselos experimentar su propio duelo, en lugar de intentar protegerlos del dolor –instinto natural de los padres.

Hace algunas generaciones, se evitaba conversar con los niños acerca de la muerte. En la actualidad sabemos que esta actitud sólo dificulta la situación. El dolor de un niño puede manifestarse como problemas de comportamiento; de la alimentación y el sueño; distanciamiento de familiares y amigos; dificultad para concentrarse; un aumento en la dependencia; una regresión a comportamientos infantiles; inquietud y dificultades en el aprendizaje. En niños menores de cinco años también pueden manifestarse dificultades en la alimentación, en el sueño, así como problemas intestinales. Los niños en edad escolar pueden sufrir comportamientos fóbicos o hipocondríacos. También se los puede observar demasiado apegados a familiares y amigos o demasiado distantes; y algunos pueden reemplazar la tristeza por la agresión.

El folleto "El duelo de un Hermano" (*Sibling Grief*)(1), publicado por el "Centro de Ayuda a quienes perdieron un niño o un bebé durante el embarazo" (*Pregnancy and Infant Loss Center of Wayzata, Minnesota*) considera el impacto de la muerte según las diferentes edades de los niños. Los niños de ocho a doce años ya poseen una concepción adulta de la muerte y pueden sentir temor ante la posibilidad de su propia muerte. Se los puede observar indiferentes pero internamente pueden sentir temor y mostrarse irritables y enojados. Los niños de cinco a ocho años consideran a la muerte como un proceso natural que puede acontecerles a ellos también. Según el autor -*"Durante esta etapa puede observarse un comportamiento egocéntrico que lleve al niño a sentirse culpable. También puede manifestarse un "pensamiento mágico" en el que el niño puede incluso preguntarse si sus acciones pudieron haber causado o evitado la muerte del bebé"*. Desde los dieciocho meses hasta los cinco años de edad, se considera a la muerte como un estado de cambio permanente pero incomprensible. Pueden observarse comportamientos tales como distanciamiento, irritabilidad, confusión, acercamiento excesivo o una actitud demasiado demandante. Debemos aclarar que se trata sólo de generalizaciones, y que ningún niño se adapta completamente a estas categorías del duelo.

Cuando no se conversa con ellos o no se intenta explicarles lo sucedido, los niños suelen imaginar lo peor, incluso que pudieron haber causado de algún modo la muerte del bebé. Resulta terriblemente perturbador perder la unidad familiar conocida. Sin embargo, si se conversa abiertamente, la muerte de un ser querido puede abrir una puerta para que la familia logre crecer en una dirección positiva.

Joani descubrió que sus hijos se sentían diferentes a otros niños porque no conocían a nadie que hubiera experimentado una pérdida a causa del SMSL. Por ejemplo, su hija de ocho años comentaba -*"soy la única en la escuela a quien le ha sucedido"*. Para demostrarles que no estaban solos, Joani los llevó a una cena auspiciada por grupos de apoyo. También los llevaron a un taller realizado por Helen Fitzgerald, autora del excelente libro "El Niño en Período de Duelo" (*The Grieving Child*), en el que se analizaba este tema (2). En dicho taller, los niños -todos hermanos de víctimas del SMSL- dibujaron, contaron historias y escribieron acerca de sus hermanos o hermanas. En las dos escuelas a las que asistían las hijas de Joani, las maestras y los alumnos les escribieron cartas y les brindaron el apoyo especial que necesitaban.

Muchos niños sienten culpa acerca de la muerte, en especial cuando sintieron celos del bebé o desearon que él simplemente se marchara. Los psicólogos afirman que es mejor hacer referencia a estos sentimientos diciéndoles por ejemplo -*"sé que a veces estabas enojado con el bebé y deseabas que él no estuviera con nosotros, pero tus deseos no causaron su muerte. No se puede culpar a nadie por la muerte del bebé"*. Como para los padres también es difícil comprender esta situación, resulta de utilidad repetir una y otra vez que el SMSL no es previsible ni evitable.

Uno de los libros que ayudaron a Joani a conversar con sus hijas acerca del tema de la muerte fue "Summerland: Una Historia de Muerte y Esperanza"(3) (*Summerland: A Story About Death and Hope*), escrito por Eyvind Skeie, pastor noruego. En esta historia de carácter espiritual, la muerte es retratada a través de la imagen de un niño que camina por un oscuro valle hacia el origen de la esperanza -*"El que nos espera - quien nos da la bienvenida cuando todos nos dicen adiós".* Las hijas de Joani sintieron alivio al pensar que su hermanito había sido elegido por "*El que nos espera*" y llevado a una pradera de verano donde existe la felicidad eterna. Los niños con frecuencia preguntan -*"El bebé, ¿está triste por nosotros?".* Summerland tiene una respuesta: *"Quienes habitan en la pradera han dejado lágrimas detrás. Pero "El que nos espera" nos ayuda a quitar esas lágrimas y a sonreír otra vez".* Otro libro muy importante es "Bailando en la Luna" (*Dancing on the Moon*) escrito por Janis Roper. (Puede encontrar la orden de compra al final del libro).

Explicar la muerte a un niño depende en gran medida del niño y de la persona que explica. Pero deben considerarse dos aspectos importantes. En primer lugar, sus explicaciones deben ser simples y verdaderas. Explique lo que sepa acerca del SMSL, en especial que este tipo de muerte sólo sucede a bebés. No utilice frases como - *"El bebé va a dormir en paz para siempre"* porque puede causar en sus hijos un temor a dormir. En segundo lugar, no crea que posee todas las respuestas. Sea sincero y reconozca que a pesar de que el SMSL es algo conocido, en realidad nadie puede explicarlo totalmente. Puede decirles -*"Algunos hechos de la vida no tienen explicación, y otros son injustos".*

A pesar de que resulte difícil, los niños deben participar en las ceremonias que rodean a la muerte: el sepelio y el entierro. Participar los ayuda a comprender que el bebé realmente ha muerto y a iniciar su período de duelo. Estas ceremonias proporcionan momentos y lugares especiales para recordar y conmemorar al bebé y para comenzar a plantearse el interrogante humano acerca del significado de la muerte. Jennifer Wilkinson no se arrepiente de haber permitido a Claire, su hija que entonces tenía cuatro años de edad, que observara al bebé un momento antes de su muerte y antes de que la ambulancia se lo llevara. *"El tema de la separación entre el cuerpo y el alma se aclara cuando podemos observar el cuerpo sin vida de un ser querido"*, explica Jennifer. *"Observar el "vehículo vacío" que quedó cuando la vida del bebé se fue para siempre ayudó a mi hija a comprender que Larkin realmente se había marchado".*

Del mismo modo, Joani y Gabe nunca se arrepintieron de haber llevado a sus tres hijas al sepelio de Christian -*"Poder tocarlo les ayudó a recordar que él realmente se había marchado y que no volvería como ellas lo conocían. Sin embargo, les explicamos que su espíritu estaría con nosotros para siempre"*, explicó Joani. Todos los integrantes de la familia acariciaron el cabello que asomada de su sweater y cortaron un bucle para guardar en su álbum. Acariciaron sus frías manos para darles calor y le obsequiaron cartas de despedida, un rosario, su oso de peluche y una copia de uno de sus libros favoritos "El conejo de terciopelo". Cuando llegaron al hogar, cada una de las niñas eligió algunos objetos (juguetes o prendas de vestir) para conservar como recuerdo de su hermano. Todas estas ceremonias les ayudaron a despedirse del cuerpo de Christian y a pensar que estaban conmemorando a su hermano.

Amy, Amy

~Michael Purcell, cinco años de edad

Amy, Amy
Te amo, te amo
Desearía que estuvieras aquí
Pero sé que no puedes
Desearía que pudieras besarme
Aunque sé que no puedes

Extraño a alguien que nunca conocí

~Lindsey Hosford, once años

La mayoría de las personas creen que no se puede extrañar a alguien que nunca se conoció. Sin embargo, yo pienso mucho en mi hermana Susanna, quien falleció a causa del Síndrome de Muerte Súbita del Lactante antes de que yo naciera. Pienso que ella me hubiese ayudado con las tareas de la escuela y con mis exámenes. Juntas hubiésemos podido organizar fiestas y actividades divertidas. Ella sabría de antemano lo que nos pasa cuando crecemos y me habría ayudado.

Tengo un hermano mayor, y es muy bueno. Pero Susanna era una niña como yo y la hubiese amado mucho.

Muerte en primavera

~Ilona Horchler, catorce años de edad

A pesar de haber sido un cálido día de primavera de mayo hace más de cinco años, ese día la casa se sintió fría. En mi interior sentía un gran vacío. Me recosté bajo las suaves cobijas de mi cama, y me aferré a ellas confundida. El día había comenzado como mi peor pesadilla. Hacía sólo unos segundos, mi padre había entrado en mi cuarto para decirme que mi hermano había muerto. Sólo pronunció dos palabras -*"Christian murió"*. Intentó consolarme pero se alejó al sentir que no podía reprimir su llanto. Vi a mi hermanita de siete años pasar llorando.

Lo único que pude hacer fue recostarme, no podía comprender lo que estaba sucediendo. No podía pensar, oír, ni ver lo que pasaba a mi alrededor. Bajé de la cama temblando y caminé hacia mi vestidor. De pronto comencé a llorar, las lágrimas caían una tras otra al tiempo que pensaba en lo que había sucedido. ¿Cómo nos había sucedido esto?; ¿por qué?

Recuerdo el cumpleaños de mamá, cuando ella sostenía a Christian en brazos y decía -*"Este es el mejor cumpleaños de toda mi vida"*. También recuerdo cuando me enteré de que mi hermano había nacido. El día 8 de marzo del año 1991, mi prima segunda Sylvia, quien sería su madrina, se acercó a la reunión de Scouts en la que estábamos con mis hermanas. Nos anunció desde las escaleras -*"Tienen un nuevo hermanito"*. La casa de llenó de alegría y calidez al oír sus palabras.

Ahora todo se había destruido, sentía dolor en mi cabeza y en mi garganta por reprimir mi llanto, como si me hubiesen arrojado una pelota de baseball. Mi cabeza estaba llena de preguntas. Quería despertar de ese horrible sueño y sostener a mi hermano en brazos otra vez, pero aunque me pellizcara, no despertaría más a esa felicidad. Me vestí y frente al espejo intenté secar mis lágrimas para que nadie supiera que había estado llorando. Bajé las escaleras y entré en una sala llena de tristeza y confusión. Todos intentaban comprender cómo un bebé robusto y sano había dejado de respirar durante el sueño. Los médicos tiene una definición para esta locura que ni ellos logran comprender por completo. Dicha definición es al mismo tiempo real y escalofriante: Síndrome de Muerte Súbita del Lactante.

Luego de cinco años y medio, a veces no puedo contener mis lágrimas. El dolor nunca cesará, y a causa de esta experiencia he madurado. Pienso en lo maravilloso que es estar viva e intento sobresalir en todo lo que hago. He crecido cerca de Dios porque Él es quien cuida a mi hermano actualmente, pero al mismo tiempo lo cuestiono. Tengo mucho miedo de que se produzca otra muerte en mi familia y deseo poder vivir sin ese sentimiento. Pienso y sé que la vida de todos está planificada con anticipación y que algunas personas deben fallecer antes que otras. Rezo por mi hermano todas las noches y siempre lo amaré con todo mi corazón, porque puedo afirmar que ahora no sólo es mi hermano sino mi ángel de la guarda.

Hermana

En conmemoración a Meg Mihalko 15/09/89 - 23/10/89

~Jon Mihalko, once años de edad

Había una vez un niño
Que tenía una muñeca bebé

Deseaba y deseaba
Tener una hermana

Cuando ella llegó él fue muy feliz
Y una noche mientras ella dormía

Falleció
Y él internamente luchó

Aunque ahora cuando él piensa en momentos felices
Vence a la lucha que lo atormentó

¿quieren saber quién es ese niño?
Ese niño no es otro sino yo

~ (Yo tenía cinco años cuando mi hermana falleció a causa del SMSL. Si alguien desea contactarse conmigo para conversar acerca de la muerte de su hermano o hermana puede hacerlo vía correo electrónico. Pueden encontrar mi dirección de correo electrónico en el apéndice del presente libro en la sección SIDS Network)

Debió ser mi padrino de boda

Entrevista a Curtis Schweitzer

~Joani Nelson Horchler

Durante veinticuatro de sus veintinueve años de vida, Curtis Schweitzer vivió angustiado acerca del Síndrome de Muerte Súbita del Lactante, sintiendo un dolor que recién ahora comienza a superar. En la época en que Curtis asistía al jardín de infantes, su hermano Chad, de cinco meses de edad, a quien él adoraba (y el único hermano varón que tendría) falleció a causa del SMSL en su cuna y en la habitación que compartían.

Curtis recuerda que aquel día, su padre controló a Chad y saludó a ambos antes de marcharse a su trabajo. *"Yo me dormí nuevamente, y lo siguiente que recuerdo fue a mamá desesperada salir corriendo de la habitación. Me acerqué a la cuna y encontré a Chad húmedo y frío. Mamá llamó a la ambulancia y luego me llevó a casa de unos vecinos. Ese día almorzamos sopa de tomate; algo que aún hoy me cuesta ingerir".*

Por la tarde llevaron a Curtis a la escuela. Cuando regresó a su casa, supo al ver a tantos autos y a tantas personas que Chad había muerto. *"Allí me quebré, lloré y parece que nunca hubiera dejado de hacerlo. Yo compartía la habitación con Chad cuando falleció y sentía que debí haberlo oído cuando intentaba respirar en vano. Pensaba que él había sufrido, y me culpaba por eso. Pensaba que debería haberlo salvado. Luego de ese día, anulé el tema en mi mente y nunca conversé con mamá o papá acerca de lo sucedido. Ellos tampoco tocaron el tema".*

Cuando Curtis regresó a la escuela el día siguiente, sus compañeros formuron preguntas terribles como -*"¿Qué se siente estar en la misma habitación con una persona muerta?"*. Curtis volvió a utilizar el mismo silencio que empleaba con su familia.

En esa época no habían grupos de apoyo, y Curtis siempre sintió que no podía compartir su dolor, que debía guardar sus sentimientos para sí y resolverlos en soledad.

Sin embargo, no culpa a sus padres -*"En ese tiempo, se esperaba que las personas resolvieran sus sentimientos por sí mismas y no molestaran a otros. Yo estaba triste por mis padres porque ni ellos sabían qué hacer con el dolor que sentían, e intentaban proteger a la familia viviendo con la mayor normalidad posible".*

Sin importar cuánto intentaban sus padres reprimir sus sentimientos; éstos tarde o temprano afloraban. Recuerdo cuando observaba a mis padres sumergirse en la tristeza y pensaba: *"Dios, están pensando nuevamente en Chad y en que él debería estar con nosotros. Sin embargo, nadie decía nada porque eso era lo que se esperaba de nosotros".*

Hace pocos años, la familia comenzó a compartir sus sentimientos acerca de Chad cuando CBS emitió una película acerca de la vida de la madre de Curtis. La película retrataba la forma en que el SMSL había influido en la decisión de Arlette de convertirse en madre substituta de su propia hija Christa, quien había nacido sin útero. Arlette dio a luz gemelos, una niña y un niño; y cuando Christa eligió el nombre de Chad para su hijo, fue muy difícil para el tío Curtis llamar a su sobrino por su nombre.

"En ese momento comprendí que intentaba escapar del dolor, pero que éste nunca se iría. Parte del problema era que yo no había podido despedirme de Chad. La última vez que lo vi fue la mañana que me acerqué a la cuna y lo encontré sin vida".

Curtis señala -*"Se puede aprender acerca de la importante función que cumple la despedida de un ser amado al observar a los animales. Por ejemplo, cuando muere un cachorro de una camada; los demás comprenderán que murió si pueden verlo, olerlo y sentirlo. Pero si lo sacamos antes de que puedan hacerlo, los demás cachorros aullarán, gemirán, y tendrán un comportamiento incontrolable durante un tiempo".*

Además de no haber podido despedirse de Chad, Curtis nunca llegó a perdonarse el hecho de haber estado en la misma habitación cuando su hermano falleció. Esta culpa lacerante hizo que Curtis fuese excesivamente sobreprotector de sus tres hijos. Cuando eran bebés, cada uno de ellos durmió en una cuna de mimbre al lado de su cama. Con el primero de sus hijos, Curtis colocaba cada noche su brazo sobre la cuna. Si el bebé giraba, Curtis lo sentía y se despertaba. Luego volvía a colocar su brazo sobre él.

Sin embargo, Curtis no se decidió a iniciar terapia psicológica hasta casi haberse electrocutado en un empleo. Cuando se encontraba al límite de la muerte, Curtis sintió que un brazo lo salvaba. En ese momento, estuvo seguro de que era el brazo de su ángel de la guarda, Chad. Luego pudo advertir que esa mano tenía su propio anillo de bodas.

"En ese momento comprendí que siempre había pensado en Chad como en un Dios -que cada vez que me sucedía algo bueno, era porque Chad me estaba ayudando. Mi vida giraba en torno a Chad -siempre conté todos mis problemas a Chad, y él siempre me respondió".

Durante las sesiones de terapia, fue muy útil para Curtis escribirle una carta a su hermano y "dejarlo ir". En su carta le contó cómo se había culpado a lo largo de los años por su muerte. *"Escribir la carta me ayudó porque comprendí que si la carta fuese de Chad, yo no lo hubiera culpado. También le expliqué que debía vivir mi propia vida y que algún día nos encontraríamos".*

Además de asistir a sesiones de terapia, Curtis ha aprendido mucho acerca del SMSL. *"Hace poco tiempo me informaron que los bebés no sufren cuando fallecen a causa del SMSL, y este dato por sí solo me ha ayudado".*

Debido a que Curtis postergó su período de duelo y aún no lo ha resuelto completamente, todavía no puede pensar en Chad sin sentirse herido. Cree que siempre se sentirá decepcionado por no haber tenido un hermano -*"Estaba tan emocionado cuando él nació. Cuando lo alimentaba le contaba que nos divertiríamos mucho juntos; que le enseñaría a construir fuertes; que andaríamos en bicicleta y que nos deslizaríamos por una colina. Rodaríamos, reiríamos y yo le diría que no podía esperar para jugar a las luchas con él".*

Cuando Curtis se casó, no pudo evitar pensar -*"Él debería estar a mi lado como mi padrino de bodas. En mi vida siempre falta algo muy importante".*

Durante las sesiones de terapia, Curtis se siente bien al poder hablar acerca de Chad después de más de veinte años. *"El dolor nunca desaparecerá por completo; pero yo he aprendido a hablar acerca de él. Ahora puedo expresar lo que siento y emocionarme". Sin embargo, debido a todas las barreras mentales impuestas durante tantos años, Curtis puede conversar con extraños con más facilidad que con su propia familia acerca de Chad".*

El hecho de tener tres hijos le ayuda a comprender el impacto que tuvo en su vida el haber perdido a su hermano. *"Ni bien nacen, uno los ama tanto como a un adulto. Si se pierde un hijo mayor, entonces existirán más recuerdos, pero el dolor y el amor serán idénticos".*

Sin embargo, Curtis cree que si lo hubiesen estimulado cuando era pequeño a conversar acerca de la muerte de su hermano, podría haber manejado su culpa de una forma más saludable.

Curtis desea transmitir un mensaje a aquellos niños que perdieron un hermano o hermana: *"No repriman sus emociones. Dejen salir todos los sentimientos, tanto los buenos como los malos. Conversen con su familia, amigos, sacerdotes y maestros. No sean tan exigentes consigo como lo fui yo y no se repriman".*

Nota del editor: Luego de haber narrado su historia en el presente libro, Curtis y su madre Arlette (cuyo artículo puede leerse en el Capítulo 17) conversaron extensamente acerca de la forma en que habían vivido la muerte de Chad... *"Mi esposo y yo provenimos de familias muy estoicas de origen alemán e irlandés, y siempre pensamos que uno debía reservar sus emociones para sí. Tampoco sabíamos que un niño de seis años puede ser tan sensible y perceptivo, y pensamos equivocadamente que si evitábamos el tema con él entonces no lo afectaría tanto".* Arlette afirma actualmente -*"la madre que llevo en mi interior me decía que debía ser fuerte y proteger a mis hijos. Sin embargo, he aprendido una lección demasiado tarde: es mucho mejor enfrentar los problemas. De hecho, nunca es demasiado tarde para reparar algunas cosas".* Arlette y Danny han aprendido a conversar con sus nietos acerca de Chad.

Cómo ayudar a los niños ante el fallecimiento de un hermano

~Kee Schuth Marshall

Sam, mi hijo de cuatro años, perdió a su hermana Margaret de tres meses de edad debido al Síndrome de Muerte Súbita del Lactante el día 14 de enero del año 1992. Dos meses después, su padre falleció debido a un infarto de miocardio. Me gustaría compartir con ustedes la forma en que vivimos esta experiencia, con el objetivo de brindar una ayuda a aquellas personas que han vivido pérdidas similares y deben ayudar a sus hijos pequeños a comprender la muerte. Deben tener en cuenta que no soy una consejera profesional, pero que en ese momento buscamos el apoyo del pediatra y de un asesor. Además, luego de haber perdido a mi hija Margaret, procuré leer mucho acerca de cómo ayudar a los niños ante la muerte, incluso muchos folletos que me entregó nuestro grupo local de asesoramiento e información acerca del síndrome.

Cuando Margaret falleció yo estaba trabajando y en esa época Sam asistía a una guardería durante todo el día. Pero ese día en particular Sam se había quedado en casa junto con Margaret y su niñera porque tenía un terrible resfrío. La niñera los llevó a dar un paseo por el parque y luego al Centro de Ciencias por pedido de Sam. En ese lugar Margaret falleció en su silla de paseo. Sam estaba allí, y es muy difícil para mí saber con certeza qué cosas tuvo que ver. Inmediatamente después de oír los gritos de la niñera, un paramédico presente en el lugar comenzó a practicarle reanimación cardio pulmonar a mi hija. La atención de casi todos estaba centrada más en la desesperada niñera que en la bebé. Unos momentos más tarde, tanto Margaret como la niñera fueron llevadas al hospital en ambulancias separadas. Sam quedó solo en el Centro de Ciencias hasta que alguien pudo determinar quiénes eran sus padres y cómo contactarnos.

En ese momento yo no me encontraba en mi oficina. Sin embargo, varios colegas recogieron a Sam y regresaron al tiempo que mi esposo era notificado. Jim se dirigió de inmediato al hospital. Cuando regresé a mi oficina, muchas personas ya sabían de la muerte de mi hija. Una patrulla de policía me condujo al hospital junto con Sam y una colega. Cuando llegué y observé los rostros de las personas comprendí que había sucedido lo peor. Cuando Jim y yo hablamos con los médicos, nuestros amigos y el personal del hospital se ocuparon de Sam.

La muerte de mi esposo Jim fue diferente porque Sam no fue testigo de ella. Jim practicaba deportes y había salido a correr hasta el club para ejercitarse y luego regresar. Era una rutina habitual y su primer gran entrenamiento para participar en el triatlón del año 1992. Cuando yo terminaba de acostar a Sam para dormir, sonó el teléfono. Jim había pasado por el club, y necesitaban que yo me dirigiese al hospital. Pedí ayuda a mis vecinos para que se quedaran con Sam y para que me llevaran al hospital. Poco tiempo después me enteré de que Jim había fallecido a causa de un ataque masivo de miocardio.

Uno de los consejos que recibimos luego de la muerte de Margaret fue que hiciéramos participar a Sam en el funeral. Nos advirtieron que era negativo excluirlo de las conversaciones acerca de la muerte y que debíamos tener un diálogo abierto y frontal. Todo lo anterior lo ayudaría a comprender lo que había sucedido. También nos explicaron que los niños -a partir de los tres años de edad- poseen una comprensión literal de lo que se les explica. Por esa razón nos aconsejaron no utilizar frases como "Margaret falleció mientras dormía", o "Ahora descansa en paz", o "Ella está en el cielo", porque Sam podría sentir temor cuando se acostara a dormir o temer que su hermana Margaret fuese atacada por grandes aves en el cielo.

Sam participó del funeral. Una buena idea fue permitir que Sam recogiera algunas flores para llevar a su hermana. Pensé que lo más adecuado sería que él eligiera todo un ramo de delicadas flores de primavera. Cuando regresamos a casa le permití llevar las flores que él había elegido, las cuales mostró con orgullo a cada persona que nos visitaba diciendo -"estás son las flores que yo elegí para Margaret".

Mi esposo Jim y yo conversamos acerca de la posibilidad de dejar el ataúd de Margaret abierto durante el velatorio. Decidimos hacerlo porque deseábamos que Sam pudiera ver que todo estaba bien y que no debía sentir temor. Además, muchas personas aún no conocían a Margaret, y sería la única oportunidad. El director del funeral decidió vestirla con las prendas que yo le había llevado. Nos comentó que Margaret se veía sorprendentemente bien. Jim y yo decidimos estar con Margaret antes del velatorio porque ese momento nos ayudaría a decidir el tema del ataúd. Finalmente decidimos velar a Margaret con el ataúd abierto y luego, al meditarlo, comprendimos que nuestra decisión había sido adecuada.

Regresamos a casa, recogimos a Sam y nos preparamos para recibir a quienes asistirían al funeral. Los veinte minutos de viaje hasta la casa funeraria nos sirvieron para preparar a Sam y anticiparle lo que vería en la ceremonia. Específicamente, le contamos que allí podría despedirse de Margaret y que no la volveríamos a ver. Le explicamos que su hermana estaría con Dios y que Él se encargaría de cuidarla, para que Sam no tuviese que preocuparse. También le dijimos que estaba bien si él deseaba llorar, extrañarla o expresar sus sentimientos, hablar acerca de Margaret, estar triste alguna vez; o preguntarnos algo. Durante este diálogo, Sam repetía lo que nosotros le decíamos y se mostraba muy interesado en la conversación. Estoy asombrada de la memoria de mi hijo Sam y del impacto que la conversación debió haber causado en él, porque una semana después, cuando recorríamos el mismo camino, comenzó a repetir la misma conversación casi en forma textual.

Coordiné que una persona viniera a buscarlo a la casa funeraria a los treinta minutos. Sam se sentía muy cómodo con esta persona y eso constituía una preocupación menos para nosotros. Sam asistió a los velatorios tanto de Margaret como de Jim, así como a los entierros. En ambas ocasiones yo pronuncié unas palabras y Sam estuvo a mi lado. Cuando comenzaron a llegar amigos y familiares, organicé que Sam pudiera estar en otro lugar. Se trataba de un momento de mucha carga emotiva y yo prefería que él se relajara para yo recibir a las personas sin tener que preocuparme por él.

La semana siguiente al funeral de Margaret, Sam sufrió pesadillas, en las que despertaba llorando histérico sin poder explicar sus sueños. Jim se acostaba con él, lo tranquilizaba, y se quedaba dormido a su lado. Luego nos informaron que no era un buen hábito, pero afortunadamente ayudaba y sólo duró una semana.

Cuando Jim falleció, Sam y yo pasamos por la misma situación una y otra vez. Quiero comentar algo que sucedió durante la misa de Jim. Como las personas podían tomar la comunión, era una ceremonia bastante extensa para Sam. Él quería sentarse con otros familiares detrás de donde estábamos sentados. Ante mi negativa, Sam insistía cada vez con mayor ansiedad -algo normal en un niño de tres años de edad. Yo no podía levantarme y sacarlo de la iglesia, y finalmente decidí dejarlo ir.

Fue entonces cuando lo vi tomar la tarjeta que estaba colocada en nuestro banco. Acto seguido comenzó a recolectar cada una de las tarjetas de cada banco. Al finalizar la misa, había acumulado varios cientos de tarjetas de toda la iglesia. Para Sam, se trató de una especie de catarsis. Después de la ceremonia, muchas personas me felicitaron por no haberlo detenido ya que sintieron que era una forma de saludar a cada uno de ellos en forma individual. Francamente lo hubiera detenido porque estaba poniéndome muy nerviosa. Parecía que Dios quería acercarse a cada una de estas personas que oraban por esta doble tragedia -y sirvió para mantener a Sam ocupado durante la ceremonia.

Lo que quiero decir es que a veces simplemente hay que dejarse llevar. Existen hechos que planeamos y otros que no podemos anticipar. Estoy satisfecha de haber llevado a Sam al funeral y a la ceremonia, y en no haber insistido en una conducta adecuada, lo que sólo habría llamado la atención en mi rostro cansado y cubierto de lágrimas. Los niños serán siempre niños, aun en las situaciones más terribles.

Bendice su alma

En conmemoración de su primo, Kyle Austin Koen

~(Escrito por Jennifer Wingfield, de trece años de edad, el día que Kyle falleció a cauda del Sindrome de Muerte Súbita del Lactante)

Casi tres meses y menos de medio metro
Me pregunto -¿qué trata Dios de demostrarnos?
Es muy injusto, él era muy pequeño
Era tan pequeño que aún no gateaba
Demasiado joven para comprender lo hermosa que es la vida
Querido Dios, ¿Por qué no le permitiste disfrutarla?

Simplemente no puedo entenderlo, siento que es un sueño
Un sueño, ¡eso es!. Sólo se trata de un sueño
Dios no puede arrebatar la vida de alguien tan puro y tan inocente

¿Realmente ha muerto? ¿Están seguros?
Oh, debe tratarse de un error, no puede ser verdad
No, no es un error... su alma ya se ha alejado

Recuerdo haber sostenido en mis brazos a este pequeño a quien yo le hablaba
Recuerdo sus ojos color azul oscuro y sus rosadas mejillas
Se marchó en paz hacia un lugar mejor
Sí, realmente se ha marchado -debo aceptar la realidad
No existe tal error
Sólo era -bendice su alma- su destino

Tristeza en Mayo

~Gabrielle Christine Horchler, 9 años de edad

Mi nombre es Gabrielle Christine Horchler, y una vez tuve un hermano llamado "Christian Gabriel Horchler". Ambos nos llamamos de este modo porque Gabriel es el nombre de mi padre. Christian nació el día 8 de marzo, y era uno de los bebés más bellos sobre la tierra hasta el día 9 de mayo del año 1991, cuando falleció a causa del Síndrome de Muerte Súbita del Lactante a los dos meses y un día de edad. Cuando Christian falleció aquel día de mayo, asistimos a su velatorio para verlo y sentimos una gran tristeza. Desde entonces, lo extrañamos todos los días y nos preguntamos cómo sería él ahora. Sin embargo, estamos iniciando una nueva vida porque ha llegado al mundo nuestra hermanita Genevieve Désirée Horchler, la cuarta hija de nuestra familia. Sin embargo, siempre recordaremos a Christian ese triste día de mayo y cada día de nuestra vida. Y cuando yo sea mayor, me gustaría ser investigadora y descubrir las causas del SMSL y su cura. También me gustaría escribir un libro acerca del SMSL.

¿Cómo ayudamos a nuestros hijos?... ¿Cómo nos ayudan ellos?

~Joani Nelson Horchler

Con frecuencia la gente nos comenta a mi esposo y a mí que nuestros hijos parecen haber vivido el fallecimiento de su hermano de una forma muy natural, y nos preguntan cómo lo logramos.

Créanme, no existen mapas a seguir, y el camino fue oscuro y tempestuoso. Durante el primer año del fallecimiento de Christian, mi hija Ilona, quien en ese momento tenía nueve años de edad, solía decir -*"Lo qué más quiero en el mundo nunca lograré conseguirlo, y es que mi hermano Christian esté nuevamente con nosotros"*. Mi hija de entonces siete años decía -*"Dios secuestró a nuestro bebé"*; y nuestra hija de cinco años solía repetir -*"Los adultos no mueren, sólo mueren los bebés"*.

Todos estos comentarios dejan escapar sentimientos de asombro, frustración e ira. Son modos simples de expresar lo que sentimos incluso los adultos. ¿Cómo se puede responder a semejantes preguntas? Simplemente escuchando a los niños y dejándolos ser abiertos y honestos en la exteriorización de sus sentimientos acerca de la muerte. Debemos ayudarlos a comprender que es normal tanto para los adultos como para los niños sentir confusión y enojo ante una muerte tan inexplicable como el Síndrome de Muerte Súbita del Lactante.

Como yo misma sentía enojo luego de la muerte de mi hijo, a veces vociferaba y despotricaba frente a mis hijas, incluso varias veces me vieron llorar. Al observar dicha situación desde otro punto de vista, creo –y los psicólogos lo confirman- que es saludable llorar frente a los hijos e incluso mostrar enojo. Después de todo, ha sucedido algo devastador, ¿por qué no mostrar enojo y por qué no llorar? Si nuestros hijos no nos ven llorar, entonces pueden pensar que no amábamos al bebé. Además, sentir enojo es algo natural durante el duelo, y es saludable que los niños puedan observar cómo nos sentimos acerca de lo que sucedió. Cuando ellos puedan observar que nosotros resolvimos nuestro dolor, entonces podrán aprender a resolver su enojo.

Nuestras hijas de ocho y seis años no pudieron expresar su enojo en forma abierta -sino con otras personas o con cualquier cosa a su alcance. Conversé con ellas acerca de que estaba bien enojarse siempre y cuando no lastimaran a nadie. También les expliqué que este sentimiento es natural y que comenzaría a disminuir con el tiempo.

Luego de haber conversado con cientos de padres cuyos hijos fallecieron víctimas del SMSL, comprendí que es normal sentir impaciencia y enojarse con nuestros otros hijos. Recuerdo haber llevado a mis hijas a la oficina de su padre aproximadamente cuatro meses después del fallecimiento de Christian. Lo que había planeado como una salida para divertirnos y relajarnos concluyó como un momento de tensión por mi estado de irritación. Francamente me enloquecía que Christian no estuviera viajando en el metro con nosotras, y no podía evitar recordar aquel día cinco meses atrás, en que habíamos realizado la misma visita llenos de felicidad y despreocupación para mostrar al bebé que creíamos absolutamente sano.

Cuando almorzamos en el parque del edificio de oficinas, conversamos acerca del modo en que me enojaba no tener a Christian con nosotros. El hecho de hablar abiertamente pareció ayudar a las niñas a comprender que yo no estaba enojada con ellas. Les expliqué que podían liberar su tensión realizando actividades tales como nadar, jugar golpeando una pelota de tenis, o incluso destruir algún objeto luego de pedirnos autorización. Nuestras hijas son campeonas en un equipo de natación, y creo que mucho de su enojo fue liberado durante esos ejercicios.

No nos olvidemos de la culpa. He expresado varios de los hechos que me produjeron culpa cuando no sabía que mi hija mayor me escuchaba, como el hecho de no haber controlado al bebé antes de que muriera, o por haberme medicado con un antibiótico o contra una gripe cuando estaba embarazada. Ella me preguntó -*"Mamá, ¿es eso realmente lo que mató a Christian?"* Le respondí que no, pero que es normal que sintamos culpa cuando alguien fallece, y que creamos que actuamos mal cuando en realidad lo hicimos correctamente. La culpa es una reacción normal ante el fallecimiento de una persona, y creo que compartir mis dudas ayudó a mi hija a superar sus propios sentimientos de culpa. De hecho, la escuché preguntar varias veces -*"Mamá, ¿hice algo que pudiera haber causado la muerte de Christian?"*, a lo que le respondía -*"No, siempre he pensado lo maravillosa que has sido como hermana y el modo en que tratabas al bebé, en realidad no has hecho nada mal".* Era verdad, y si yo hubiese pensado alguna vez que ella hubiera deseado que Christian se marchara le hubiera dicho -*"Sé que a veces sentías enojo con el bebé y deseabas que él se marchara, lo cual es normal ante la llegada de un bebé. Sin embargo, ninguno de tus sentimientos ni los sentimientos de otra persona pueden causar la muerte".*

Mi esposo es una persona mucho más serena que yo, y él no expresa sus emociones del mismo modo que yo. Creo que esto nos ayudó a mantener la estabilidad y a seguir con nuestras rutinas habituales: al llevar a las niñas a sus clases de piano, de ballet, a sus reuniones de Scouts o a sus variadas actividades. Ambos sentíamos que nuestras vidas debían seguir su curso, a pesar de aceptar lo terrible que nos había ocurrido.

Mi hija mayor me reprochó por no haberla despertado luego de descubrir a Christian sin vida para que ella pudiera estar con él de un modo más natural, ya que sólo pudo verlo en la casa funeraria. Le respondí que comprendía si ella pensaba que yo no había actuado correctamente en ese momento, pero que no podíamos modificarlo. No sé si mi respuesta fue "adecuada" según el punto de vista psicológico, pero creo que ella lo comprendió.

Creo que si seguimos nuestros instintos paternos, como ser cariñosos, dulces y sinceros con nuestros hijos estamos actuando bien. Es importante seguir adelante a pesar de los golpes.

Aunque parezca difícil, debemos intentar tener cierto sentido del humor cuando nuestros pequeños realizan comentarios en forma tan natural. Por ejemplo, cuando Christian falleció, alguien preguntó a nuestros vecinos si planeaban tener un segundo hijo. Nuestra hija Julianna de entonces tres años respondió -*"¡Tendrán otro bebé cuando muera su primer hijo!"*. A pesar de nuestra dolorosa situación, tales comentarios espontáneos nos brindaban cierto cómico alivio. No pudimos quebrantarnos ante un comentario tan morboso pero totalmente inocente pronunciado por una pequeña.

Creo que lo que más ayudó a nuestras hijas fue el nacimiento de Genevieve. No reemplazó a Christian -simplemente porque él es irreemplazable en nuestros corazones. Sin embargo, ella nos devolvió toda la alegría de tener un nuevo bebé en la casa. Una de las razones por las cuales deseaba que mis hijas tuviesen otro hermano era porque no quería que la experiencia de haber perdido a su hermanito influyese en su modo de vivir la llegada de un bebé al mundo. Además, deseaba que mis hijas comprendieran que casi todos los bebés viven y se desarrollan normalmente. Me sorprendí al observar el modo en que se adaptaron al monitor respiratorio, y cómo lo consideraron un amigo que podría ayudarnos a detectar cualquier problema que amenazara la vida de la bebé. Intentamos ser directos y sinceros al responder a sus preguntas acerca de si esta bebé podía morir -*"De hecho existe la posibilidad, pero es absolutamente improbable. Además, estamos tomando todas las precauciones necesarias para que no suceda"*. Una vez más, me gustaría decirles que las claves son escuchar, responder de la mejor forma posible, y dejar que los niños expresen su confusión, su frustración y su enojo.

Mensaje del Sr. Rogers
Entrevista con Hedda Sharapan

~Robin Rice

Fred Rogers, quien fuera el afectuoso conductor de "El Vecindario del Sr. Rogers" (*Mister Rogers Neighborhood*) durante muchos años, y su productora asociada Hedda Sharapan, han ayudado a muchos niños a solucionar sus problemas emocionales durante más de veinticinco años.

Entre los temas abordados trataron el de la muerte como uno de los hechos de la vida, en programas de televisión y en conferencias en todo el país.

"Fred cree que todo lo referente al ser humano puede ser mencionado, y todo lo que puede ser mencionado puede ser explicado". Hedda afirma *"Lo anterior se aplica especialmente cuando nos referimos a la muerte".*

Integraron el concepto de la muerte con aquellos elementos esenciales del programa, como la importancia de estimular a los niños a sentirse bien con su persona, a asimilar las conductas necesarias del crecimiento y a valorar y respetar a los demás. Cuando abordaron el tema de la muerte, Fred Rogers realizó un programa especial acerca de la muerte de un pez y un perro que él tenía cuando era pequeño. En un programa más reciente, en la semana titulada "Entonces y Ahora" (*Then & Now*) la historia relata el descubrimiento de un pájaro muerto en el vecindario, y el Sr. Rogers habla acerca de la muerte de su gato (este programa se vuelve a emitir en forma anual). Hedda contribuyó con estos programas en varias conferencias acerca del Síndrome de Muerte Súbita del Lactante; y han resultado de gran utilidad tanto para los niños como para los adultos.

En sus discursos, Hedda enfatiza en los siguientes puntos cuando se dirige a aquellas personas que deben ayudar a un niño en su proceso de duelo:

~ No existen recetas que expliquen qué se debe hacer cuando un niño experimenta la muerte de un ser querido. Sin embargo, la honestidad es esencial y los niños la perciben en forma intuitiva.

~ Con frecuencia las claves que ayudan a los niños nos ayudan a nosotros. Podemos sugerir mencionar el nombre del niño; recordarlo en presencia de otras personas y estar cerca de las personas que amamos.

~ Debemos recordar que cada persona posee sus propios tiempos en lo que se refiere al duelo, y que a veces un integrante de la familia puede estar bien y otro mal. Lo anterior también se aplica a los niños y es normal.

~ Cada niño es diferente, y posee su modo personal de expresar el dolor. Como afirma Rogers con frecuencia -*"Tú eres un ser irrepetible en el mundo".* Resulta difícil cuando el niño posee una forma de expresarse diferente a la de sus padres. Sin embargo, es esencial que exista libertad para vivir el duelo respetando los tiempos de cada niño.

~ Es importante comprender los sentimientos de los niños acerca de un hermano bebé. Los celos constituyen una reacción normal y natural ante la llegada de un nuevo integrante de la familia. Con frecuencia existen sentimientos contradictorios, y pue- den existir momentos en que el hermano incluso pudo desear que su hermanito se marchara. Los padres y los adultos deben comprender que esta situación puede suceder, y que como dice el Sr. Rogers en su canción -*"Los sentimientos malos no pueden hacerse realidad"*. Debe enfatizarse en que pueden existir momentos de enojo aun en familias que se aman.

~ Tenga en cuenta y explique a su hijo que la misma persona que está triste en algún momento es la misma que en otro momento está de mal humor (tema de otra de las brillantes canciones del Sr. Rogers). La tristeza no durará por siempre. Los seres humanos podemos experimentar variados sentimientos, y momentos de tristeza así como de felicidad. No podemos suponer que un niño que está jugando dejó por este hecho de sufrir; ni que la risa pueda estar ausente en el duelo de un niño.

~ Debe explicarse a los niños que, como nos relata el Sr. Rogers en otra de sus canciones *"Existen situaciones que no podemos comprender y nos preguntamos su causa"*. Debemos comprender que no poseemos explicaciones del SMSL, que no podemos comprender el por qué y por lo tanto debemos admitir que hay cosas que no podemos explicar.

~ Puede ser difícil para un niño vcr a uno de sus padres llorar, pero verlos llorar es mejor que observarlos reprimir su dolor.
Una situación terriblemente triste para un niño en la que él no observe lágrimas puede confundirlo. Incluso puede preguntarse si el bebé era amado y si lo extrañan.

~ El Sr Rogers concluye cada programa cantando -*"Es tan hermoso saber que estamos vivos"*. Este tema fue de mucha utilidad en los programas relativos a la muerte. Debe balancearse una conversación triste con algo de esperanza.

~ Todos necesitamos un momento de intimidad luego del fallecimiento de alguien. Los niños deben reaccionar y lograr aceptar la muerte de un bebé del mismo modo que un adulto. Por esa razón, se aconseja que los niños participen del velatorio, ya que dicha situación ayuda a comprender que la muerte realmente ocurrió y a estar con personas que se preocupan por nosotros. Por supuesto que no debe pensarse que los niños deben estar en todo el sepelio, ya que con asistir durante unos momentos es suficiente. Fred Rogers y Hedda diseñaron un excelente libro de actividades para que los niños utilicen durante el sepelio o en su hogar. Se titula... "Mucho en que pensar: Cuando muere alguien que amamos" *(So Much to Think About: When Someone You Care About Has Died)* . Puede pedírselo al organizador del velatorio a través de la "*National Funeral Directors Association*". También puede obtenerse en la productora de Fred Rogers *(Family Communications* Inc.,*4802 Fifth Avenue, Pittsburgh, PA 15213*). Allí también puede obtener un folleto para adultos titulado - "Cómo conversar con los niños pequeños acerca de la muerte" *(Talking With Young Children About Death).*

~ Muchos padres se preguntan qué comportamientos son "normales" para un niño en proceso de duelo. Hedda afirma que si el niño estuviera pasando por un verdadero problema emocional sería evidente y notorio. Los niños nos proporcionan pistas y podemos confiar en nuestro instinto. Asistir a grupos de apoyo a víctimas del SMSL puede ayudar a los padres a conocer cuáles son las reacciones habituales de otros niños. En casi todas las comunidades se puede contactar a un profesional, quien estará dispuesto a satisfacer las necesidades de nuestros hijos.

~ Todos los niños tienen derecho a sentir tristeza, y es natural que sus padres sufran al observar esta situación. Todos deseamos una infancia feliz para nuestros hijos. Una amiga de Hedda le dijo a su hijo -*"tenemos derecho a sentir tristeza el tiempo que sea necesario".*

~ Debemos comprender que para los niños el juego es la forma natural de expresar sus sentimientos. Aunque pueda molestar a los adultos, es natural observar a los niños jugar, incluso puede observárselos jugar a "participar de un sepelio", o subir y bajar las escaleras corriendo y gritando con una muñeca en sus brazos (reacción ante el descubrimiento de un bebé fallecido a causa del SMSL). También pueden jugar durante el velatorio, por ejemplo recostados frente al ataúd para saber qué se siente al estar inmóvil. No es necesario que los adultos analicen dichos juegos, ya que el juego ayuda a los niños a vivir diferentes situaciones y a aceptar con tranquilidad el concepto de la muerte.

~ Como afirma habitualmente el Sr Rogers, debemos ayudar a los niños y hacerles saber que "son una persona especial". Los niños necesitan saber que las personas que aman se preocupan por ellos a pesar de la situación, y esto es realmente lo que hacemos.

Para mi hermanita Stephanie

~Tony Paik, cinco años de edad

Me hizo tan feliz
El día que llegó del hospital
Era tan dulce y hermosa
Siempre la tomaba en mis brazos,
Aunque mamá me decía que yo era demasiado pequeño
Para sostenerla del modo adecuado.
Le hubiera cantado "Itsy Bitsy Araña"
Y ella hubiera sonreído

Recuerdo a mamá decirme
-¡que ella ya no estaba!
Lloré cuando vi su tumba
Quise sacarla de allí
Y tomarla en mis brazos otra vez
Deseaba estar con ella más que nada en el mundo

La extraño
Y me gustaría que ella estuviera en casa otra vez
Nunca la olvidaré
Algún día la volveré a ver
Y hasta ese momento
ella estará siempre en mi corazón.

Nunca pensé que su vida pudiera terminar así
Nunca hubiera imaginado que mi hermanita moriría.

Capítulo 7

Los abuelos y su doble dolor

Un antiguo proverbio sueco afirma -*"El dolor compartido se reduce a la mitad"*. Sin embargo, en el caso de un abuelo que perdió un nieto a causa del Síndrome de Muerte Súbita del Lactante, el dolor se duplica. En primer lugar se sufre la pena de haber perdido un nieto y en segundo lugar se padece al observar al hijo propio –el padre o la madre del bebé- torturado por el dolor.

Una reacción normal de los abuelos es pensar -*"¿Por qué no me llevó a mí?, yo ya soy anciano y he vivido lo suficiente. Era sólo un bebé, recién comenzaba a vivir"*. Este tipo de razonamiento no implica un deseo de morir, sino una forma de tratar de comprender la tragedia. Se suele pensar que Dios se equivocó o que no estaba prestando atención, y este dolor es más intenso en aquellas personas que vislumbran el final de sus vidas.

También puede presentarse la situación de un abuelo que aún no había conocido al nieto, lo cual es muy frecuente es nuestra sociedad moderna. Quizás estaba planificado un viaje durante el verano, pero la muerte se adelantó. Observar al bebé en su ataúd quizás sea la única ocasión del abuelo de conocer a su nieto, una situación especialmente dolorosa.

Otra situación difícil es aquélla de los abuelos que vivían cerca de su nieto y cumplieron un rol muy activo en el cuidado del bebé. Quizás cuidaban al bebé los sábados por la noche o durante todo el fin de semana. Estos abuelos pueden sentir un gran vacío y enfrentar muchos recuerdos cotidianos -*"¡La última vez que estuvo en casa lo bañé en este mismo lugar!"*.

Incluso pueden manifestarse sentimientos como los celos entre los diferentes abuelos, en especial cuando alguno estuvo en un contacto más cercano con el bebé. Es importante que se subsanen tales diferencias o posibles enemistades por el bien de los hijos.

A veces puede suceder que los abuelos intenten enmascarar su dolor ante sus hijos y sus otros nietos. Sin embargo, dicha situación puede causar resentimientos, ya que los padres del bebé pueden llegar a dudar si el abuelo realmente lo amaba. Las relaciones familiares pueden incluso fortalecerse a partir del dolor compartido, y los abuelos tienen todo el derecho de estar afligidos ante el fallecimiento de su nieto a causa del SMSL.

Muchos abuelos intentan aliviar su dolor involucrándose en grupos de trabajo relacionados con el SMSL u otras actividades productivas. Christine Fackler Salemi, quien escribió acerca de su nieto en el presente capítulo, trabajó incansablemente en la obtención de fondos para el presente libro. Asimismo, coordinó un proyecto de fabricación de mantas en beneficio de quienes sufrieron el SMSL. Beverly Powell, quien también sufrió la pérdida de un nieto, presidió la comisión de asesores de *"SIDS Institute"* de la Universidad de Maryland. Ambas están convencidas de que el haber participado en actividades relacionadas con el SMSL ayudó en gran medida en su proceso de duelo.

Tan sólo pérdidas materiales

~Dora Nagy Horchler

Gabriel, mi hijo menor, nació durante los bombardeos de la guerra y cuando tenía tres meses de edad perdimos nuestro hogar. Casi muere de hambre cuando ya no pude alimentarlo mientras huíamos de Hungría en trenes de evacuación durante la Segunda Guerra Mundial. Cuando tenía tres años de edad, fue intervenido quirúrgicamente de apéndice sin anestesia en un hospital de Austria por un médico sin experiencia. Luego sufrió un principio de tuberculosis. Varios años después, mi hijo -ya un joven estadounidense completamente sano- vivió un año de agonía durante la guerra de Vietnam.

Cuando recuerdo el éxodo que padeció nuestra familia desde Hungría a través de fuegos de guerra, no siento remordimientos. Habíamos sido ricos en nuestro país de origen y habíamos perdido nuestro hogar, nuestro dinero, incluso nuestras joyas cuando nuestra maleta cayó del tren en que nos evacuaban. Sin embargo, nuestras pérdidas sólo habían sido materiales. A cambio de todo lo anterior Dios se acercó a nosotros y nos condujo a salvo. Así llegamos seis años después a Filadelfia con nuestros cuatro hijos felices y saludables que aún recordaban su casa al oeste de los Alpes.

Cuarenta años después, el día 10 de mayo de 1991, el teléfono sonó a las cinco de la madrugada. Desperté súbitamente, y en un primer momento pensé que se trataba de una llamada anónima. Sin embargo, también sentí temor, como en la premonición de una catástrofe. Cuando reconocí la voz quebrada de mi hijo menor, supe que había sucedido algo malo.

Me dijo -*"Christian falleció anoche"*

Pregunté -*"¿Muerte en la cuna?"*. Esta temida amenaza inexplicable a la vida de un bebé –acerca de la cual había leído u oído cierta información- había golpeado a amigos y conocidos, pero nunca a nuestra familia. Nunca hasta ese día.

La tarde anterior había pensado mucho en Christian –mi duodécimo nieto, el único hijo varón de mi hijo, el hermanito adorado por sus tres pequeñas hermanas, el hijo varón que mi querida nuera tanto había anhelado. Había visto a Christian al poco tiempo de nacer y luego cuando celebramos Pascuas, en la que sería la primera de muchas futuras visitas.

Era un bebé fuerte y sano al que anhelaba volver a ver, alzar en mis brazos y abrazar. Cuando me acosté a dormir aquella noche, había pensado en la siguiente visita a su hogar, y ahora me despertaba con esta noticia.

Mi hijo apenas podía hablar. Se encontraba física y emocionalmente aturdido por el impacto terrible de la pérdida de su hijo. Me pidió que hablara con sus hermanos y hermanas, y le prometí estar allí lo antes posible. Esperé una hora y llamé a mi hijo mayor y a mi hija menor que viven cerca de mi casa. Luego llamé a mi otro hijo a Maine y no pude contactar a mi hija mayor, quien se encontraba de vacaciones con su esposo. Su suegra me prometió informarle ni bien llegara. Bebe, mi hija menor, pudo faltar ese día a su trabajo y alrededor de las nueve de la mañana partimos hacia Cheverly, Maryland.

Llegamos a un hogar que parecía vacío. Las niñas habían sido llevadas por amables amigos de la familia. Los padres del bebé se movían como fantasmas. Ken, el apuesto y robusto hermano de Joani, se veía exhausto y devastado. Luego comenzaron a llegar amigos y vecinos, los que transmitían sus sinceras condolencias. Nos ayudaron a convencer a Joani y a Gabe de descansar y dormir, ya que necesitarían fuerzas para superar todo lo que deberían afrontar. Ken también necesitaba descansar pero antes de marcharse nos contó lo que había sucedido. Luego escucharíamos el mismo relato una y otra vez, el cual nos mortificaría de dolor pero también nos ayudaría a aliviar la tristeza de la pérdida. Joani con frecuencia nos comentó la irónica situación de que Gabe hubiera sobrevivido a tantas tragedias en su vida y que su robusto y fuerte bebé no pudiera sobrevivir a un simple sueño.

Siguieron días, semanas y meses de tristeza, que se veían intensificados por el hecho de que los meses anteriores habían sido completamente felices. El nacimiento de Christian nos había llenado de alegría y había cumplido con varios sueños y deseos. ¿Sería una advertencia de que una felicidad tan perfecta no podía durar demasiado?, ¿por qué? No podemos responderlo. Tampoco conocemos los designios de Dios y no podemos cuestionarlos. Causa mucho dolor pensar en la felicidad pasada cuando nos golpea una tragedia, pero luego los recuerdos logran aliviarnos.

La pérdida de un hijo, aunque se trate de un niño pequeño, abre una herida que nunca se termina de cerrar. Pensamientos tales como: ¿Cuántos años tendría?, ¿qué estaría haciendo ahora?... nos acompañan durante toda la vida. Sin embargo, al mismo tiempo debemos estar agradecidos por nuestros otros hijos, los que Dios protege y cuyo crecimiento podemos disfrutar. Luego de haber sufrido una pérdida, llegamos a valorarlos más.

Una catástrofe se parece a una tempestad. Causa heridas y daños, pero también renueva el aire y arroja una luz reveladora sobre muchas cosas. El fallecimiento del pequeño Christian puso de manifiesto la bondad de nuestros vecinos, la dedicación sincera de nuestros amigos y los fuertes lazos que unen a nuestra familia. En mi caso, fue muy alentador observar el impulso de mis otros hijos para estar al lado de su hermano y compartir su dolor.

AGAST: Alianza de abuelos

~ Sandra R. Graben

Catherine Ann, nuestra segunda hija, casada hacía seis años, no tenía tanta prisa en tener hijos como yo nietos. Finalmente, ella y su esposo nos anunciaron que estaban esperando un bebé para el día 17 de enero del año 1989. Casi todos los diecisiete se celebraba algún cumpleaños en la familia, y otra circunstancia hacía que nuestra felicidad fuese mayor: éste sería el primer bisnieto de mis padres y nuestro primer nieto, por lo cual reinaba la emoción.

Timothy David Hulme (T.J.) nació como estaba anunciado el día 17 de enero del año 1989 en Phoenix, Arizona. Era un bebé bellísimo y yo prometí verlo al menos una vez por mes, ya que nosotros vivíamos en Texas. El día 29 de julio viajé a Phoenix y jugué con T.J. durante el fin de semana. Tenía un nuevo diente y ya se incorporaba asiéndose del mueble de la TV. Fue difícil para mí marcharme aquel día, pero tenía a un adolescente esperándome en Texas.

Al tiempo que me cambiaba de vestimenta después de llegar a casa, recibí un llamado telefónico que cambiaría mi vida. Catherine tenía en sus brazos a T.J. sin vida. El diagnóstico preliminar indicó Síndrome de Muerte Súbita del Lactante. Pero, T.J. ya tenía seis meses y medio. Recuerdo haber agradecido a Dios cuando pasó el quinto mes. ¿Cómo podía Dios atreverse?, ¿cómo podía morir un bebé tan amado, hermoso y sano?, ¿por qué le había sucedido esto?, ¿por qué a mi familia?

Mi enojo me dio fuerzas ya que debía ponerme en acción. Conocía a dos amigas que hacía veinte años habían perdido un bebé a causa del SMSL. Se trataba de dos bebitas de aproximadamente tres y cuatro meses. Las llamé y me contaron que no habían recibido apoyo ni de familiares, ni de amigos ni de la iglesia. Al menos mis hijos (los padres del bebé) recibieron ayuda en forma inmediata. También podían asesorarse con un grupo a su disposición. Texas también posee grupos de apoyo, pero yo vivo a una hora de distancia de la ciudad. Por lo tanto, mi primera misión fue contactarme con cada médico, clínica y el único hospital en nuestra ciudad que poseía información acerca del SMSL.

Lo que más me enojaba era la falta de conocimiento e información con respecto al SMSL. En Texas me puse en contacto con el departamento de salud del estado y participé en la organización de encuentros de salud. También hablé acerca del SMSL a grupos de ciudadanos. Mi hija, su suegra y yo asistimos a la reunión anual de "*National SIDS Alliance*" que se realizó en Houston ese año.

Cuando Cathy regresó a su hogar, la esperaban amigos y entre ellos el jugador profesional de golf Mark Calcavicchio y su esposa Sheril, quienes ofrecieron recaudar fondos para la causa. En enero del año 1990 se realizó el primer torneo profesional amateur de golf para auspiciar la investigación del SMSL. Se recaudaron cuarenta mil dólares para la fundación "*T.J. Research Fund.*". Ese año Mark ganó el Abierto de Phoenix y organizó el torneo profesional amateur el lunes siguiente. Anunció que deseaba donar a Cathy y a Tim fondos provenientes de sus premios para que pudiesen asistir a la Conferencia Internacional del SMSL que se realizaría en Australia (*International SIDS Conference).*

Durante el año 1992, Cathy, su siguiente hijo nacido el día 11 de septiembre de 1990 (Jasón Lee Hulme), y yo, asistimos a la mayoría de las conferencias nacionales y estatales acerca del SMSL. También asistieron a dichas conferencias otros abuelos, y en el año 1993 se realizó la primera reunión para abuelos víctimas del SMSL. Con posterioridad, varios abuelos de diferentes estados crearon un grupo de apoyo llamado AGAST: "Alianza de Abuelos Contra el SMSL" (*Alliance of Grandparents Against SIDS Tragedy).* La oportunidad de conversar con otros abuelos que habían sufrido la misma pérdida resultaba una catarsis. La angustia de no poder ayudar a un hijo durante el duelo es abrumadora, y conversar con una persona que recorrió el mismo camino ayuda a liberar angustias interiores y a poder expresarse con libertad.

En noviembre de 1994 AGAST fue reconocida como institución (501 c) (3) para recibir donaciones exentas de impuestos. Me convertí en su coordinadora, función que considero resultó muy valiosa. Nuestra lista de contactos alcanza los seiscientos en todo Estados Unidos de América. Casi todos los médicos conocen a AGAST y la recomiendan a abuelos que perdieron un nieto víctima del SMSL o por otras causas.

Existen contactos de AGAST en veintisiete estados y en diez países. Cuatro veces por año AGAST envía un boletín informativo. La institución se mantiene con fondos provenientes de donaciones y subsidios. En ella participan voluntarios que trabajan en coordinación con "*SIDS Alliance*" y sus cincuenta estados miembros.

Cada vez que en mi función de coordinadora de AGAST converso con algún abuelo que sufrió recientemente el SMSL o cuyo dolor volvió a aflorar, confirmo mi compromiso de haber ayudado en alguna medida brindando asesoramiento a padres y abuelos acerca de este mal. Si esta tragedia ocurre en una familia, sabrán a quien recurrir buscando ayuda y apoyo. Es todo lo que puedo hacer por mi nieto, T.J. Hulme (17 de enero de 1989 - 31 de julio de 1989).

El dolor doble de los abuelos

~Beverly Powell

Como madres, siempre queremos proteger a nuestros hijos de cualquier sufrimiento. Cuando fallece un nieto, sentimos un dolor doble por ver a nuestro hijo padecer y por no poder protegerlo. Cuando mi hijo único John y su esposa Alice perdieron a su bebé Christopher debido al Síndrome de Muerte Súbita del Lactante en abril del año 1988, me sentía tan frustrada que apenas podía conversar con ellos para aliviar su dolor.

Como abuelos, en muchos casos incluso llegamos a desear haber muerto en lugar del bebé. Lo primero que dijo mi madre, bisabuela de Christopher, fue -*"Desearía haber muerto yo"*.

El enojo y la frustración son sentimientos penetrantes. Recuerdo dos incidentes que me produjeron gran enojo luego de la muerte de Christopher. Uno fue el caso de un bebé abortado abandonado en un avión y otro fue el caso de un bebé hallado en una bolsa de residuos. Me enfurecía el hecho de que mi nieto, que había sido tan amado, muriera. Por otro lado, estos bebés habían sido maltratados y abandonados hasta morir.

En el pasado había oído acerca del SMSL, pero se trataba de algo que le pasaba a otras personas, no a mis hijos o a mis nietos.

Una pareja de amigos había perdido hacía veinte años a tres de sus cuatro hijos en un accidente automovilístico. A partir de ese momento sintieron que sus vecinos evitaban cruzarlos porque no sabían que decirles, y fueron ellos quienes debieron romper el hielo. Resultaba irónica la situación de que fueran ellos quienes debían hacer sentir mejor a los demás. Siempre pensé que una tragedia semejante nunca me golpearía, pero cuando falleció Christopher, pude decir a mi amiga -*"Ahora sé lo que se siente"*. Me molestaban aquéllos que evitaban el tema de la muerte de mi nieto. Incluso algunos amigos dejaron de mencionar el nombre de Christopher, y yo tuve que aprender a aceptar este hecho.

A veces, de acuerdo con el lugar y la circunstancia, menciono que tengo tres nietos, entre ellos uno que falleció a causa del SMSL. Si no deseo hablar de la muerte de Christopher, sólo digo que tengo dos nietas. Pero por ejemplo, si me encuentro con algún antiguo amigo, aclaro que tengo dos nietas y un nieto que falleció.

He tratado de canalizar el enojo causado por la muerte de Christopher a través de actividades constructivas. Por ejemplo, durante varios años presidí la comisión de asesoramiento de "*SIDS Institute*".

Amo a mis dos nietas que nacieron luego del fallecimiento de Christopher. Kelly tiene cinco años y Shelby dos. La semana pasada Alice las llevó al médico cuatro veces. Sin embargo, trato de no interferir en sus decisiones porque reconozco que no he vivido la pérdida de un hijo y desconozco el tipo de ansiedades que una situación semejante genera. Cuando me dicen que Alice es sobreprotectora, les respondo que no saben lo que es perder un hijo, así como yo tampoco lo sé.

Como es muy poco lo que puedo hacer para proteger a mi hijo y a mi nuera del dolor, intento ser comprensiva y apoyarlos, ya que creo que ese debe ser mi rol.

~

Carta de la abuela Nelson

~Doris Guhin Nelson

Queridos Joani, Gabe, Ilona, Gabrielle y Julianna:

Muy pronto se cumplirá un año del nacimiento de Christian. Deben sentirse orgullosos de haber hecho tan feliz al bebé durante su breve vida. Me siento agradecida por haber disfrutado de Christian durante un mes. Ahora siento que él es un ángel especial, junto con mi hijo, el tío Brad. Estoy segura de que Christian desea que su familia lo recuerde con felicidad. Aunque es difícil aceptar su fallecimiento, siempre lo recordaremos con alegría.

Con amor, abuela Nelson

Dulces recuerdos de Jacob Barlow Kruse

~Christine Fackler Salemi

Recuerdo...
el día que naciste
el primer día en el hogar,
al ayudar a tu mamá y a tu papá,
al observarte dormir,
jugando con tu móvil,
al escuchar tu arrullo y tu canto,
Navidad,
al contemplarte en tu nueva cuna,
a mamá abrigarte con prendas de invierno,
al tiempo que cerrabas tus ojos con demasiada rapidez
cuando mamá te besaba en todo tu rostro,
mientras papá te arrullaba sobre sus rodillas para ayudarte a dormir,
canciones de cuna,
al alzarte en mis brazos,
acariciando tu delicada piel,
observando cómo te parecías a tu papá,
el día de tu Bautismo
cuando mamá y papá te traían a casa.
Estos son los recuerdos que he decidido atesorar
y los que deseo conservar.

Hija, perdóname

~Jean Andre

Desearía que fueras nuevamente la pequeña
que rasgaba su vestimenta
en las barras paralelas o en la escuela
e incluso cierto día astilló uno de sus dientes.
Desearía que fueras otra vez la niña
que lastimaba sus rodillas y que agujereaba sus mallas nuevas,
la niña que cierto día se cayó de una hamaca
y debió recibir seis puntos cerca de un ojo

Podría abrazarte,
y la magia de mis besos
aliviaría el dolor
junto con un médico que también te ayudaría

Pero, ¿qué puedo hacer ahora,
que ya eres una mujer,
que sufre como un adulto?
Sólo puedo observarte inmóvil
y ver tu pálido rostro
cuando observas el hueco en la tierra,
en que será enterrado tu bebé, tu único hijo.

Cierro mis puños al saber
que ya no habrá paz en mí
a causa de una agonía de tanta magnitud
No puedes oír mis susurros:
Sólo oyes el eco de su risa y su llanto.
Por supuesto...
estoy aquí a tu lado.
Aunque sólo puedo fingir ser una abuela
fuerte y sabia cuando en realidad
soy una madre cuyo corazón está doblemente destrozado.

Capítulo 8

Cuando un bebé fallece en manos de la persona contratada para cuidarlo

Las personas dedicadas al cuidado de niños cumplen una función muy importante en su vida y en la vida de sus padres. Es probable que los padres hayan investigado los antecedentes y la personalidad de quien cuidará a su hijo; y que decidan dejarlo a su cuidado sólo si se cumplen los requisitos de seguridad y adecuada alimentación. Sin embargo, todas las personas que perdieron un bebé a causa del SMSL saben que no se puede descartar totalmente su incidencia; y quienes se ocupan del cuidado de un bebé también conocen el desafío que implica un trabajo de tanta responsabilidad por un salario diario. El sentimiento de culpa de los padres cuando su bebé fallece en manos de quien lo cuidaba puede ser abrumador - *"¿Por qué yo no estaba con él?; ¿por qué fui a trabajar ese día?; ¿por qué tenía que dedicarme a mi carrera profesional?; ¿podré perdonar a la persona que cuidaba a mi hijo, aun sin existir algo que perdonar?"* Para quien cuidaba al niño, existen muchas más preguntas y otro tipo de culpa: *"Yo era responsable de la vida de este bebé, ¿soy entonces culpable de su fallecimiento?; ¿habré omitido algo que debería haber detectado?; ¿me culpan los padres?; ¿puedo asistir al funeral?; ¿puedo despedirme del bebé?; ¿perderé mi licencia?; ¿podré cuidar a otros niños en el futuro?"*

La "Asociación de Salud Pública Estadounidense" (*American Public Health Association)* y la "*Academia Americana de Pediatría"* redactaron algunas pautas o recomendaciones para los centros de cuidado infantil. Dichas pautas fueron tituladas "El cuidado de nuestro hijo – Normativas de Seguridad y Salud a Nivel Nacional: Guías de Cuidado Infantil Fuera del Hogar" (*Caring for our Children – National Health and Safety Performance Standards: Guidelines for Out-of-Home Child Care Programs)*. Dichas pautas pueden solicitarse al "*National SIDS & Infant Death Program Support Center*" al teléfono 1-800-638-7437 (www.sids-id-psc.org). Podemos mencionar entre las recomendaciones señaladas:

~ Todos los niños deben dormir boca arriba (posición supina) con el fin de disminuir el riesgo del SMSL, a menos que su pediatra haya recomendado por escrito una posición diferente.

~ Todos los lactantes de menos de doce meses de edad deben dormir boca arriba sobre un colchón firme y ajustado a la cuna.

~ Si se utiliza una sábana, el niño debe estar ubicado de manera que sus pies toquen el extremo de la cuna. La sábana debe ajustarse firmemente a la cuna y cubrir sólo hasta el pecho del bebé.

~ Aquellos niños que giren con facilidad de la posición supina a la posición prona deben ser ubicados en la posición supina y permitírseles que ellos adopten la posición que les resulte más cómoda para dormir.

~ A menos que el pediatra recomiende la utilización de dispositivos que limiten los movimientos del bebé en la cuna, debe evitárselos.

Es muy difícil para muchos padres comprender y aceptar una muerte a causa del SMSL cuando el niño no estaba en su casa o con la persona que lo cuidaba en forma habitual. *"Si yo hubiera estado en casa con el bebé, éste no habría fallecido"*, es un lamento habitual en aquellos padres que asisten a grupos de apoyo.

No son frecuentes las causas judiciales contra personas que cuidaban niños, pero existen casos en que se han producido. En noviembre del año 2002, la Corte Suprema de Connecticut revirtió un veredicto del jurado, ya que consideró en forma unánime que la acusada no era responsable de la muerte súbita de un bebé que dormía boca abajo.

En 1998, Barbara Horne había sido condenada por el jurado a pagar ochocientos mil dólares luego del fallecimiento de Shelby LePage, quien se encontraba a su cargo en su centro de cuidado infantil. Barbara Horne había recibido instrucciones de la madre de la niña de colocarla a dormir sólo en su silla portátil de automóvil o en un moisés portátil. La Corte Suprema concluyó que el jurado carecía de información para decidir si ella había actuado en forma equivocada al ubicarla boca abajo. *"Se plantea el interrogante acerca de si una persona normal debe conocer el peligro potencial de colocar a un niño a dormir boca abajo"*, fue la conclusión del Juez Joette Katz. La Corte Suprema no evaluó si el accionar de la señora Horne causó el fallecimiento de la niña.

Este caso y la decisión de la Corte Suprema transmitieron un mensaje a aquellas personas que se dedican al cuidado infantil acerca de la necesidad de estar informados en lo relativo a la posición para dormir. Estos juicios motivaron a nueve cámaras legislativas –entre ellas Georgia y Wisconsin- a aprobar leyes que recomendaran a las personas dedicadas al cuidado infantil colocar a los niños menores de un año de edad a dormir boca arriba, así como la obligatoriedad de asistir a una capacitación orientada a la disminución del riesgo del Síndrome de Muerte Súbita del Lactante. Alison

Glover, Coordinadora de Capacitación del programa de asesoramiento e información acerca del SMSL *"SIDS/OID Information and Counseling Program"* de Georgia, afirma: *"Los organismos encargados de otorgar las licencias de cuidado infantil deben comprender el impacto del caso de Shelby LePage y cumplir la función de garantizar un ambiente seguro para dormir a los bebés en todas las instituciones de cuidado infantil autorizadas. Espero que en otros estados se realicen juicios similares para beneficio de todos los niños del país".*

Las personas dedicadas al cuidado infantil deben saber qué hacer cuando fallece un niño a causa del SMSL en su institución. El manual del "Especificaciones de Seguridad y Salud Nacional" (*National Health and Safety Performance Standards)* establece que todas las personas dedicadas al cuidado infantil deben:

~ Notificar de inmediato a la emergencia médica;
~ Llamar de inmediato a los padres del niño;
~ Dar conocimiento de la situación al organismo que otorgó la licencia;
~ Proporcionar información adecuada a adultos y niños.

Si bien la información mencionada con anterioridad puede poner un poco inquieta a una persona dedicada al cuidado infantil, Larry Uglow, consejero profesional autorizado del *"Infant Death Center"* de Wisconsin nos tranquiliza con sus palabras. Afirma que quienes se dedican al cuidado infantil se sienten más seguros luego de realizar el curso de capacitación para reducir el riesgo del SMSL, el que actualmente es obligatorio para obtener la licencia. *"Al capacitarse acerca de las medidas de reducción de riesgos se mitigan los temores y se logra cierta seguridad en el cuidado de los niños".* El Sr. Uglow dice -*"Wisconsin ha sido pionera al dictar los requisitos necesarios para la obtención de licencias, y creo en la necesidad de implementación de estos requisitos por parte de otros estados".*

Cuando el Síndrome de Muerte Súbita del Lactante se produce en una institución dedicada al cuidado infantil

~Dra. Rachel Y. Moon

El 20% de las muertes suceden cuando el bebé se encuentra en manos de una persona contratada para cuidarlo (1). De esos lactantes, el 60% fallecen en hogares de cuidado infantil; el 13% en instituciones maternales, el 21% al cuidado de un familiar que no es el padre o la madre y el 6% con una niñera. Los niños que fallecen a causa del SMSL en instituciones maternales suelen ser mayores, generalmente no son de origen Afro-Americano y su nivel cultural es más elevado entre sus padres. Es sorprendente el dato mencionado porque en este grupo el riesgo es considerablemente menor. También debemos señalar que de los niños que fallecen en una institución maternal, un tercio lo hacen durante la primera semana; y de ellos la mitad lo hacen el primer día en que fueron llevados a la institución.

¿Por qué fallecen tantos niños cuando están al cuidado de una persona contratada? Quizás exista un factor intrínseco, que aún no se ha identificado, y que implica una situación de riesgo para los niños. Quizás el cambio de ambiente resulta estresante para el bebé. Sabemos que la posición boca abajo para dormir constituye un factor de riesgo importante y que puede ser evitado. Es frecuente el caso de bebés que fallecen a causa del SMSL en instituciones maternales por haber sido colocados a dormir boca abajo, en especial cuando la posición en que dormían habitualmente era boca arriba o de costado. Se ha demostrado que el hecho de ubicar a un bebé boca abajo cuando suele dormir boca arriba implica una situación de riesgo veinte veces mayor (2).

Entonces, ¿por qué las personas contratadas para cuidar niños los colocan a dormir boca abajo cuando se sabe que esta práctica aumenta el riesgo de sufrir el SMSL? Pueden mencionarse entre los motivos: 1. No son conscientes de que esta posición aumenta el riesgo del SMSL; 2. Creen equivocadamente que la posición boca arriba es peligrosa (piensan que el bebé se puede ahogar si vomita); 3. Fueron los padres quienes le solicitaron colocar al bebé a dormir boca abajo y no quisieron contradecir esta petición (3,4). Es muy probable que las personas que se ocupan del cuidado infantil comiencen a ubicar a los bebés a dormir boca arriba si existe algún tipo de legislación o regulación al respecto. Desafortunadamente, a pesar de la reciente publicación de una normativa a nivel nacional acerca de la posición para dormir a un niño en las instituciones de cuidado infantil (5), muy pocos estados dictaron leyes acerca del sueño seguro (6).

¿Existe alguna esperanza?; ¿deben los padres evitar contratar a una persona para que cuide a su hijo?; ¿debe abandonarse esta práctica? Creo que sí existe una esperanza. La "Campaña bebés boca arriba" (*Back to Sleep Campaign*) ha fomentado la educación de las personas dedicadas al cuidado infantil, y muchos estados han realizado encuentros de capacitación acerca de cómo lograr un ambiente seguro para dormir al bebé. Quizás sea inevitable que se inicien causas judiciales cuando fallece un niño a causa del SMSL al cuidado de otra persona. Muy pocas causas judiciales determinaron la responsabilidad de la persona que cuidaba al bebé. Aunque sé que los litigios judiciales no generan políticas públicas, no puedo negar que estas acciones encienden una enorme publicidad que aconseja evitar la posición boca abajo y los colchones blandos. Este énfasis en el cuidado infantil produce un efecto, ya que muchas personas adoptan actualmente la posición boca arriba. También comenzó a notarse que el índice del SMSL en las instituciones maternales podría estar disminuyendo.

Cuando converso con padres y personas dedicadas al cuidado infantil, enfatizo en la importancia de la comunicación entre ambas partes. He observado a padres conversar de cinco a diez minutos con la persona que cuida a su hijo acerca de una erupción causada por los pañales (qué crema se debe utilizar, con qué frecuencia deben cambiarse los pañales), pero no los he observado conversar ni diez minutos acerca de la posición para dormir. **No se debe suponer que los padres o la persona dedicada al cuidado infantil están informados acerca de la importancia de la posición boca arriba y de un ambiente seguro para dormir al bebé.** Es esencial que los padres conversen con la persona que cuida a su hijo acerca de la posición para dormir. De igual modo, si usted se dedica al cuidado infantil, es muy importante que redacte una normativa por escrito para su institución acerca de un ambiente seguro para dormir a los bebés. Una normativa escrita otorga una oportunidad a los padres y a quienes se dedican al cuidado infantil para conversar acerca de las prácticas seguras a fin de evitar malos entendidos. Además, puede constituir una protección legal para la persona dedicada al cuidado infantil. El "*National SIDS and Infant Death Support Center*" (www.sids-idpsc.org, 1-800-221-7437) puede brindarle información para redactar una normativa escrita acerca del sueño seguro del bebé. Recomendamos que dicha normativa establezca la posición boca arriba para dormir a todos los bebés hasta el año de edad; con la excepción de aquellos niños que presenten una recomendación de su médico por escrito. Esto permitirá a las personas dedicadas al cuidado infantil brindar mayor protección a los niños a su cuidado.

~ Rachel Y. Moon es Directora Médica del "Centro de Salud Infantil; Centro Médico Nacional Infantil" (Children's Health Center, Children National Medical Center), de Washington DC; y Profesora Adjunta de Pediatría de la Facultad de Medicina y Ciencias de la Salud de la Universidad George Washington.

También era nuestro bebé

~Donna Shelton

Siempre se afirma que el Síndrome de Muerte Súbita del Lactante es la pesadilla de todo padre. Sin embargo, se omite mencionar que también es la pesadilla de la persona que cuidaba al bebé. Yo había sido contratada para cuidar a un niño y he vivido esta tragedia.

El pequeño Edward tenía siete semanas de vida cuando sus padres Mark y Nancy me contrataron para cuidarlo. Durante los dos meses que me ocupé de cuidarlo pude observarlo sonreír, reír y jugar. El día fatal ocurrió cuando Edward tenía tres meses y medio de edad.

Había comenzado como un día normal. Se despertó temprano de su sueño matinal, y pasé más tiempo del habitual jugando con él. Aproximadamente a las cuatro y media de la tarde se puso fastidioso y lo recosté en su cuna en mi habitación. A las cinco y cuarto observé que estaba boca abajo. Me acerqué a su cuna para girar su cabeza. No puedo describir mi sensación de horror cuando comprendí que algo terrible había sucedido. A pesar de que no había transcurrido mucho tiempo desde su muerte, sus músculos parecían esponjas huecas que carecían por completo de tono muscular. Cuando lo di vuelta observé que su rostro presentaba un color azul. Mi esposo Bill estaba en casa y llamó inmediatamente al servicio 911. Intentó realizarle reanimación cardio pulmonar pero era demasiado tarde.

Como Mark y Nancy me habían elegido para cuidar y amar a su hijo en los momentos en que ellos no podían hacerlo, no pude evitar sentirme culpable. Este sentimiento era abrumador. Desde el comienzo fueron extremadamente comprensivos, ya que en lugar de culparme me hicieron sentir parte de la familia. Pude despedirme de Edward junto con mi esposo y Mark en forma privada. Nos sentimos aliviados y agradecidos de que nos permitieran compartir con ellos un momento tan trágico en sus vidas. Creo que la razón de su generosidad es que ellos comprendieron que nosotros también amábamos a Edward profundamente y sentíamos su pérdida como si hubiese sido nuestro hijo. Mark, Nancy, mi esposo y yo asistimos juntos a una reunión de un grupo de apoyo para padres. Al poco tiempo, Mark y Nancy se mudaron a otra cuidad y dejaron de asistir a las reuniones por la distancia. Sin embargo, yo asisto regularmente, ya que el grupo de apoyo me ayuda a aliviar mi dolor y sensación de soledad.

El mensaje que podía intuir en cada uno de los integrantes de mi familia era- *"El bebé no era tu hijo, ¿por qué te sientes tan desdichada?"* Las personas que no vivieron una situación así no pueden comprender la devastación que se experimenta al encontrar a un bebé sin vida y al intentar desesperadamente que vuelva a respirar. En mi vida he aprendido que debemos agradecer el hecho de estar vivos. Mi esposo y yo habíamos intentado durante varios años tener un bebé y finalmente adoptamos a un varón a quien amamos como a nuestro propio hijo. Dos años y medio después di a luz a un varón. Me dedico a cuidar niños porque los adoro, especialmente a los bebés. Continúo cuidando niños aún hoy, siete años después del fallecimiento de Edward y a pesar de mis temores, porque necesito hacerlo y ellos me necesitan a mí. Siempre procuro brindarles el mismo amor y los mismos cuidados que les brindarían sus madres.

Continúo dedicando varias horas por mes a trabajos voluntarios en la "Alianza del SMSL de Virginia" (*Virginia SIDS Alliance*), y actualmente soy presidente del "Comité de Servicios Familiares" (*Family Services Committee*), programa en el que procuro incluir en los grupos de apoyo a quienes se dedican al cuidado infantil. Durante varios años, respondí en mi hogar la línea telefónica gratuita del grupo dedicada al SMSL. Con frecuencia esta línea telefónica constituye el primer contacto de un padre o alguien que cuidaba a un niño fallecido a causa del SMSL con otras personas que vivieron la misma situación. Me asombré de que muchas personas, incluso padres, sintieran confusión ante el dolor de una persona que cuidaba a un niño que falleció a causa del SMSL.

Mi consejo para estas personas es que busquen un grupo de apoyo y compartan sus sentimientos. La empatía es uno de los sentimientos más reconfortantes que se pueden experimentar ante el dolor de la pérdida de un ser querido. Nosotros, como responsables del cuidado de un niño, experimentamos los mismos sentimientos de culpa que experimentan los padres al no haber podido evitar que su hijo falleciera a causa del SMSL. Al conversar con otras personas que vivieron la misma situación comprendemos que nuestras acciones no causaron el fallecimiento del bebé.

También recomiendo a los padres que se acerquen a la persona que cuidaba a su hijo cuando falleció, porque sé cuánto necesitaba yo en ese momento que Mark y Nancy me dijeran que no era responsable. Al conversar, llorar y observar juntos fotografías de Edward durante los primeros meses posteriores a su fallecimiento, creamos un vínculo muy fuerte entre nosotros. Aunque actualmente no nos vemos muy seguido, me siento feliz al pensar en los dos hijos que tuvieron luego del fallecimiento de Edward y en la forma en que sus vidas se están reconstruyendo. No me puedo imaginar cómo habría afrontado una situación en la que los padres del bebé me hubieran culpado o no me hubieran hablado; y creo que en esa situación la muerte habría sido aún más dolorosa para todos.

El punto de vista de una madre

~Jennifer McBride

Toda mi vida había deseado ser madre. Cuando cumplí treinta y un años, finalmente lo logré. Había oído acerca del SMSL y de sus factores de riesgo. Muchas amigas, durante sus embarazos, habían ignorado dichos factores de riesgo; pero yo los había respetado ya que no quería que nada pusiera en peligro la vida de mi bebé.

Era un bebé robusto, serio e inteligente, a quien amé desde el mismo momento de su concepción. Luego, el día 9 de diciembre del año 1992, seis semanas después de haberlo traído del hospital a casa, y tres días después de retornar a mi trabajo, mi hijo Maxwell Aronson McBride falleció luego de su sueño matinal en la casa de la persona que yo había contratado para cuidarlo.

No tenía la posibilidad de cuidarlo, ni de que un familiar cercano estuviera con él. Entonces, cuando concluyó mi licencia por maternidad, debí regresar a mi trabajo y contratar a alguien. Consulté a amigos, busqué en periódicos locales y en agencias de cuidado infantil. Entrevisté a varias personas que cuidaban niños en su hogar y verifiqué sus antecedentes en la oficina del estado.

Finalmente encontré a Michelle, quien creí que cuidaría bien a mi hijo. Elaboramos juntas un cronograma para que yo pudiera ver a Max cada mediodía. El lunes regresé a casa para almorzar. Cuando Max se despertó de su sueño matinal, Michelle me llamó y pasé por su casa camino al trabajo. Allí alimenté a Max y conversé con Michelle acerca de cómo había estado el bebé durante la mañana. Me sorprendí cuando me comentó que Max había dormido durante dos horas porque él apenas dormía veinte minutos boca arriba, a menos que yo durmiera con él. Lo que había sucedido era que Michelle había colocado a Max a dormir boca abajo.

Le pregunté si estaba informada acerca de la recomendación de la *"Academia Americana de Pediatría"* de colocar a los bebés a dormir boca arriba o de costado para reducir el índice del SMSL. Ella me respondió que no. Lo conversamos durante unos minutos y finalmente supuse que sus ocho años de experiencia cuidando niños debían tranquilizarme, ya que seguramente ella sabría mucho más que esta madre primeriza. Como mi hijo solía quedarse dormido después de comer, fui yo quien lo recosté –boca arriba– en su corralito. Respiré aliviada cuando concluyó mi primer día de trabajo lejos de Max. El martes fue otro día normal.

El miércoles Michelle me llamó a la hora indicada, pero antes de que yo pudiera responder -*"estoy en camino"*, me informó que no había podido despertarlo y que los paramédicos querían que yo fuera directamente al hospital.

Pensé -*"por favor Dios, no te lleves a mi hijo"*, mientras intentaba ubicar a mi esposo, que estaba almorzando. *"Por favor Dios, no te lleves a mi hijo"*, pensé mientras corría hacia la sala de emergencia. *"Por favor Dios, no te lleves a mi hijo"*, pensé mientras conversaba acerca del seguro médico con el secretario de la sala de emergencia. A pesar de que solicité reiteradas veces información acerca del estado de mi hijo, ellos no estaban en condiciones de brindármela en ese momento. Me condujeron a una sala separada, en la que continué intentando ubicar a mi esposo y a mi familia. Mi esposo Max, Michelle y su padre llegaron al hospital una hora después que yo. Mi esposo se reunió conmigo, y alrededor de las dos de la tarde el pediatra de Max apareció por tercera vez. La primera vez había informado que los médicos de emergencia estaban trabajando para reanimar a Max. La segunda vez informó que no estaba resultando y que pronto abandonarían los intentos de reanimación. La tercera vez todo había terminado.

El pediatra de Max nos aconsejó que viésemos a Max por última vez. Michelle y yo nos observamos llorando al tiempo que yo me dirigía a la sala de emergencias para tomar en mis brazos a Max. Creo que lo abracé, y luego pregunté a Michelle acerca de la posición en la que dormía mi bebé cuando ella lo encontró sin vida. Cuando tuve en mis brazos a Max, durante algunos momento sentí que no se veía como mi hijo, su cuerpo estaba frío y pesado.

Creo que todos padecemos un dolor similar al perder un bebé a causa del SMSL. Pero cuando el bebé fallece al cuidado de otra persona, creo que la sensación de culpa es diferente. Recuerdo cuando inmediatamente después del fallecimiento de Max escuché una conversación telefónica de mi madre en la que le explicaba a la otra persona -*"Jenny entrevistó al menos a siete personas, y ésta era una niñera muy recomendada"*. Cuando atendió la siguiente llamada explicó -*"Jenny entrevistó al menos a doce personas, y ésta era una niñera muy recomendada"*. En realidad no puedo recordar a cuántas personas entrevisté, pero no podía comprender por qué mi madre se sentía en la obligación de mentir para justificarme, ¿por qué debía la gente pensar que la niñera o yo habíamos actuado en forma negligente?, ¿fui negligente?; ¿debí haber insistido en que Max durmiera boca arriba? Debí haber insistido.

Pasé Navidad en casa de mis padres y caminé durante horas recogiendo ramitas y hojas de árboles para confeccionar nidos (se supone que es de buena suerte tener un nido en el hogar). Deseaba regalarlos a aquellas personas que habían sido tan amables conmigo durante mis momentos más difíciles. Cuando regresé a casa, visité a Michelle para regalarle uno de estos nidos. Una parte de mí deseaba acercarse a ella, porque aunque sólo había cuidado a mi bebé durante dos días y medio; era la única persona que lo había cuidado además de mí. Pensé que el hecho de haberlo conocido le haría compartir mi dolor. Sin embargo, se puso muy incómoda al verme. Le conté que había un grupo de apoyo a víctimas del SMSL en nuestra zona pero no se mostró interesada. Tenía planes para salir esa noche, por lo tanto le entregué el nido y me marché. Desde ese día no la he visto nunca más.

Han pasado dos años y medio desde que Max falleció, y han sucedido muchas cosas desde ese día. Trabajo activamente en la "Alianza Contra el SMSL del Norte de Texas" (*North Texas SIDS Alliance*). Al poco tiempo de la muerte de Max quedé embarazada, siempre había deseado tener más hijos. Nada traería a Max nuevamente y nunca más podría tomarlo en mis brazos. Los años pasarían y yo no deseaba esperar demasiado. Considero que era la mejor decisión que podía tomar.

Mi hijo J.B. (Jacob Blading) nació cinco semanas antes de lo esperado -sólo nueve meses después del fallecimiento de su hermano mayor. Cuando nació J.B., el Presidente Bill Clinton firmó una ley relacionada con la atención médica y las licencias familiares, llamada "*Family Medical and Leave Act*", la cual me permitió -gracias a mi trabajo- tomar quince semanas de licencia por maternidad para cuidar al bebé. Yo nunca había comprendido la antigua licencia de seis semanas. ¡Cuando una perra tiene cría no se le quitan los cachorros hasta las ocho semanas! Decidimos que lo mejor en nuestro caso sería utilizar un monitor con J.B. Como la mayoría de los médicos afirman que el SMSL posee varias causas, yo tenía la convicción de que puede reanimarse a un niño antes de fallecer. Por lo tanto, la persona que cuida al niño puede oportunamente realizarle intentos de reanimación. Mi madre y la tía de J.B., Koko, se turnaron para cuidarlo el primer mes que comencé a trabajar. En esa época, mi esposo decidió que la vida familiar no era para él. Entonces debí afrontar uno de los hechos que más me atemorizaban, encontrar a una persona para que cuidara a mi segundo hijo.

Resultó ser más difícil de lo que yo pensaba. En varias ocasiones me habían derivado a la organización para cuidado de niños con necesidades especiales "*Easter Seals Nursery for Special Needs Children*", ya que para muchas personas resultaba muy difícil aceptar a un bebé completamente sano conectado a un monitor. La mayoría de las personas que consulté desconocían por completo el SMSL, y tampoco tenían motivación para investigar acerca de este problema aún. Una de las personas que entrevisté cuidaba a un niño de la misma edad que J.B. -que no estaba conectado a un monitor- y no quiso correr el riesgo de cuidar al mío. Ella no podía aceptar el hecho de que mi hijo corriera mayor riesgo que el otro bebé, y pensaba que debía ser notificada si mi hijo se encontraba en peligro. Para mí fue un momento de gran frustración. De todas maneras, encontré a Noel, quien fue como una enviada de Dios tanto para J.B. como para mí. La vida comenzaba a serenarse.

Luego, el día 14 de diciembre del año 1994 tuve mi segundo encuentro con un caso del SMSL. Otro bebé, Kyle Koen, falleció en casa de Noel durante su sueño matinal. Todo se repetía. Era el tercer día desde que su madre había regresado a trabajar. Pude observar en esta ocasión lo que ambas partes sienten cuando un niño fallece en manos de la persona contratada para cuidarlo. Los padres buscan inmediatamente respuestas -¿por qué falleció mi hijo?; ¿estaba bien cuidado?; seguramente no le prestaba la atención que le hubiera prestado yo; ¿hubiera fallecido si yo hubiera estado con él?
Todas estas preguntas, cuando son dirigidas a la persona que cuidaba al niño cuando falleció, estimulan respuestas de defensa -*"lo controlé cada diez minutos durante su sueño"; "le realicé reanimación cardio pulmonar al tiempo que llamaba al servicio 911"*. Lo que no se puede expresar abiertamente es la enorme sensación de culpa, impotencia y dudas. La misma sensación que sentí yo al acercarme a la niñera fue la que experimentaron Tracy y Karl, los padres de Kyle. En esta ocasión comprendí que los sentimientos que experimenta la niñera son muy diferentes a los de los padres. De hecho, nadie puede sentir lo mismo que un padre, porque inclusive cada padre siente en forma diferente. Noel se sintió realmente devastada y le afectó muchísimo el fallecimiento de Kyle, pero sus recuerdos con el bebé no pueden compararse con los de Tracy y Karl. Ella no planificó su nacimiento y su vida. Kyle no era parte de su vida y de la de su esposo. Ella recibía un pago por cuidar al bebé, y hacía su trabajo en forma admirable. Fue muy importante para Noel continuar con su trabajo el día siguiente, ya que para ella, la vida debía continuar.

Para Tracy y Karl, en cambio, la vida se había detenido, al menos en forma temporaria. Luego la vida comenzaría a fluir pero en una dirección diferente.

Actualmente, luego de dos años y medio, hay ciertas cosas que he aprendido y que me gustaría superar. Un padre que perdió un bebé mientras la niñera lo cuidaba debe finalmente comprender que nada de lo que ella hizo u omitió fue la causa de su fallecimiento. Por supuesto que ella no amaba al bebé del mismo modo que sus padres, y seguramente ellos hubiesen actuado de modo diferente. Pero sus acciones no la hacen responsable de la muerte del bebé cuando la autopsia descarta esta posibilidad. Al comprender y aceptar este hecho, los padres pueden comenzar a liberar sus propios sentimientos de culpa, ya que... *"si ella no es responsable de la muerte del bebé, entonces nosotros no nos equivocamos al haberla contratado".*

Desde que la *"Academia Americana de Pediatría"* auspicia la *"Campaña bebés boca arriba"*, las personas encargadas del cuidado infantil también deben adherir a ella. Debemos aceptar que uno de cada mil niños fallecen a causa del SMSL por año. Como cada vez son más las madres que trabajan, no pasará mucho tiempo hasta que usted se entere de que el hijo de alguien conocido acaba de fallecer a causa del SMSL. Si usted se dedica a cuidar niños, debe protegerse a si misma y a los niños a su cuidado, capacitándose acerca de la forma de reducir el riesgo; y siempre recuerde que los niños que cuida son lo más importante en la vida de muchas personas.

¿Tan sólo la niñera?

~ Donna Allen

Cuidaba a un bebé de dos meses, a sus dos hermanas y a su hermano cuando este bebé falleció.

Lo saqué de su corralito de juego, lo llevé a la cama, intenté realizarle reanimación cardio pulmonar. No tuve éxito y el modo en que exhalaba sonaba terrible; yo no sabía qué hacer.

Gracias a Dios, sus padres no me culparon, y me permitieron acompañarlos durante las semanas posteriores. Les pedí que me permitieran asistir al funeral si no les molestaba. Me respondieron que yo era como una integrante de su familia (aunque no éramos amigos). Durante el funeral, la madre y yo nos despedimos juntas del bebé.

Tomó mi mano y comenzó a llorar nuevamente. Luego nos

abrazamos y lloramos juntas. Algunas personas presentes, a quienes no conocía, se acercaron a mí y me ofrecieron su pésame diciendo que sabían cuánto me amaban estos niños, ¿quién era yo para ellos? Nunca los había visto en mi vida. Aunque yo no era integrante de la familia, me sentía y actualmente me siento muy cercana a ellos. No podía comprender cómo sabían quién era yo.

No hace falta aclarar que la familia me trató maravillosamente, hecho que me ayudó muchísimo. Cuando sucedió esta tragedia, me asombró que la policía y los bomberos me trataran tan bien y con tanto respeto.

Yo era sólo la niñera, y sentía que nadie tenía la obligación de preocuparse por mí. Gracias, amigos, siempre estaré eternamente agradecida.

~ El presente artículo fue impreso con la autorización del Hospital de Niños de Wisconsin.

Capítulo 9

La función de los amigos

Dice el refrán: *"Nunca es largo el camino a casa de un amigo"*. Sin embargo, el camino es increíblemente largo cuando nuestro amigo acaba de perder un bebé. ¿Qué se puede decir?, ¿qué se puede hacer?, ¿existe algo que podamos hacer para modificar aunque sea mínimamente el dolor? Sólo aquellas personas que perdieron un bebé y los amigos que los acompañaron durante los momentos de dolor pueden responder a estas preguntas.

Joani recuerda sus primeras reacciones ante los amigos y vecinos que los visitaron para expresar su tristeza u ofrecer ayuda... *"Me sentía resentida hacia aquellas personas que intentaban ayudarnos. Deseaba que se marcharan, y pensaba -¡Cómo se atreven a acercarse, observar nuestra tragedia como si fuese un drama de Shakespeare y luego regresar a su hogar y a sus preocupaciones triviales como el color de la pintura del baño!; ¡cómo pueden vivir normalmente cuando mi vida es un desastre!"*

Joani luchó contra su deseo de echar a todas estas personas de su lado -*"Me siento bien de no haberme enemistado con ellos ya que tanto amigos como familiares fueron un gran consuelo para toda la familia. Muchos habían sufrido la pérdida de un ser querido en el pasado, y aunque no se tratara de un hijo, podían comprendernos, solidarizarse y ayudarnos".*

Las personas que más nos ayudaron fueron aquéllas que no preguntaron lo que podían hacer y pusieron manos a la obra. Fueron quienes respondieron llamados telefónicos, hicieron las diligencias y nos prepararon la comida. Muchos vecinos de la comunidad de Cheverly, Maryland, se organizaron para traernos cenas nutritivas durante tres semanas luego del fallecimiento de Christian. *"Resultaba casi imposible comer, más aún hubiera sido tener que hacer las compras".* Podemos mencionar otras acciones de amigos que los ayudaron a superar el dolor cotidiano: amigos que llevaron a las niñas a nadar; otros que les prestaron una casa en la playa durante una semana; y otros que les obsequiaron los gastos de una niñera durante un fin de semana para que Gabe y Joani pudieran realizar un viaje en bicicleta por la costa este. Además, la hermana de Joani -residente de Albuquerque- la autorizó a utilizar el número de su tarjeta de crédito para llamarla por teléfono cada vez que necesitara hablar, lo que constituyó una salvación cierto día a las dos a.m.

cuando Joani experimentaba un impulso suicida. La mamá de Joani también la autorizó para que la llamara con cobro revertido cada vez que lo necesitara, además de pagar el asesoramiento de un consejero religioso que ayudó a Joani durante todo el año posterior al fallecimiento de su bebé.

Qué hacer y qué omitir cuando se intenta ayudar a una persona en duel o

~Joani Nelson Horchler

Qué hacer y qué decir

~ Esté presente. Acérquese o llame por teléfono para ofrecer ayuda - *"Estoy preocupado y deseo ayudarlos".*

~ Escuche aunque la conversación gire en torno al bebé y lo haga sentir incómodo. Su comodidad no es lo importante en ese momento. Deje que la persona en duelo sea quien elija el tema de conversación, cualquiera sea éste. Respete esta regla el tiempo que sea necesario aunque el diálogo se torne repetitivo.

~ Recuerde que son las cosas simples y triviales las más importantes.

~ Mencione al bebé por su nombre, ya que aunque le resulte incómodo, la persona en duelo necesita recordar que el bebé realmente existió.

~ Si usted tiene facilidad para la organización, tome la iniciativa. Por ejemplo, puede reunir a un grupo de amigos y familiares que deseen coordinarse para llevar las comidas a la familia durante las semanas posteriores al fallecimiento. Es importante que usted entregue a la familia la lista de personas que colaborarán. Deben tener en cuenta que la familia necesita alimentos nutritivos, no sólo tortas o pasteles.

~ Responda llamadas telefónicas, o pida el directorio telefónico a la familia para avisar a aquellas personas que aún desconozcan lo que sucedió.

~ Ofrézcase para realizar mandados, limpiar la casa, escribir un aviso fúnebre y llamar al periódico para contratar su publicación (puede leerse un ejemplo en la página 166). También puede ofrecerse para todo aquello que los padres se sientan emocionalmente incapaces de afrontar o que no recuerden.

~ Si usted los conoce mucho y sabe que ellos desean un contacto físico, abrácelos, tome su mano, coloque su brazo sobre su hombro. Y si teme que ellos se quiebren en sus brazos, hágalo de todos modos, ya que no hay mejor lugar para expresarse que junto a un amigo. Nuevamente déjese guiar por la persona en duelo, para que se sienta realmente contenida.

~ Busque datos acerca de grupos de apoyo a padres de víctimas del SMSL para entregárselos. Realice fotocopias para todas aquellas personas que los necesiten.

~ Si la madre estaba amamantando al bebé, ofrézcase para comprar lo que ella necesite para aliviar el dolor del destete. Alguien deberá hablar con el obstetra o el ginecólogo para saber qué medicación -o quizás compresas frías- son la mejor opción.

~ Ayude a los padres a organizar el funeral, elegir la casa funeraria, la iglesia, la persona que cantará, el pianista o guitarrista y todo lo necesario.

~ Ayude a elegir un recuerdo del niño. Cuando se haya publicado un aviso fúnebre en el periódico, incluya el lugar en el que pueden enviarse donaciones.

~ Investigue posibles lugares adonde pueda ir la familia con posterioridad al funeral si así lo desean (como casas de amigos, familiares, o quizás algún conocido pueda ofrecerles una casa o cabaña en la playa para pasar unos días o semanas).

~ Si desea llevar un obsequio a la familia (en lugar de flores) puede regalar algún relicario para colocar la fotografía del bebé; una caja especial para guardar los recuerdos del bebé; portarretratos para los hermanos o alguna poesía enmarcada.

~ Ayude a los integrantes de la familia a elegir la ropa adecuada para el funeral. Lynette Charboneau, una amiga abogada, me obsequió un sombrero con un velo negro para cubrir mi rostro.

~ Tenga en cuenta las necesidades de los hermanos del bebé. Un niño pequeño puede sentirse confundido ante las actitudes de sus padres. Un niño de cinco años puede desear jugar a las damas; mientras que un adolescente puede tener las mismas necesidades que sus padres. Recuerde tanto las necesidades prácticas *(¿cuándo fue la última vez que Jason comió?)*, como las necesidades emocionales (*quizás Sarah necesite a alguien que la abrace)*

~ ¡Alimente o saque a pasear al perro! Las personas en duelo a veces olvidan las necesidades de sus mascotas.

~ Si el ataúd permanecerá cerrado durante la ceremonia, quizás los padres deseen colocar fotografías del bebé. Realice un collage de fotografías del bebé -tal vez los padres deseen colaborar y seleccionar las fotografías.

~ Tenga presente que el duelo de un padre seguramente se prolongará más de lo que usted espera. No existe un límite de tiempo y cada padre debe vivir su duelo el tiempo que sea necesario.

Quizás usted deba esperar meses o años para que su amigo pueda comenzar a recuperarse.

~ Recuerde fechas especiales, como el cumpleaños o el aniversario de fallecimiento del bebé. Una llamada, una visita o una tarjeta significan muchísimo para la familia, ya que ellos se preguntan si otras personas recuerdan al bebé

~ Si usted tiene un bebé de la misma edad del bebé que falleció, sea considerado con la persona en duelo. Quizás sus primeras visitas deba realizarlas sin el bebé, y después de algunos meses preguntar como se siente la persona si lo visita con su pequeño

~ Sienta libertad para decir:

-*"Lo siento"*

-*"No puedo siquiera imaginar tu dolor"*

-*"Me entristece que tengan que vivir una experiencia así"*

-*"Supongo que esta situación es extremadamente difícil para ustedes"*

-*"Me gustaría ayudarlos en lo que necesiten, ¿qué puedo hacer?"*

-*"Me gustaría escucharlos y conversar el tiempo que deseen"*

-*"Fueron padres excelentes con el bebé"* (También puede comentar lo maravilloso que era el bebé). Puede decir todo lo que sea verdadero acerca de la forma en que cuidaban al bebé.

Qué omitir hacer o decir

~ No realice visitas muy prolongadas a menos que usted sea un amigo muy cercano o esté haciendo alguna actividad específica.

~ No espere actitudes de cordialidad como ser recibido con una taza de té. Tampoco juzgue a la familia en función de lo que usted considere un duelo digno.

~ No tema mencionar al bebé a los padres. Ellos lo recuerdan todo el tiempo y puede resultar reconfortante para ellos que alguien más lo recuerde.

~ No tema llorar o reír. Ambos comportamientos pueden constituir una iniciativa para que la persona en duelo pueda expresar sus sentimientos.

~ No espere que las personas en duelo sean "fuertes"; ni siquiera lo mencione. Si existe un momento en la vida de una persona en que está permitido ser débil, es después del fallecimiento de un hijo. Los familiares en duelo necesitan expresar su tristeza, y aunque sea difícil presenciar esta situación, ellos necesitan esos momentos para avanzar en su periodo de duelo.

~ Se aconseja a quienes acompañan a familiares en duelo que

tomen la iniciativa. Sin embargo, no empaque ni regale nada relacionado con el bebé a menos que los padres se lo soliciten.

~ Si en un primer intento los padres rechazan su ayuda, no lo tome en forma personal. Quizás los padres del bebé ni siquiera tuvieron intención de rechazarlo; y usted no debe guardar rencor. Es conveniente que en pocos días o semanas vuelva a ofrecer su ayuda.

~ No espere acercarse cuando tenga frases adecuadas a la situación. No existen palabras mágicas en una situación semejante, sólo acérquese y exprese lo que siente, permanezca callado o llore con ellos.

~ Si usted les prestó algún objeto para el bebé, no lo pida a menos que sea absolutamente necesario. Es mejor esperar hasta que sean los padres quienes se lo ofrezcan. Quizás todavía no estén preparados para deshacerse de los recuerdos del bebé, y obligarlos a esta situación puede demandar un gran esfuerzo por parte de ellos.

~ No culpe a nadie por el fallecimiento del bebé -ni a los médicos ni a la niñera. En la mente de una persona en duelo, la sensación de culpa abre un abanico de inseguridades personales. Quizás ellos sean responsables en alguna medida. Por lo tanto, lo que sí necesitan oír es que el único responsable es un asesino misterioso llamado SMSL.

~ No intente imponer su creencia religiosa. No es el momento adecuado para dar sermones o evangelizar. Y por sobre todas las cosas, nunca diga *"Fue el deseo de Dios"* (aunque usted realmente lo crea).

~ No emita comentarios certeros. No existe una forma de definir filosóficamente el fallecimiento de un bebé. Este tipo de comentarios corresponden a una persona ignorante. A continuación exponemos ejemplos que usted debe evitar (aunque pueda resultar obvio, muchos padres que perdieron un hijo se han enfrentado a este tipo de comentarios).

-*"Esta situación lo convertirá en una persona mejor"*
-*"Las aguas serenas no hacen al navegante"*
-*"Lo comprendo"*
-*"No hay mal que por bien no venga"*
-*"Todo saldrá bien"*
-*"Eres joven. Podrás tener otros bebés"*
-*"Por lo menos tienes otros hijos"*
-*"Por suerte el bebé no era más grande. Lo extrañarías más"*
-*"Deberías sentir..."*

-*"Ahora tienes un ángel".*

-*"Ese era su destino".*

-*"Eres afortunado en no haber perdido a toda tu familia"*

-*"Algunas personas sufren más que tú. Sólo observa a todos los niños que mueren de hambre".*

-*"Quizás tu hijo iba a convertirse en un drogadicto en la adolescencia. Es mejor que ambos hayan evitado esa situación"*

-*"Ahora tu bebé está en un lugar mejor".*

-*"Sé exactamente cómo te sientes. Mi perro murió el año pasado"*

-*"Debes olvidar esta situación, dejarla atrás y seguir con tu vida"*

-*"Dios te eligió porque sabe que eres fuerte para afrontarlo"* (¡Entonces, Dios, hazme débil!).

-*"No sé cómo puedes soportarlo. Si mi hijo muriera yo moriría también"*. (Este razonamiento implica que amas a tu hijo más de lo que lo amaba la persona que lo perdió. Además, este tipo de comentario posee una connotación suicida).

-*"Dios debe amarte mucho y por eso te eligió"* (Es el peor comentario que puede oírse).

-*"Nueve meses desperdiciados"* (Segundo peor comentario).

-*"No tendrás que pagar el colegio"* (Tercer peor comentario).

Recuerdo de una amiga de William Kendal Herrera

~Renee Scolaro

En el mes de noviembre del año 1989, estaba almorzando con amigos en el restaurante en el que trabajo, cuando observé que mi amigo y empleador, Bill, salía corriendo del restaurante. Alguien le preguntó adónde iba y él respondió al tiempo que desaparecía -*"Mi bebé está enfermo".* Continuamos almorzando, ya que pensamos que no sucedía nada grave.

Algunas horas más tarde advertí que Bill no había regresado. Luego supe que el hermoso bebé de Bill y Deneena, Kendal, había fallecido esa tarde. Nadie sabía la causa aún.

Entonces recordé cuando sólo algunos días atrás Bill había traído a Kendal al restaurante. Él deseaba realizar algunas tareas administrativas en su oficina y había ubicado a Kendal en una silla junto al escritorio, donde el bebé podría entretenerse con algunos juguetes. Yo había entrado en la oficina para saludar y jugar con Kendal, quien me miraba con sus enormes ojos rodeados de largas pestañas. En ese momento jugaba y reía, fue la última vez que lo vi.

La noche de aquel trágico día asistí a un servicio religioso. Todos cantaban acerca del poder de Dios. Recuerdo que en ese momento pensé: *"Dios, ¿por qué no demuestras tu poder y resucitas a Kendal, como tantos ejemplos hay en la Biblia?"*. Sin embargo yo sabía que mi oración no encontraría respuesta y salí de la iglesia llorando.

Ya han pasado tres años desde el fallecimiento de Kendal. Estoy muy cerca de Bill y Deneena, pero sólo hace algunos meses he conversado con Deneena acerca del bebé. La escuché, formulé algunas preguntas y ambas lloramos.

Bill y Deneena tienen en la actualidad una bebé hermosa de diez meses de edad llamada Devon. Tres o cuatro días por semana me ocupo de cuidarla. Mientras Devon juega y gatea, observo las paredes adornadas con fotografías de su hermano mayor. Nunca lo conocerá, pero muchas personas que amaban a Kendal le hablarán acerca de él.

William Kendal Herrera falleció a causa del Síndrome de Muerte Súbita del Lactante. La noche que falleció fue la primera vez que sus padres oyeron acerca de este asesino misterioso. Le comenté a Deneena que luego de leer artículos y de observar lo que ella y Bill vivieron tengo miedo de tener hijos, pero Deneena me respondió: *"Renee, la vida, a veces implica arriesgarse. No dejes que el miedo te robe la alegría. Los siete meses que pasamos con Kendal fueron los más felices de nuestras vidas"*.

Carta de una amiga

~Cheryl Lambson

Queridos Margaret y Lee:

No es fácil expresar con palabras mi profunda compasión en este momento. Intento desesperadamente comprender por qué suceden estas cosas.

Quiero que sepan que constantemente rezo por ustedes y su familia. Estoy a su disposición si me necesitan.

Aunque Michael sólo vivió algunos meses, intenten recordar los momentos felices que compartieron junto a él. Atesoren estos recuerdos y sepan que durante el tiempo que él vivió fue verdaderamente amado.

Creo que Michael está en un lugar mejor, y que su alma vivirá eternamente. También estoy convencida de que está junto a Dios y de que estará bien.

Amigos, cuídense. Yo estaré a su lado para todo lo que necesiten y para que juntos superemos su pérdida. A pesar de que sólo estuve poco tiempo con él, yo también lo amé.

Su amiga, Cheryl

Sin título

~ Oscar Wilde

Si un amigo brindara un banquete
y no me invitara, no me ofendería.
Sin embargo, si un amigo sufriera y rechazara
mi ayuda, me haría muy infeliz.
Si me cerrara las puertas de su hogar,
yo regresaría una y otra vez hasta que me dejara entrar.

Si él pensara que no soy digno de compartir su dolor, yo
lo sentiría como la peor humillación, sería la peor desgracia que
podría sucederme.
Quien pueda observar la belleza del mundo, compartir
su dolor y comprender la maravilla de ambos, estará
en contacto con lo divino, y más cerca de los secretos de Dios
de lo que puede estar otra persona.

Una carta de consuelo de amigos desde Inglaterra

~ Philip, Diana y Patrick Beddows

Queridos Joani y Gabe:

Nos llenó de aflicción enterarnos de la noticia del fallecimiento de Christian y deseamos enviarles nuestro más sincero pésame y amor, en especial porque siempre los hemos apreciado mucho y los consideramos como integrantes de nuestra familia.

Sabemos que Christian ha comenzado a transitar una nueva vida que será eterna, y le agradecemos a Dios por haberle dado vida para que ahora pueda continuar su camino.

Con mucho amor queremos enviarles nuestros mejores deseos

Philip, Diana y Patrick

Cómo ayudar a una persona en duelo

~ Robin Rice

La primera vez que oí el nombre de Joani Horchler estaba en la cocina de la casa de una amiga en común. Mi amiga preparaba una cena para llevar a la casa de Joani y su familia, quienes estaban aún aturdidos a causa del fallecimiento de su bebé Christian, cuarto hijo de Joani y primer varón en la familia, quien había fallecido mientras dormía.

Aunque no conocía a esta integrante de mi comunidad, me sentí conmovida y permanecí en silencio. Como cualquier persona, quería conocer los detalles –¿cómo había sucedido?; ¿cuándo?; ¿cómo habían reaccionado sus tres hijas?. Yo deseaba desesperadamente comprender un acontecimiento que consideraba imposible. Mi amiga me contó lo que sabía y desde ese día recordé a Joani esporádicamente.

Un año después conocí personalmente a Joani en el parque de nuestra ciudad. Yo había olvidado su nombre pero no su historia. Cuando ella me relató lo que les había ocurrido creí hundirme nuevamente. Pensé -¡entonces ésta es la mujer cuyo corazón fue destrozado! Su historia constituye el horror de lo que puede sucederle a cualquier madre.

¿Por qué me contaba su historia? Porque aún necesitaba hablar, y a alguien que la escuchara. Sí, más de un año después ella aún necesitaba especular acerca de lo que había sucedido y desahogarse en voz alta. Podría afirmar que ella temía que yo la juzgara y parecía que siempre había tenido que justificar sus acciones. Le dije que confiaba en ella y en sus decisiones como madre y que estaba segura de que ella habría hecho todo lo humanamente posible para salvar a su hijo. Joani parecía un alma perdida en el desierto, que sólo podía beber el agua suficiente como para vivir el día siguiente.

Joani me explicó que había compartido su historia conmigo porque sintió que yo no me sentía incómoda al oírla. A diferencia de otras personas con quienes había conversado, yo la había escuchado sin hacer sugerencias acerca de cómo aliviar su dolor; y no había intentado cambiar el tema de conversación. Luego de cuarenta y cinco minutos, la observé angustiada por el sentimiento de culpa de haber monopolizado la conversación y por otro lado aliviada por haber podido contar su historia una vez más.

Desde que nos asociamos para escribir el presente libro (en realidad, "su" libro, el cual constituye una demostración de su amor por Christian), he llegado a conocerla mucho más. Ya han pasado tres años desde el fallecimiento de Christian, Joani ha tenido otra bebé y aún necesita dialogar. A veces conversamos acerca de los sueños que Joani tenía para su bebé y que nunca llegarán a concretarse, y acerca de cuánto piensa en él cada día. También hablamos acerca de que Joani es una buena persona pero que en realidad se "haría mala" por volver a ver a Christian una sola vez. También conversamos acerca de mí.

No soy una psicóloga profesional, pero sí he aprendido algunas cosas que deben tenerse en cuenta cuando apoyamos a un amigo en duelo: 1. Escuche una y otra vez; 2. Es más compasivo mostrarse "desdichado" que "fuerte"; 3. Elimine frases como "debió haber..." (así como "debo..."); 4. Recuerde que no es necesario identificarse con el otro para poder comprender sus sentimientos; y 5. lo más importante, mencione al bebé por su nombre en forma frecuente.

Suele afirmarse que durante un momento de crisis es cuando se conoce a los verdaderos amigos. También puedo afirmar que durante esos momento elegimos a quienes serán nuestros amigos; y que lo que hagamos por un amigo en duelo será ampliamente compensado.

Simplemente di -«lo siento»

~ Gail Fasolo

Tú no sabes cómo me siento –por favor no digas que sí lo sabes.
Sólo existe un modo de saberlo -¿has perdido un hijo alguna vez?
"Tendrás otro hijo" , ¿debo oír esta frase una y otra vez?
¿Tendré también otra madre si la mía fallece?

No afirmes que fue *"el deseo de Dios"* –así no es el Dios que yo conozco.
¿Podría Dios destruir mi corazón en forma intencional y observar mis lágrimas de dolor?
"Tienes un ángel en el cielo –un niño precioso";
Pero dime -¿a quién daré en la Tierra todo mi amor?

"¿No eres una persona mejor?" , ¿acaso oí correctamente?
¡No! Una parte de mi corazón está destrozada – siempre sentiré dolor.
Tú afirmas que el silencio es placentero, pero a mí sólo me produce más desdicha.
Deseo hablar acerca de mi hijo a quien la muerte se llevó.

No me digas lo anterior aunque tus intenciones sean buenas.
No aliviará mi dolor; debo atravesar la oscuridad.
Sanaré lentamente pero seguro –y es bueno tenerte a mi lado,
un simple *"Siento que tu hijo haya muerto"* es todo lo que necesito escuchar.

Capítulo 10

La planificación del funeral y la función de la Iglesia

Luego del fallecimiento de una persona es necesario organizar el servicio religioso, el entierro o la cremación. Quizás muchas personas que leen el presente libro tienen estas tareas por delante, mientras que otros las habrán cumplido ya hace tiempo. Para la mayoría de las personas se trata de un momento de confusión, que debe al mismo tiempo estar acompañado de un sentimiento de paz y consuelo hacia los recuerdos del ser querido.

Desafortunadamente, algunas personas toman ventaja de la confusión de la persona en duelo, quien puede posteriormente llegar a sentirse estafado y molesto. La primera parte del presente capítulo -que incluye dos transcripciones de servicios religiosos ejemplares- puede ayudarnos a comprender cuál es el trato especial que debe recibir quien ha perdido a un ser querido. También puede ayudar a la persona en duelo a aliviar los sentimientos negativos de su propia experiencia. La segunda parte del capítulo presenta dos artículos que ilustran cómo planificar el sepelio de un niño y cómo evitar las potenciales trampas de las casas funerarias.

En cuestión de días u horas la persona en duelo entrará en contacto con un representante de la iglesia. Si la familia aún no se ha puesto en contacto con uno, la persona encargada de organizar el funeral seguramente le sugerirá a alguien registrado en su archivo. Cualquiera sean las circunstancias, el ministro de la iglesia debe acercarse a las personas que perdieron un ser querido, aun si ellas recién comienzan a transitar su camino religioso.

Debemos tener en cuenta que no todos los ministros de la iglesia son idóneos. Según afirma el Reverendo Byron Brought, quien trabajó junto a Amy y Gary Maynard, padres que perdieron un bebé a causa del Síndrome de Muerte Súbita del Lactante -*"Desafortunadamente, en la iglesia existen farsantes así como en cualquier otra profesión"*. No debería suceder, pero en algunos momentos un mal ministro puede empeorar una situación dolorosa. Existen casos en los que el ministro de la iglesia llena de elogios y oraciones a los padres y apenas menciona al bebé fallecido; a veces su plegaria puede ser excesivamente teológica e incomprensible; o a veces un ministro puede excederse en sus expresiones acerca del infierno y la condenación. Cuando suceden este tipo de situaciones, el acontecimiento queda grabado y contamina el recuerdo de la persona en duelo, cuando por el contrario debió haber brindado consuelo y seguridad.

El Reverendo Brought ofrece algunas pautas a seguir cuando sufrimos una tragedia como el Síndrome de Muerte Súbita del Lactante. Es muy importante evitar frases como *"Era el deseo de Dios"*. Prefiere hablar de una tragedia, y explicar que también en la vida suceden acontecimientos desafortunados. *"Sería mucho mejor si todo encajara en un modelo ordenado, en el que sólo las malas personas padecieran acontecimientos desafortunados. Sin embargo, la vida no funciona de esta manera"*. También afirma que cada niño es un regalo de Dios, y que no es de nuestra propiedad -*"Cuando fallece un hijo no desaparece sino que vuelve a Dios"*.

Cuando el Reverendo Brought no conoce a la familia, se comunica con ellos antes de realizar cualquier servicio para conocer detalles acerca del bebé. Aunque las creencias religiosas de la familia no sean muy profundas, él se ocupa de "transmitir las poderosas enseñanzas del evangelio". Como se trata de sus propias creencias religiosas él transmite siempre un mensaje, pero no a modo de sentencia, sino enfatizando en la misericordia y en la gracia de Dios. Además, observa si la familia está llevando a cabo su proceso de duelo en forma adecuada -por ejemplo, si siente "enojo" por la situación pero no en forma destructiva. También los deriva a grupos de apoyo u organizaciones, y a menos que se lo hayan solicitado, no realiza un seguimiento telefónico luego de la realización del servicio religioso de aquellas personas que no conocía con anterioridad.

La celebración cristiana del fallecimiento de Christian

~Padre John J. Hurley Hijo

Llegamos esta mañana preguntándonos. -"¿Por qué sucedió esto?", ¿Por qué permitió Dios que un bebé tan hermoso y dulce como Christian falleciera a causa del Síndrome de Muerte Súbita del Lactante?; ¿por qué permitió Dios que sucediera? No encuentro respuestas. No lo sé, pero como todos ustedes, nos hemos reunido hoy para intentar buscar una explicación.

Podemos vislumbrar el plan de Dios al observar que la vida de Christian fue corta pero llena de significado. Como el salmo que escuchamos hoy, la divina Providencia se desplegó durante casi un año, desde que Christian fue concebido en el seno materno.

Luego, hace dos meses, Christian llegó al mundo. Vivió el fin de la Cuaresma y la celebración de Pascuas, así como el día Jueves de

Ascensión, cuando siguió los pasos de Jesucristo hacia el cielo.

Al comienzo del Libro de los Hechos de los Apóstoles, San Lucas describe la ascensión de Jesucristo. Dos ángeles (uno de los cuales fue precisamente el mismo Gabriel que anunció la venida de Jesucristo, y que paradójicamente es el segundo nombre de Christian) se dirigieron a los discípulos y les dijeron -¿por qué están mirando? Jesucristo, quien ha ascendido al cielo por voluntad de los hombres, volverá del mismo modo que se marchó.

Inmediatamente San Lucas describe la selección de los discípulos que reemplazarán a Judas, cuya festividad se conmemora hoy. Los discípulos no detuvieron su vida porque comprendieron que debían continuar, del mismo modo que la familia de Christian durante los días pasados.

Su pequeña hermana Julianna está feliz porque cree que su hermano está volando en el cielo. Los adultos deberían imitar la fe de los niños, ya que al tiempo que crecemos, esta fe infantil pero profunda comienza a modificarse.

Gabe y Joani se sienten consolados por el hecho de que sus tres hijas (Ilona, Gabrielle y Julianna) amaban al bebé y eran muy buenas con él. Nunca sintieron celos de él y siempre ayudaron a su madre a cuidarlo. Ilona, la hermana mayor de Christian, escribió un bello poema a su hermano para colocarlo dentro de su ataúd. Compartió los bellos papeles carta que su madre le había obsequiado, y le escribió: "Hubiera deseado que no murieras, pero seguramente estás muy bien en el cielo". Agregó -"Estoy segura de que nos ayudarás a entrar en el cielo hablando bien de nosotros". Ella había elegido en una ocasión quedarse con su hermano en lugar de participar de una excursión al campo con sus compañeros de escuela.

Gabrielle también tenía una relación muy especial con Christian. Ellos comparten los mismos nombres en distinto orden. El nombre del bebé era Christian Gabriel y el nombre de su hermana Gabrielle Christine. Siempre fue muy buena con su hermanito, y le obsequió una suave manta para su ataúd. Junto con sus hermanas le obsequiaron un oso de peluche.

Todos los integrantes de la familia planean escribir a Christian todos los días en un diario. Escribirán en el mismo libro que varios de ustedes firmaron hoy, ya que desean que Christian continúe siendo parte de sus vidas cotidianas. Cuentan con él para ser su ángel de la guarda. Así debería ser siempre. Así como Jesucristo, que siempre está a nuestro lado, están aquellas personas que amamos, como Christian. Es parte de la creencia que profesamos en la comunión de los santos.

Joani lo sabe. Ella perdió a un hermano cuando éste tenía veintiocho años, y siempre sintió que el espíritu de Brad la cuidaba desde el cielo. Luego de morir su hermano, Joani sintió temor, hasta que cierta noche el espíritu de Brad se acercó a ella y la tranquilizó. Sé que Christian le concederá a su familia la misma sensación de paz.

La vida de Christian fue corta pero maravillosa. Su padre lo adoraba. Uno de los recuerdos más bellos de Gabe es el día en que llevó a Christian a la Biblioteca del Congreso, su lugar de trabajo, y se lo presentó a sus compañeros vestido con su pequeño esmoquin. Christian también fue muy especial para sus dos abuelas, quienes disfrutaban muchísimo al cuidarlo.

Pero además de su familia, Christian era muy especial para amigos y otros familiares, así como para la parroquia. Es una pena que no todas las personas asistan a la iglesia con la regularidad que Christian lo hacía, siempre sentados en el mismo lugar, aunque llegaran un poco tarde. Muchas personas querrían imitar su vida. El poeta británico Cecil Alexander escribió: "Los niños cristianos deben ser dulces, obedientes y buenos como lo fue Él". Christian era así, ya que seguía el ejemplo de Jesucristo.

Por eso estamos aquí reunidos, para rendir homenaje a una persona muy especial, cuya vida fue corta pero llena de significado. Muchas personas aquí presentes tienen pensamientos desagradables, pero debemos recordar que Jesucristo está con nosotros; que Dios nos ama y es piadoso; y que Él mismo sufrió y conoce el dolor.

Dios nos ama y está con nosotros hoy. Encontraremos la paz verdadera cuando lleguemos al cielo, como Christian, quien seguramente ya la encontró. Incluso en la Tierra podemos recibir algo de la paz del Señor en los momentos de sufrimiento. Dios nos ama y nos acompaña hoy en nuestro dolor.

William David Waugh

~ Fern Stanley

Nos hemos reunido hoy para sepultar el cuerpo de William David Waugh, quien nació el día 20 de enero del año 1992 y falleció el día 31 de agosto del mismo año. Como escribiera una vez Sean O'Casey: "Sólo algunos momentos en el jardín de la vida, volando junto a las prímulas, y luego la noche en que lo perdimos".

La tristeza y el dolor que sienten aquellas personas que pudieron conocer a William, como lo llamaban algunos de sus amigos más pequeños, es inmensa e inevitable.

Se afirma que sólo los seres humanos poseen sentimientos y pueden sufrir, que somos las únicas criaturas sobre la tierra capaces de amar profundamente, y que ese amor se manifiesta en un dolor intenso cuando perdemos a una persona amada. La única forma de evitar el dolor sería dejar de amar, pero el amor es lo que hace que nuestra vida tenga sentido.

Sin importar la circunstancia que nos toque vivir, nunca estaremos preparados para la muerte. La muerte nos produce conmoción. Pero ante un caso como éste, en el que la vida de alguien tan pequeño se desvanece en forma tan súbita, la conmoción y el dolor que la acompañan parecen insuperables. En medio de esta angustia, nos preguntamos inevitablemente, ¿por qué?; ¿por qué falleció?; ¿por qué ahora? Aunque no existen respuestas que puedan consolarnos, ni respuestas que puedan reparar una pérdida semejante.

Sólo podemos responder a esas preguntas con nuestro dolor, con una mezcla de tristeza, enojo, negación y sensación de pérdida. Sólo un corazón preparado puede vivir una situación semejante y evitar los sentimientos de amargura. Con el tiempo, se recupera la paz, la quietud y la calma.

Siempre aconsejé a las personas que perdieron a un ser querido vivir su duelo con todo el dolor que implica, pero también conmemorar la vida de la persona. En un primer momento pensé que esto no sería posible en el caso de William, debido a la fugacidad de su vida. Como si la fortaleza de un árbol que vive cien años pudiese opacar la vida de una bella y frágil flor que sólo perdura un día.

Estaba equivocado, y lo comprendí al conversar con Steve y Shawna, ya que la vida de este pequeño a quien tuvieron el privilegio de cuidar durante tres meses había modelado sus propias vidas. Aprendieron a valorar sus prioridades teniendo en cuenta las necesidades del nuevo integrante de la familia. Soñaron acerca del futuro de William, de su crecimiento y de la cálida familia que estaban construyendo. Aunque el dolor nunca cesará totalmente, su aspereza se suavizará con el paso del tiempo, y los momentos de alegría que compartieron con él perdurarán eternamente. Él cambió sus vidas totalmente, desde noches sin dormir hasta momentos de estrés. Durante la recuperación de Shawna de la cirugía, Steve compartió muchas labores de cuidado del bebé que muchos padres nunca llegan a experimentar.

Este bebé era su adoración –amigable, juguetón, sonriente, feliz al estar con otras personas. Un abrazo y una sonrisa de William daban sentido a la vida, sin importar qué estuviera sucediendo.

Habían planificado enseñarle muchas cosas, pero descubrie-

ron que él también les enseñaba otras. Una de las lecciones más importantes que William les enseñó fue a vivir el presente. William lloraba cada vez que sentía hambre o dolor, pero ni bien eran satisfechas sus necesidades él continuaba como si nada hubiera sucedido, nunca miraba hacía atrás, vivía el presente.

Esta enseñanza será difícil de poner en práctica ante una situación como su pérdida, no sólo para Steve y Shawna, sino para todos aquéllos que amaron a William. Él era nieto, sobrino, amigo e hijo, y quizás una forma de vivir el momento sea recordarlo, y sentir con todo el dolor posible su pérdida. Lo anterior constituye una etapa del proceso de duelo, en el que no pueden faltar las lágrimas, el dolor y la tristeza, además de un diálogo que nos recuerde los momentos bellos.

El anuncio del nacimiento de William, publicado en enero, incluyó esta "Oda a Bebé Waugh" escrita por Steve y Shawna. Ellos desean que sea leída durante este servicio religioso:

La felicidad es amar
y compartir las alegrías cotidianas,
con esa intimidad tan especial que existe
entre un padre y su bebé.
Aprendiendo mutuamente-
te mimaremos,
te cuidaremos mientras descubres
el mundo y lo compartiremos contigo.
La felicidad es amar
y compartir las alegrías cotidianas,
con esa intimidad tan especial que existe
entre una madre y su bebé.
Steve y yo somos amantes,
también amigos y compañeros,
y cada día más;
porque la alegría para nosotros consiste en
los momentos especiales que vivimos contigo.

Permanezcamos en silencio un momento para recordar con dulzura al pequeño William David Waugh.

PLEGARIA: Espíritu de la Vida, Fuente del Amor, eternamente presente mientras nuestras vidas pasan con fugacidad; nos hemos reunido hoy para recordar y conmemorar a este niño tan amado.

Lloramos su pérdida y también conmemoramos su vida. Expresamos dolor pero a la vez afirmamos el poder del amor. Aún en medio del dolor, permítenos saber que la paz retornará a nosotros y a nuestro corazón, y que recibiremos la bendición de la paz, la paz que supera todo tipo de comprensión, esa paz que el mundo no nos puede otorgar ni quitar.

Que la paz esté con nosotros.

Experiencia personal con el Sindrome de Muerte Súbita del Lactante de una organizadora de funerales

~ Sondra L. Held, MSW

Como organizadora de funerales en *"A.W. Bennett Funeral Home"* de Richmond, Virginia, trabajo a diario con familiares que luchan ante la pérdida de un ser querido. Mi profesión es cada vez más frecuente porque la sociedad en general y la industria funeraria en particular comprenden que las personas en duelo deben superar la pérdida del ser amado y continuar con sus vidas.

Desafortunadamente, mi propia experiencia personal me enseñó acerca de la importancia de mi profesión. Nuestro hijo Douglas E. Held, de veintiún años de edad, era cabo en la Marina de los Estados Unidos de América y se encontraba junto a una fuerza de paz en Beirut, Líbano. Falleció un fatídico domingo cuando un musulmán Shiita detonó un camión lleno de explosivos frente al edificio en el que se alojaban mi hijo y otros Marines. Douglas iba a regresar a casa en tan sólo tres días. Su esposa, quien se encontraba embarazada cuando él falleció, dio a luz a un robusto bebé cuatro meses después. Este hermoso bebé -mi nieto- falleció a causa del Síndrome de Muerte Súbita del Lactante cuando tenía quince semanas.

Puedo afirmar que estuve allí. Viví la típica experiencia de sentirme anormal; de preguntarme qué sucedía conmigo; de sentirme fuera de control; de sentir que no podría afrontar la vida cotidiana; de conservar las relaciones con otras personas. Me formulé la misma pregunta que la mayoría de las personas en duelo suelen formular, ¿por qué?; ¿por qué le pasó esto a mi hijo?, ¿por qué le pasó esto a mi nieto? Sentía que debía haber hecho algo terrible para merecer que la ira de Dios se llevara a uno de mis hijos. Mis conversaciones con Dios no llegaban a ninguna parte porque yo sentía que sus designios no correspondían a mis deseos. Grité, insulté y comprendí que Dios sabe perdonar.

En un primer momento, la conmoción nos impulsa a cumplir con el funeral. Ese es el momento en el que las casas funerarias deben ayudar a los padres brindándoles sugerencias para que una tragedia casi insostenible sea más sencilla y significativa. En Bennett sugerimos a los padres que coloquen una cadena con medio corazón al bebé para que la otra mitad sea usada por uno de los padres. Si poseen creencias religiosas, quizás deseen comprar pares de estrellas de David o de cruces (las cuales pueden adquirirse en joyerías, ya que no sería conveniente que las vendiera la casa funeraria). Si alguno de los padres desea vestir al bebé, le permitimos hacerlo. También pueden escribir poemas o hacer un dibujo, así como elegir un juguete favorito para ubicar dentro del ataúd. Las casas funerarias deben proporcionar sillas mecedoras para el caso de que los padres deseen tomar al bebé en sus brazos y mecerlo. En uno de los servicios que realizamos, la madre no quería ver a su hija en el ataúd, entonces le sugerimos que colocara a la bebé en su propio carrito durante el servicio y el velatorio. También se puede utilizar un moisés o una cuna.

La casa funeraria también puede ayudar en el proceso de duelo. En Bennett, realizamos un servicio recordatorio cada temporada al que asisten un sacerdote y un rabino. En esa ocasión colgamos de un árbol adornos de bronce para cada bebé fallecido (con forma de ángel). Luego realizamos una recepción de camaradería.

Durante los aniversarios -día particularmente difícil- a veces es bueno hacer algo por otra persona. El primer aniversario de fallecimiento de mi hijo, organicé la fiesta de retiro de una amiga. Estuve tan ocupada en la organización que el día fue más tolerable para mí. El día en que su hijo debería cumplir años quizás desee organizar una fiesta para niños necesitados y traer un payaso. Quizás desee donar objetos para personas discapacitadas o comprar obsequios en nombre de su bebé. Encender velas en el hogar es una forma de recordar al bebé.

Quizás desee reunirse con otras personas que también perdieron un hijo. El grupo "Amigos Solidarios" (*Compassionate Friends*) de Oakbrook, Illinois, con sedes en todo el país, es maravilloso. Muchas ciudades poseen grupos pertenecientes a esta organización, que ofrecen asistencia a padres cuyos hijos fallecieron a causa del SMSL. La casa funeraria debe tener a su disposición un asesor con quien usted pueda reunirse. No es un camino que debamos recorrer en soledad, y cuando nos suceden hechos desafortunados, a veces una llamada telefónica puede ayudarnos. Por favor aproveche todo lo que esté a su alcance y que Dios lo bendiga.

~ Sondra Held colabora en el grupo de apoyo a víctimas del SMSL del área de Richmond y en la sede de "Amigos Solidarios" (Compassionate Friends) de Mechanicsville, Virginia.

Planificación de un funeral especial

~Joani Nelson Horchler

Al recordar el pasado, muchos de quienes pasamos por esas primeras semanas de desesperación nos preguntamos cómo pudimos afrontar un funeral. Éramos como espíritus caminando entre las sombras de lo que alguna vez habíamos sido. Era casi imposible decidir qué vestir o comer, menos aun cómo organizar un funeral especial.

Por esa razón es muy importante que las personas encargadas de la organización de un funeral puedan entregarnos algún folleto de ayuda. Cuando planificamos el funeral de nuestro hijo, hubiera deseado que me entregaran un folleto explicativo que nos informara acerca de lo que debíamos tener en cuenta en la planificación del funeral de un hijo (1). Este folleto existe y fue confeccionado por "*SIDS Foundation*" de Washington. Ofrece muchas sugerencias para la planificación del funeral de un niño (para mayor información acerca de cómo obtener copias, lea la sección bibliográfica).

Cuando mi esposo y yo concurrimos por primera vez a la casa funeraria para elegir un ataúd de niño, nos conmocionó el hecho de que sólo tuvieran dos a disposición, ambos de fibra de vidrio. Gabe se sintió muy desdichado al no tener tiempo suficiente para construir él mismo un ataúd de madera para Christian. De hecho, algunas familias fabrican sus propios ataúdes. Jennifer Wilkinson nos relató cómo un amigo carpintero diseñó un ataúd, el que construyó junto con el padrino de su hija.

Fuimos nosotros quienes colocamos en forma instintiva en el ataúd cartas a nuestro bebé y otros recuerdos, como un rosario, libros y juguetes especiales. Nadie nos había sugerido hacerlo. También fuimos nosotros quienes transportamos el ataúd en nuestra camioneta (en lugar de hacerlo el coche fúnebre). No recibimos ningún tipo de información de la casa funeraria para que el funeral de nuestro hijo fuese más especial. De hecho, ni siquiera nos ofrecieron la ayuda más simple, como la redacción de un aviso fúnebre para el periódico. Tampoco nos proporcionaron información acerca del Síndrome de Muerte Súbita del Lactante, aunque les expresamos nuestra confusión al respecto (cuando regresamos más tarde para ver el cuerpo de nuestro bebé, encontramos folletos en el vestíbulo).

A continuación menciono sólo algunas de las sugerencias del folleto de "*SIDS Foundation*":

~ Bañar y vestir al bebé y luego envolverlo en una sábana blanca

~ Recuerde que aunque haya manifestado su voluntad de no ver a su hijo puede cambiar de idea incluso en el momento del entierro.
~ Puede utilizar globos, animales de peluche en lugar de flores para colocar alrededor del ataúd.
~ Alguna persona que sus otros hijos conozcan y con quien se sientan a gusto debe estar a su disposición en caso de que necesiten algo.
~ Solicite un mechón de cabello del bebé.
~ Considere como opción la cremación.

Muchos padres entrevistados para el presente libro manifestaron que en la actualidad se sienten conformes de haber decidido cremar a sus hijos ya que esto les brinda la posibilidad de tener sus cenizas en casa. Bernadette Sanders-Dzidzienyo, cuyo hijo falleció en la Navidad del año 1993, expresó -*"No deseaba colocar a mi hijo Cameron en la fría tierra rodeado por extraños. Me siento feliz al tener su urna en casa y poder sentarme junto a ella y tocarla cuando lo necesito".*

Quizás también desee tomar fotografías del bebé en el hospital o en su ataúd. No se trata de un deseo extraño ni morboso. Muchos padres manifestaron que tomaron fotografías de sus bebés luego del fallecimiento porque tenían muy pocas fotografías de sus bebés con vida.

Oración de alabanza para Margaret Hood Schuth: Un regalo de su madre

~ Kee Schuth Marshall

No sé cómo haré para cumplir, pero deseo que el servicio de Margaret sea lo más personal posible.

Quizás como estamos tan cerca de Navidad, he pensado tanto en Margaret y en el niño Jesús. Una de mis historias favoritas de Navidad es "Amahl y los Visitantes de la Noche" *(Amahl and the Night Visitors)* (2), una opereta de Gian-Carlo Menotti. Se trata de una historia maravillosa con muy bella letra y música.

Mi canción favorita es la que relata el viaje de los tres reyes magos, cuando se detienen a pasar la noche en casa de una viuda. Su hijo inválido había salido de la casa y la mujer permanece dialogando con los tres reyes. Ella observa los obsequios y el oro y pregunta acerca de ellos.

Los reyes le responden que los obsequios son para "el niño".

MADRE *¿El niño?, ¿qué niño?*
Quizás lo conozco
¿Cómo es él?

LOS REYES *No lo sabemos, pero la estrella*
nos guiará hacia Él.

¿Has visto a un Niño del color del trigo,
del color del amanecer?
Sus ojos son dulces
Sus manos son las manos de un Rey porque
Él es un Rey.

El Niño que buscamos sostiene al mar
y al viento en la palma de su mano.

El Niño que buscamos tiene a la luna
y a las estrellas a sus pies.

Ante Él el águila es gentil,
y el león es manso.

Coros de ángeles vuelan sobre su techo
Y le cantan para que duerma.
Es acariciado por un hálito
Y es alimentado por una Madre que es Virgen y
Reina a la vez.

Durante la canción la Madre afirma que conoce a ese niño:

MADRE *El niño que yo conozco tiene mi corazón en la*
palma de su mano.
El niño que yo conozco tiene mi vida a sus pies.
Es mi niño, mi hijo, mi querido hijo.

Uno de mis recuerdos más amados es la noche anterior al fallecimiento de Margaret. Le estaba dando un biberón cuando noté que me observaba. Entonces la miré, dejó de beber cuando notó que la observaba y me sonrió en forma radiante. Me hizo sonreír, y mi sonrisa hizo que ella sonriera aun más. Nos mirábamos y sonreíamos jugando. Ese es uno de los recuerdos más amados que tengo de ella.

Finalmente, me gustaría agregar que Sam adoraba a Margaret y siempre la abrazaba y la besaba. Él no puede comprender el sentido de la muerte -él habla acerca de ella como si ella aún estuviera con nosotros. Y en realidad tiene razón. Siempre conservaremos su amor y sus recuerdos, los cuales no cambiaremos por nada. Su corta vida no fue en vano -ella llegó a nosotros y creemos que ahora somos mejores personas gracias a eso. Ahora ella ha regresado junto a Dios.

Y como afirmó Sam -*"Margaret no tiene miedo. Dios la cuidará"*. Dios realmente la cuidará.

Aviso fúnebre para Christian Horchler

~Josette Shiner

Christian Gabriel Horchler, de dos meses de edad, falleció el día 9 de mayo a causa del Síndrome de Muerte Súbita del Lactante en su hogar de Cleverly. Su corta vida estuvo marcada por la felicidad que él brindó a todos los integrantes de su familia.

Christian nació el día 8 de marzo. Hijo de Gabriel Francis Horchler, gerente de la Biblioteca del Congreso, y de Joani Nelson Horchler, escritora independiente y editora, colaboradora de la publicación *"Industry Week"*. *"Él constituyó un regalo del cielo y siempre estará con nosotros en espíritu. Sus hermanas y yo le escribiremos cartas a diario"*, afirmó su madre ayer.

Además de sus padres, también extrañan a Christian sus tres hermanas, Ilona, Gabrielle y Julianna; su abuela paterna Dora Nagy Horchler de Filadelfia y su abuela materna Doris Guhin Nelson de Aberdeen, Dakota del Sur.

Se realizará el servicio religioso hoy a las nueve de la mañana en la Iglesia San Ambrose de Cheverly. El entierro se realizará posteriormente en Filadelfia.

La familia sugiere que las expresiones de condolencia se realicen en forma de contribuciones al programa *"SIDS Information and Counseling Program"* de Baltimore o al programa *"Roger Heights Elementary School French Immersion Program"* de Bladensburg.

~Josette Shiner es la ex editora del "Washington Times" y amiga de la familia Horchler. Su aviso fúnebre constituye un modelo de pautas a seguir cuando se desea redactar uno.

Cómo elegir la casa funeraria

~ Ray Visotski

Nota: El presente artículo ha sido dedicado a la memoria de Matthew A. VanBeck, quien falleció a causa del Síndrome de Muerte Súbita del Lactante en el año 1976. Todd W. VanBeck, colega, maestro, y amigo, ha sido mi influencia principal en lo que implica ser un buen organizador de funerales.

Los padres pueden estar preparados para muchos acontecimientos de la vida, pero me atrevería a afirmar que ningún padre está preparado para perder un bebé a causa del Síndrome de Muerte Súbita del Lactante. Durante mi vida he escuchado muchos consejos, pero nunca oí que una madre preguntara a su hija embarazada qué casa funeraria contrataría en caso de fallecer su bebé.

Entonces, ¿cómo se elige una casa funeraria?, ¿qué opciones existen?, y ¿qué podemos hacer si advertimos que elegimos la casa funeraria equivocada?

En la actualidad, muchos jóvenes viven lejos de su hogar paterno, y este hecho complica la situación porque es más difícil para los abuelos llegar con prontitud para brindarles su apoyo. Con frecuencia, la familia desconoce a las casas funerarias del lugar y se ve obligada a elegir entre una variedad de opciones desconocidas.

Es importante saber que un organizador de funerales no está ansioso de atender el caso de una familia cuyo bebé falleció a causa del SMSL. Preferiríamos que todos los bebés llegaran a crecer hasta una edad madura y fallecer cuando se supone que deben hacerlo todas las personas. El fallecimiento de un bebé es uno de los acontecimientos más desdichados que debemos afrontar, y aunque no existe comparación con el sufrimiento de un padre, tenga en cuenta que muchos de nosotros hemos llorado mucho luego de haber realizado el servicio de un bebé o un niño fallecido. Sin embargo, cuando se presenta un caso así, debemos implementar todas las estrategias a nuestro alcance para ayudar a la familia en un acontecimiento tan desdichado. Para la mayoría de los organizadores de funerales, constituye una experiencia desafortunada, porque cuando fallece un bebé, para nosotros no es un día normal.

Así como en otras circunstancias, pueden notarse diferencias en la organización, los costos y los sentimientos de las personas. Hasta la década del 80´ los organizadores de funerales y las personas en general opinaban que era mejor si el funeral de un bebé era "breve y sencillo". Hemos llegado a comprender que dicha estrategia, aunque puede tener buenas intenciones, produce resultados negativos. En general a las familias no se les permitía ver al bebé y existían pocas opciones a su alcance. En la mayoría de los casos se realizaba la cremación en forma inmediata o el entierro para el que se utilizaba un pequeño ataúd que se asemejaba a un cofre de hielo. Luego de haber conocido a cientos de padres cuyos hijos habían fallecido a causa del SMSL u otras causas, sé que las familias guardan muchos recuerdos amargos cuando no se les da la oportunidad de elegir entre diferentes opciones.

En general el servicio ha mejorado. Sin embargo, continúan existiendo algunos lugares donde se ofrece un servicio "a la antigua". Cuando se realiza la primera llamada a la casa funeraria, el tono de la conversación debe actuar como parámetro de todas las actividades subsiguientes. El organizador del funeral debe ser cálido y amable, y no exageradamente sentimental; debe formular determinadas preguntas para interiorizarse de la situación, sin ser entrometido o insistente; debe sugerir que sean los padres quienes participen en la planificación del funeral, y no dejarlo en manos de un familiar bien intencionado pero quizás desorientado. La primera impresión es muy importante, y usted debe sentirse cómodo desde la primera conversación telefónica, ya que junto con esa persona va a transitar un camino desdichado. La función del organizador del funeral es guiar y apoyar a la familia, y esta función requiere de muchas preguntas y persistencia, ya que es muy común que los padres o familiares olviden determinados aspectos. El sello de nuestra empresa es la expresión -*"No se preocupe acerca de eso, nosotros lo resolveremos".*

Debe tener en cuenta que existen muchas opciones para conmemorar a su bebé y despedirse de él, y recuerde que existen pocos límites. Seguramente las costumbres del lugar influyen. Sin embargo, no tema preguntar o sugerir al organizador del funeral cuando crea que algo lo ayudará a despedirse de su hijo. El organizador del funeral le proporcionará muchísimas sugerencias y le explicará los beneficios de cada una de ellas.

Es frecuente que los padres ayuden a vestir al bebé (la autopsia lo complica, pero no es imposible). Muchas casas funerarias ofrecen una silla mecedora para los padres, especialmente para las madres, para acunar al bebé o tenerlo en sus brazos. A veces también la utilizan otros integrantes de la familia. Incluso conocí el caso de unos padres que trajeron el mobiliario de la habitación del bebé para utilizarlo en la sala de la casa funeraria. Recuerde que si desea hacerlo lo deben apoyar en su decisión.

Los costos varían, pero el funeral de un bebé generalmente implica pérdidas para la casa funeraria. La mayoría de los padres son jóvenes y recién están iniciando su vida familiar, y por lo tanto no cuentan con seguro o recursos financieros suficientes. Aunque el funeral de un niño es mucho más intenso que el funeral de un adulto, la mayoría de las casas funerarias cobran menos de lo estipulado. La mayoría de las empresas que conozco cobran el ataúd y la bóveda, en caso de ser utilizada. El costo de los servicios profesionales, las instalaciones y los transportes en automóvil es donado por la casa funeraria. Los gastos que se pagan por adelantado, como los avisos publicados en un periódico, las copias de los certificados de fallecimiento, los gastos del cementerio o del crematorio, las flores y los honorarios de la iglesia son facturados a la casa funeraria.

Si la casa funeraria no satisface sus expectativas, debe manifestar su disconformidad cuanto antes para que modifiquen todo lo que a usted no le agrade. Si no obtiene respuesta, puede solicitar un cambio de casa funeraria. Se trata de un momento de gran importancia en su vida, y usted merece ser apoyado de la mejor forma posible.

El fallecimiento de un bebé a causa del SMSL o de un niño por cualquier otra causa es uno de los acontecimientos más traumáticos para una familia. La elección de la casa funeraria adecuada tendrá un importante impacto en el modo en que la familia recuerde la forma en que se despidieron del bebé.

Cada casa funeraria es diferente y usted no debería tener que optar por la adecuada entre muchas desconocidas cuando se trata del fallecimiento de un ser querido.

~ Ray Visotski, CFSP, es organizador de funerales de Aiken, Carolina del Sur. Fue presidente de "SIDS Alliance" de Carolina.

Capítulo 11

Volver a vivir

Durante los primeros días del proceso de duelo, resulta casi imposible pensar que alguna vez se volverá a vivir como antes. El dolor nos golpea en forma constante y uno cree que nunca se mitigará o concluirá. Poco tiempo después del fallecimiento de Christian, Joani recuerda haber leído un artículo en el que se afirmaba que el duelo por el fallecimiento de un hijo dura entre dieciocho meses y tres años. Se sintió aliviada al pensar que si lograba sobrevivir los siguientes tres años, entonces nunca más se sentiría desdichada.

Sin embargo, Joani y otras personas que perdieron un hijo hace tiempo saben que no existe un límite de tiempo determinado en el proceso de duelo, y que su impacto emocional perdura mucho más tiempo del que nuestra sociedad reconoce. Más aun, cuando el dolor comienza a ceder no lo hace en forma repentina o mágica. Por el contrario, nuestras fuerzas quedan debilitadas en forma permanente, nuestra atención se dispersa y resulta muy difícil seguir adelante. En alguna medida siempre se sentirá dolor por el hijo perdido, se deseará poder sentir su perfume o tomarlo en brazos. Sin embargo, con el paso del tiempo, ese anhelo no impedirá que usted desee retomar su vida.

¿En qué momento se logra volver a vivir? No existe una lista de acontecimientos o aniversarios que debamos cumplir. De hecho, probablemente usted comenzará a vivir otra vez antes de advertir que lo está haciendo. Quizás se descubra riendo, leyendo un libro por placer o escuchando música nuevamente. Cuando usted advierta estos cambios, quizás en una primera etapa sienta culpa -*"¿Qué derecho tengo a estar feliz cuando mi hijo está muerto?"* Sin embargo, existe una fuerza interior que nos impulsa en esa dirección positiva, y quizás hasta podamos sentir que ese impulso proviene de nuestro hijo, y que él aprueba nuestra recuperación.

Pero estos momentos suelen combinarse con otros de terrible tristeza. Cuando Joani comenzó a recuperarse de los primeros meses de oscuridad y aturdimiento, se sorprendió al sentir aún las sensaciones de dolor físico que comenzó a sentir al fallecer su bebé. *"Sentía como si hubiesen insertado un clavo en mi corazón que me hacía sangrar por dentro. Cuando comencé a sentirme mejor luego de un año, mi corazón dejó de sangrar, pero la herida continuaba abierta. Aún tres años después, perdura la misma sensación, pero el dolor ya no es tan intenso, y ya puedo disfrutar algunos aspectos de mi vida".*

Existen algunas indicaciones de que usted está comenzando a vivir otra vez. Quizás aún no pueda reconocerlas o las advierta sólo en forma parcial. Pero tenga en cuenta que en el camino de la recuperación aparecerán los siguientes indicios y quizás otros:

~ Alguna vez creyó que nunca volvería a reír o sonreír al pensar en su bebé. Pero al avanzar en su proceso de duelo, comenzará a sentir gratitud por el tiempo que pudo compartir con él. Comenzará a recordar pequeñas cosas, como las expresiones en el rostro del bebé, y se descubrirá sonriendo.

~ La pérdida de su hijo será un acontecimiento de su vida, y no el fin de su existencia.

~ Podrá enfrentarse a algunos de sus temores en forma directa. Podrá sumergirse en su dolor en forma voluntaria durante algunos minutos u horas, sin sentir que se está volviendo loco.

~ Podrá observar las fotografías, videos, obsequios y prendas de vestir de su bebé. Podrá escuchar música que le recuerde a su hijo. También comprenderá que el único modo de superar la depresión es afrontándola, y sentirá la valentía necesaria para hacerlo.

~ Se sentirá en contacto con el alma de su bebé, y esta sensación lo aliviará. Con frecuencia percibirá en su hogar la presencia espiritual de su hijo, precisamente donde éste falleció.

~ A pesar de que no encontrará más respuestas que antes, llegará a sentir una sensación de alivio en la batalla del "por qué".

~ Algunas personas comienzan a creer que el alma del bebé pertenece a Dios. Otros creen que el alma del bebé es como un ángel de la guarda que protege a sus hermanos o a toda la familia. Otras personas creen que el bebé estaba destinado a vivir durante el tiempo que vivió, y que conocerán las razones de su fallecimiento en el futuro. Se cree que el bebé es parte de un plan incomprensible que va más allá de la familia.

~ Probablemente usted procurará atesorar los recuerdos que no desea olvidar. Este comportamiento implica que una parte de usted reconoce que la vida debe continuar.

~ Mientras recorra algún comercio, encontrará alguna prenda de vestir o juguete que su hijo utilizaba, y quizás no le provoque llanto. Por el contrario, este recuerdo quizás le proporcione algo de felicidad.

~ Pasará por la unidad de emergencias del hospital en el que asistieron a su hijo y no sentirá una puñalada de dolor y remordimientos al pensar que quizás debió haber llegado a tiempo al lugar.

~ Sentirá gratitud hacia Dios y hacia el universo.

~ Sentirá que tiene mucho para dar a los demás, como apoyo a otros padres víctimas del SMSL, o sentirá la necesidad de agradecer a alguien que lo ayudó en los primeros momentos de su duelo.

Estas señales pueden producirse en forma conjunta o aislada, o surgir al mismo tiempo como el primer día en que se percibe la llegada de la primavera. Para algunas personas puede llevar años, mientras que para otras sólo semanas. No debe guiarse por el tiempo de recuperación de otra persona, pero sí tener en cuenta que si afronta su proceso de duelo, estas señales llegarán algún día.

«¿Cuántos hijos tienen?»

~ Joani Nelson Horchler

Cuando usted retome el curso de su vida, deberá aventurarse en el mundo del trabajo y de las relaciones sociales. Seguramente sentirá que su mundo está dividido en dos grupos: aquellas personas que saben acerca del fallecimiento de su hijo y aquéllos que lo desconocen. A veces deseará estar con quienes no saben y con quienes pueda olvidar su pérdida (aunque no podrá olvidar a su bebé). Sin embargo, estas personas desconocidas son quienes pueden formular la insoportable pregunta -"*¿Cuántos hijos tienes?*"

No existe una respuesta correcta o incorrecta a esta pregunta, ya que usted optará por responder del modo en que se sienta más cómodo en ese momento. Ruth Skopek suele responder: *"Soy madre de cinco hijos, de los cuales tengo sólo cuatro".* Yo prefiero responder -*"Tengo cuatro hijas y un varón que falleció a causa del Síndrome de Muerte Súbita del Lactante".*

La decisión de un padre de mencionar u omitir al hijo fallecido en la respuesta no depende del deseo de olvidar a su hijo, sino de la conveniencia de tal desgaste emocional en ese momento. Por ejemplo, si quien le pregunta es el cajero de un almacén, un padre que tuvo tres hijos y uno de ellos falleció a causa del SMSL dirá que sólo tiene dos hijos. Por el contrario, si quien pregunta es un nuevo compañero de trabajo que probablemente se enterará en el futuro de lo sucedido, la persona responderá que tuvo tres hijos, y explicará lo que considere relevante en esa situación.

Cuando se pierde un hijo único, se padece no sólo por el bebé fallecido; sino por la pérdida de la función de padre. ¿Soy aún madre o padre? Por supuesto que sí, y siempre lo será, pero sólo usted podrá responder a la pregunta: *"¿Tienes hijos?"* La mayoría de los padres entrevistados comentan que con frecuencia responden de modo afirmativo, aunque omiten mencionar al bebé fallecido cuando la persona que formula la pregunta es un desconocido. Seguramente usted adaptará la respuesta a cada situación determinada y a sus necesidades. Cualquiera sean sus palabras, el tiempo le enseñará que una respuesta honesta será la más beneficiosa para usted. Finalmente encontrará una respuesta con la que se sentirá fiel al bebé, fiel a sus necesidades emocionales y a la persona que formula la pregunta.

El vaso medio lleno

~William C. Ermatinger

Seguramente alguna vez oyó la expresión: *"El optimista ve el vaso medio lleno, mientras que el pesimista ve el vaso medio vacío".* Me gustaría aplicar una variante de esa imagen para distinguir entre el tiempo en el que aún no nos recuperamos de la pérdida de un hijo y el tiempo en que ya logramos hacerlo.

Imaginemos la vida de un niño como si fuese un vaso con capacidad para doscientos cuarenta gramos, en el que vertemos ciento veinte gramos para representar el tiempo que el niño vivió. Durante nuestro duelo, seguramente nos enfocaremos en la parte vacía del vaso, que representa todo lo que hemos perdido y que nuestro hijo nunca podrá vivir. También nos enfocamos en el vacío de nuestra vida.

Cuando logramos recuperarnos de la pérdida, comenzamos a enfocarnos en la parte del vaso medio llena, ya que podemos visualizar la importancia del tiempo vivido por nuestro hijo.

Durante nuestro duelo, nos encontramos adheridos a ese vaso medio vacío y deseamos abandonarlo. Sin embargo, debemos sujetarlo con firmeza y concentrarnos en la parte medio llena, la cual nos procurará el alivio necesario. Mientras bebemos lentamente el contenido del vaso, nos enfocamos en lo que nuestro hijo significó para nosotros, para nuestra familia y para el mundo.

Como estamos hablando de un vaso imaginario, el agua no sólo nos alivia sino que nunca se acaba. Siempre estará allí para aliviar nuestra sed mientras continúa el misterioso viaje de nuestra vida.

Cómo insertarse en el mundo otra vez

~ Carla Hosford, LCSW-C

Una de las características más injustas del Síndrome de Muerte Súbita del Lactante es que su duelo nunca resulta sencillo. Luego de las primeras semanas de dolor constante y persistente, los padres logran comprender que existe una vida que deben retomar, como podría ocurrirle a una familia que debió reconstruir su hogar luego de un huracán o una inundación. Los padres deben comenzar a reconstruir sus vidas luego del fallecimiento de su bebé. El momento en que intentamos crear algo sólido luego de la destrucción constituye el modo real de vivir el duelo.

Los tres aspectos más temidos por los padres son: el temor a insertarse nuevamente en el mundo; la extensión del período de duelo y el temor a olvidar al bebé. No existen respuestas simples a estos temores, pero le sugeriré algunos modos de encontrar sus propias respuestas.

Insertarse en el mundo nuevamente constituye un verdadero desafío. Además de sufrir la presión de incursionar en un mundo que ya no es el mismo, los padres se preguntan -*"¿Qué le diré a aquellas personas que desconocen el fallecimiento de mi bebé?", "¿cómo puedo volver a trabajar con aquellas personas que me vieron embarazada el último día de trabajo?", o "¿qué haré si la persona que me pregunta por mi bebé se siente angustiada?"*

En primer lugar, mi sugerencia es decir sólo lo que nos haga sentir bien, y no sentirnos obligados a informar lo mismo a todas las personas. A veces es conveniente practicar respuestas anticipándose a una situación que puede resultar desagradable. Aunque suene insensato, tener diferentes respuestas en mente puede ayudar a sentirnos más cómodos y en control de la situación.

Muchos padres en proceso de duelo se sienten culpables por "amargarle el día a alguien", mientras que otros se sienten sorprendidos al percibir el modo en que la otra persona cambia el tema de conversación cuando se toca el tema de la muerte. Al mismo tiempo, muchas personas desean formular preguntas y ofrecer ayuda y apoyo. Otros desean conocer cada detalle de la experiencia vivida. Usted debe comprender que no es responsable de las reacciones de los demás. El hecho de relatar su historia transmite un mensaje implícito: usted ha vivido una tragedia y está intentando recuperarse.

Cuando los padres comienzan a insertarse en el mundo otra vez, a veces advierten que quienes los rodean esperan ansiosamente su recuperación. Lamentablemente vivimos en una sociedad cada vez más acelerada, y esperamos que todo suceda con rapidez. El SMSL destruye la vida de personas en cuestión de segundos, y recuperarse lleva mucho tiempo. Nos golpea con la intensidad de una bomba y la recuperación es extremadamente lenta y dolorosa. Desafortunadamente, no existe forma de que el dolor pase rápidamente. Podemos cambiar los canales de nuestra televisión con un control remoto o cocinar nuestros alimentos en un horno microondas en cuestión de segundos, pero no podemos acelerar nuestras emociones.

Quienes no perdieron a un ser querido difícilmente comprendan esta situación, y quizás apliquen lo que ellos consideran su propio esquema de recuperación. Desean que uno vuelva a ser lo que era antes y que "deje todo lo sucedido en el pasado" (De hecho, nunca lograremos ser quienes éramos en el pasado, seguramente seremos una persona mejor). Nunca podremos olvidar ni dejar todo en el pasado. El dolor es algo personal y la recuperación lleva tiempo. Aunque las expectativas de quienes nos rodean sean diferentes, debemos asegurarnos de avanzar a nuestro ritmo.

En la medida de lo posible, intente ser amable con usted mismo. Usted no es responsable de la incomodidad de los demás si continúa sintiendo tristeza seis meses después del fallecimiento de su hijo, ya que no es su problema. Debe asegurarse de que otras personas o grupos puedan proporcionarle la ayuda que necesita para superar su angustia.

Quienes sientan temor de olvidar a su bebé pueden leer el párrafo extraído de la historia de Larry Woiwode titulada "Hijo Primogénito" (*Firstborn*), que fue publicada en el "*New Yorker*" el día 28 de noviembre del año 1985 (1).

"Luego de haber nacido su segundo, su tercero y su cuarto hijo, comprendió que su bebé siempre estaría junto a él en sus pensamientos cotidianos, del mismo modo que sus otros hijos".

Esta historia relata el ajuste emocional de un padre ante el fallecimiento de su hijo, el cual le llevó años. Siempre pienso en esta historia cuando un padre víctima del SMSL me cuenta que "teme" olvidar a su bebé cuando concluya su dolor. El dolor está tan íntimamente ligado al bebé que uno llega a creer que si deja de sufrir entonces olvidará al bebé.

Los acontecimientos traumáticos de la vida quedan grabados en nuestra memoria, y luego de varios años aún podemos recordar cómo era la persona, las cosas que decía y su comportamiento. Podemos recordar cómo era nuestro bebé y lo que sentíamos. También recordamos nuestros propios sentimientos –la profundidad del dolor, la intensidad del sentimiento de enojo y la sensación de hundirnos en la pena.

Como indica Woiwode, nuestro hijo siempre ocupará una parte de nuestros pensamientos, y esa conexión nunca concluirá. Nuestro hijo siempre nos acompañará, aun cuando logremos superar el profundo dolor que sentimos durante las primeras etapas posteriores a su pérdida.

Cómo logré recuperarme del fallecimiento de mi bebé

~Joani Nelson Horchler

¡Sonreía en mi útero! Yo no podía creer cuando mi hijo de cinco meses y medio sonreía dentro de mí. Sin embargo, el técnico ecógrafo tomó lo que para mí representó una clara fotografía.

Esa imagen de felicidad me acompañó durante los siguientes tres meses y medio de embarazo, durante los cuales me enteré de que sería despedida de mi empleo como editora de una publicación de negocios. A pesar de que la empresa estaba atravesando una reducción de personal, me sentí herida luego de haber trabajado durante doce años en la misma oficina.

No obstante, estaba esperando un bebé, y por primera vez sentía la libertad y la felicidad de poder cuidar a mis tres hijas, de ocho, seis y dos años de edad. Christian Gabriel, un bebé robusto de cuatro kilogramos, nació el día 8 de marzo del año 1991. Su padre estaba feliz de que hubiese otro varón en la casa para ayudar. Sus hermanas estaban maravilladas e invitaban a todo el mundo a admirar al bebé. Realizamos un viaje especial a la Biblioteca del Congreso, lugar de trabajo de mi esposo. En la cafetería, mientras Christian se alimentaba al tiempo que estábamos con nuestros amigos, mi esposo y yo nos observamos preguntándonos si merecíamos tanta felicidad. Durante las siguientes semanas, nuestra felicidad sólo era empañada en forma esporádica cuando nos atormentaba la sospecha de que nuestras vidas eran demasiado perfectas.

El día 9 de mayo comenzó como cualquier otro, con la excepción de que mi esposo se había marchado durante el fin de semana para asistir a una conferencia de trabajo en una ciudad situada a dos horas de distancia. La mañana había transcurrido en forma apacible, entre la luz del sol y las sonrisas de Christian. Sin embargo, luego de volver mis hijas de la escuela todo se había agitado, al tener que cuidar al bebé y vigilar a mis tres hijas y a un niño vecino. Aproximadamente a las siete de la tarde, llevé a Christian a su habitación a la planta alta, lo arrullé para que se durmiera, lo recosté sobre el colchón de su moisés y abandoné la habitación ansiosa por cuidar a los otros cuatro niños. Cada tanto controlé a Christian, quien parecía dormir profundamente en su oscura habitación.

Dejé transcurrir el tiempo, y cuando las niñas terminaron de bañarse ya eran las diez de la noche. Fuimos a la habitación de Christian a tomar un libro, pero les dije que no prendieran la luz para no despertarlo. Ilona, mi hija mayor, tocó al bebé y dijo -*"Está frío , mamá"*. Lo observé, parecía dormir. Toqué su cabello y le respondí -*"Él está bien. Luego le colocaré una sábana"*. Resultó extraño que yo no acariciara su piel, quizás en forma inconsciente sentía que algo estaba mal, pero no quería admitirlo.

Luego de recostar a las niñas, me dirigí a la habitación de Christian y lo toqué. Estaba frío como una roca, ¡estaba muerto! Aterrorizada, lo tomé en mis brazos y lo llevé hacia la luz del hall. Una marca color violeta cruzaba su frente, aunque parecía dormido.

Reprimí un grito porque las niñas estaban dormidas. Pensé que debía llamar al servicio 911, pero me sentí confundida, ya que podía darme cuenta de que ya no existía ningún indicio de vida. Luego pensé que vendrían personas desconocidas a llevarse a mi bebé para siempre. Sólo tenía un momento para estar con él. Por eso lo llevé hacia la planta baja, lo acerqué a mi pecho y lo acuné no puedo precisar durante cuanto tiempo, quizás algunos minutos o sólo segundos. Luego llamé a mamá y a una amiga, y finalmente al servicio 911. En vano realicé los intentos de reanimación. Al tiempo que los paramédicos se llevaban a Christian, vinieron algunos vecinos para cuidar a las niñas y llevarme al hospital.

Cuando llegué al hospital me recibió una amable asesora que me llevó a una sala blanca, en la que un médico me informó que mi bebé había fallecido a causa del Síndrome de Muerte Súbita del Lactante. Había oído antes esa expresión, pero nunca había conocido a alguien que perdiera a un bebé a causa del SMSL. Mi esposo llamó desde su conferencia, y tuve que informarle que nuestro hijo había fallecido. Rodeada de amigos y familiares, sostuve a Christian en mis brazos durante dos horas hasta que mi esposo llegó, y entonces juntos nos despedimos de nuestro bebé. En ese momento, mis pechos se habían endurecido y comenzaban a derramar leche que él ya no podría beber.

Sentí profundamente la tristeza de mi esposo al no poder hacer nada para salvar a nuestro hijo. Algunos padres se arrojan dentro de edificios en llamas o hacia las vías del ferrocarril para salvar a sus hijos. Sin embargo, nosotros no tuvimos siquiera una oportunidad. No hubo pedido de ayuda en televisión ni dinero que pudiera rescatar a nuestro hijo. Me torturaba al pensar que algunos niños sobreviven luego de ser arrojados desde automóviles o golpeados por sus padres y que mi bebé no había podido sobrevivir a una simple siesta.

Cuando llegamos a casa recibimos un impacto enorme. En la planta alta habían detectives de policía tomando fotografías de la habitación del bebé, ¿pensaban que éramos asesinos?, ¿se había ahogado mi bebé luego de haberlo alimentado? Nuestros temores se aliviaron en cierta medida cuando uno de los detectives nos comentó que nuestro bebé estaba durmiendo en la mejor posición, dentro de un moisés ubicado en la cuna. En el interior de su moisés no habían almohadas, sábanas o juguetes que pudieran haberlo sofocado, y falleció recostado sobre su mejilla derecha en medio de un colchón firme. Yo pensaba que la "muerte en cuna" era causada por la sofocación o por el ahogo causado por el vómito. Sin embargo, estas causas son descartadas cuando el diagnóstico señala SMSL. Existen más de cuatrocientas teorías acerca de sus causas, y la mayoría de los investigadores creen en la actualidad que la causa es algún tipo de inmadurez o anormalidad en el tronco encefálico o en el sistema respiratorio.

Mi conmoción me impulsó a continuar con mi vida durante la semana posterior, y muchas personas malinterpretaron mi sensación de incredulidad pensando que yo poseía una fuerza sobrenatural. Me repetía una y otra vez - *"¿Cómo pudo fallecer nuestro bebé entre seiscientos cincuenta?"* Afortunadamente, el programa *"SIDS Information and Counseling Program*" de Baltimore, nos llamó tres días después del fallecimiento de Christian para ofrecernos ayuda.

En la casa funeraria, Gabe, nuestras hijas y yo observamos a nuestro bebé dentro del pequeño ataúd. Su rostro aún era bello. Sus hermanas acariciaron uno de sus bucles. También acariciamos sus manos para darles calor. Le obsequiamos notas de despedida, un rosario, su oso de peluche y sus libros favoritos: "Hornea un Pastel" y "El Conejo de Terciopelo".

En el vestíbulo, luego de dejar a Christian, encontré un folleto explicativo acerca del SMSL, el que lo definía como la causa principal de fallecimiento de bebés entre un mes y un año de edad; y que extingue la vida de más de cinco mil bebés por año sólo en los Estados Unidos de América. Me enfureció el hecho de que fuera la primera vez que veía esos folletos y que ningún médico ni hospital me hubiera informado o proporcionado datos acerca del SMSL.

La explicación más frecuente acerca de por qué no ofrecían información era que el SMSL es impredecible e inevitable. Sin embargo, creo que la información es mejor que la ignorancia. Como muchos padres, yo desconocía la técnica de reanimación cardio pulmonar cuando mi bebé falleció, y tampoco sabía que la respiración de un niño aparentemente sano puede detenerse en forma súbita. Aun si no hubiese podido salvar a mi hijo, me hubiera gustado poseer los conocimientos necesarios para intentarlo. Creo que la mayoría de los casos del SMSL son inevitables, pero aun así estoy convencida de que es muy importante conocer la técnica de RCP.

Nuestros vecinos de Cheverly, Maryland -ciudad ubicada en las afueras de Washington- fueron maravillosos. Nos enviaron la cena durante tres semanas luego del fallecimiento de nuestro bebé. Sin embargo, nadie sabía cómo nos sentíamos. Luego del funeral, muchas personas me dijeron que lo peor ya había pasado; pero se equivocaban. Cuando la conmoción se aplacó a pocos meses del fallecimiento, descendí como a un infierno. Perdí la inocencia de mi juventud y comencé a creer que si hubiese actuado correctamente todo estaría bien en nuestra familia. Uno de los peores momentos de nuestra familia sobrevino ocho meses después del fallecimiento de Christian cuando perdí otro bebé. Nuestros brazos anhelaban con dolor poder abrazar a un bebé, a *nuestro* bebé. Luego nos llevó más de un año poder concebir otro hijo, a pesar de que yo nunca había tenido problemas de fertilidad en el pasado.

Cada mañana mi primer pensamiento acerca del fallecimiento de Christian era -*"No puedo creer que ésto haya sucedido realmente"*. Afortunadamente, mis tres hijas me arrastraban hacia su clase de natación o hacia el parque. Cuando estaba allí, a veces comenzaba a llorar y mi pequeña de dos años decía -*"Mamá está llorando porque nuestro bebé murió"*. También solía decir -*"Las personas grandes no mueren, sólo mueren los bebés"*. Mi hija de seis años dijo en cierta ocasión -*"Dios secuestró a mi bebé"*.

Yo estaba más enojada con Dios de lo que ella estaba, y recuerdo haber pasado varios días y noches desdichadas maldiciendo a Dios por habernos traicionado. Me llevó muchos meses comprender que Dios no era el responsable de la muerte de mi hijo. Si Dios castigara realmente a las personas por sus acciones, hubiese escogido a un asesino y no a nosotros. En realidad fue mala suerte y no un accionar de Dios. Sin embargo, me gusta pensar que Dios recibió a mi hijo y que gradualmente nos brindará el consuelo necesario.

Durante el primer año del fallecimiento de Christian sentí una culpa tremenda. Me maldecía por haberme apresurado en dejar a Christian en su cuna ese día fatídico. Sentía que como madre había fracasado al no haber notado su fría piel con anterioridad. Me resultaba tan difícil creer que un bebé puede fallecer sin una causa médica que intentaba buscar explicaciones -*"quizás mi bebé había fallecido a causa de un medicamento que tomé durante el embarazo"*. Todos los especialistas me dijeron que yo no había hecho nada que pudiera causar el fallecimiento de Christian. Sin embargo, yo continuaba buscando justificaciones a la muerte de mi hijo aunque tuviera que atribuirme la culpa. Además de la sensación de culpa, existe otra sensación aun peor: sentirse fuera de control.

Le comenté a mi esposo que deseaba morir, y sentí una culpa aún mayor cuando oí a mi hija de dos años implorar -*"Mami, por favor, no mueras"*. Comprendí entonces que mi delirio, mi desvarío, mis gritos y mi auto incriminación me estaban alejando de las tres hijas que aún tenía, y que debía disfrutarlas durante el corto tiempo que dura nuestra vida. Razoné que debía comenzar a salir adelante.

Fue un proceso extenso y dolorosamente lento, porque no podía dejar de sentirme estafada. Había dedicado mi cuerpo, mi alma y mi corazón a este bebé. Cuando nació, pesaba aproximadamente cuatro kilogramos y obtuvo un puntaje de nueve en el control médico de Apgar. Se alimentaba en forma exclusiva con leche materna, sus mejillas eran rosadas y sus piernas rellenas. Luego de fallecer mi bebé ideal, observaba a otras madres que también gozaban de bebés perfectos y el tipo de familia que yo deseaba y me sentía furiosa por su buena suerte. ¿Por qué le sucedió a Christian?; ¿por qué me sucedió a mí? Hasta que paulatinamente comencé a formularme la pregunta inversa -¿por qué debería quedar excluida yo? Un informe señala que el 70% de las madres cuyos bebés fallecen a causa del SMSL -como yo- no poseen los mayores factores de riesgo: tabaquismo; mala alimentación o consumo de drogas o alcohol. Muchas personas sufren situaciones desdichadas y tragedias, ¿por qué debería ser yo la excepción?

En mis momentos más dolorosos, llegué a desear que Christian no hubiera nacido, para no haber tenido que padecer, junto con mi familia, el dolor de su fallecimiento. Actualmente me siento agradecida por el tiempo que estuvo con nosotros porque considero que él cambió nuestras vidas de un modo positivo. Nuestra familia está más unida y hemos conocido a muchísimos amigos que nunca hubiésemos imaginado conocer. Eligieron no sumergirse en la auto compasión sino convertir sus vidas en testimonios de voluntad y fe. Comprendieron que el SMSL es una experiencia tan profunda tanto por lo que nos arrebata como por lo que nos otorga.

Solía creer que me despertaría algún día y que milagrosamente me habría recuperado, pero comprendí que debía aprender a vivir con este dolor.

Al mismo tiempo, debo readaptar mi visión de la vida y de las formas en que puedo ser feliz. A veces me siento vacía, a veces completa, a veces sedienta y a veces satisfecha con muchos aspectos de mi vida. La puñalada aún me lastima cuando observo a niños de la edad que Christian debería tener, o cuando asistimos a acontecimientos importantes en los que mi hijo debería estar. Ahora puedo disfrutar de todas las bendiciones que me dio la vida: mi esposo Gabe y mis cinco hijas (entre ellas Genevieve, que nació dos años y medio después del fallecimiento de Christian; y Stephanie, dos años menor que Genevieve). He aprendido a aceptar que no podemos controlar todos los aspectos de nuestra vida y que en ese momento actué de la mejor forma posible.

La experiencia vivida no me convierte en una santa; Dios sabe que soy bastante ingobernable. Tengo la esperanza de conocer algún día los mecanismos del esquema de Dios y de comprender la muerte de mi hijo. Sin embargo, incluso si la vida es sólo lo que conocemos, y aun si nunca logro reencontrarme con mi hijo, continuaré agradeciendo el hecho de haber sido la madre de Christian durante su corta vida en la Tierra.

Carta a Michael

~Liz Waller

Mi Querido Michael

Como mi primer hijo, siempre ocuparás un lugar muy importante en mi corazón. Recuerdo como si hubiese sido ayer el día 20 de agosto, cuando naciste. Estaba nerviosa, ansiosa y muy emocionada, ¿serías un varón o una niña?; ¿cómo serías? Recuerdo claramente el día 18 de noviembre. El teléfono sonó a las tres y media de la tarde cuando me llamaron para que me dirigiera al hospital. No sabía qué sucedía pero recé para que todo estuviera bien, ¿habrías caído de tu silla?; ¿te habría herido otro niño de la guardería?

Nunca imaginé que te habías marchado para siempre. ¿Cómo pudo suceder?; ¿por qué? Aún no puedo responder a estas preguntas y quizás nunca pueda hacerlo. Sin embargo, ahora comprendo que si yo tuviera que preguntar por qué fuiste arrebatado de mí, entonces también tendría que preguntar por qué viniste al mundo. Sin embargo, yo no cambiaría los tres meses que compartimos.

Ya han pasado más de dos años desde tu fallecimiento, y puedo afirmar honestamente que lo he aceptado. Creí que nunca llegaría ese día, y que nunca volvería a reír. El enojo y el dolor fueron inmensos. Me llevó mucho tiempo perdonarme, perdonar a Dios, perdonar al mundo y perdonarte por haberme abandonado. Creo que lo logré al unirme al grupo de apoyo a padres de víctimas del Síndrome de Muerte Súbita del Lactante. Al participar en forma activa en esas reuniones me sentí obligada a enfrentar mi dolor y los sentimientos que lo acompañan. Me involucré con aquellas personas que sabían cómo me sentía porque habían vivido la misma situación. Es muy difícil aprender acerca del proceso de duelo, pero actualmente me reconforta poder ayudar a otros padres. Como homenaje a tu vida, seguiré participando en actividades relacionadas con el SMSL hasta el día en que logremos conocer las causas de este mal.

Los tres meses que pasé contigo fueron los mejores de mi vida. Siempre serás nuestro hijo y el hermano mayor de Matthew. Siempre serás hermano mayor, nieto, sobrino, ahijado, y por sobre todas las cosas "hijo".

Con todo mi amor
Mamá

Oración de primavera

~ Janis Heil

Como la primavera, permíteme despertar y
crecer, fresca y nueva, y salir del caparazón
de dolor que ha crecido a mi alrededor.

Ayúdame a afrontar la difícil realidad de observar
la luz del sol y la renovación de la vida, mientras
mi cuerpo se estremece con el invierno de mi pena.

La vida se atrevió a acariciarme.
Y debí recuperarme de su continuidad.
Debí aprender a incluir mi recuperación y crecimiento
en mi vida futura.

Dame fuerzas para salir de mi caparazón
de dolor. Pero no permitas que olvide el lugar en el que
crecieron mis alas, y me convertí en un persona renovada
debido a mi pérdida.

~ Este poema fue publicado por primera vez en "United Notes", la publicación autorizada de UNITED, Inc, Philadelphia, en el año 1984.

Como superar el fallecimiento de un niño a causa del Síndrome de Muerte Súbita del Lactante

~ Regina A. Rochford

¿Puede realmente el tiempo curar las profundas heridas producidas por el fallecimiento de un niño, o sólo brinda a quienes lo sufrieron una perspectiva para seguir viviendo?

Hace diez años, había salido a caminar con mi hija de ocho semanas de edad. Era un día muy frío y nublado, por lo cual me detuve en casa de mis padres para abrigarnos. Mientras mi madre y yo nos sentábamos en el comedor, mi padre alzó en brazos a mi hija y en ese momento pude observar que su mirada estaba desviada y sus ojos cerrados. Su piel había tomado un color gris. Entonces supe que nunca la vería abrir sus ojos otra vez. Lo que no pude imaginar era cómo la muerte súbita de mi recién nacida afectaría mi vida y mi matrimonio.

Llevamos a Rosemary a la sala de emergencias del Hospital de la Ciudad de Nueva York, en el que los médicos me informaron que había fallecido a causa del Síndrome de Muerte Súbita del Lactante (SMSL); un diagnóstico presuntivo cuando no existen otras causas de fallecimiento. Hacía unos momentos mi bebé jugaba inquieta y de pronto había fallecido. Yo estaba totalmente conmocionada. Luego de recibir la noticia, le estreché la mano al médico, agradecí su ayuda y abandoné la sala de emergencias en un estado de calma y descreimiento.

Mientras mi padre conducía hacia mi casa, lo único que podía pensar era en el modo en que le daría la noticia a mi esposo, cómo le diría que nuestra hermosa bebé había fallecido. Lo que más me preocupaba era su reacción. A los pocos minutos de haber llegado, lo escuché estacionar su automóvil. Le pedí a mis padres que aguardaran en la cocina para que yo pudiese hablar con él a solas. Cuando abrió la puerta, pude observar que traía obsequios de Navidad para la bebé y para mí. Le conté en forma abrupta lo que había sucedido y aturdido comenzó a correr por la calle gritando, hasta que unos vecinos (que también habían perdido un hijo) me ayudaron a conducir a Frank hacia nuestra casa antes de que pudiese lastimarse.

Sentado frente a la cuna ubicada en la sala, mi esposo comenzó a realizar una serie de preguntas acerca de la muerte de nuestra bebé que yo no podía responder. Yo me encontraba tranquila pero fuera de control. Cuando mi cuñada –a quien había visto durante la mañana- llegó, no pude reconocerla. Mi esposo, a pesar de que parecía histérico, mencionó algo acerca de lo que yo ni siquiera había pensado: la planificación del funeral.

En la oficina de la casa funeraria, no podía dejar de pensar en lo irónica que era nuestra situación. En lugar de bautizar a nuestra bebé el domingo, la veríamos en la casa funeraria vestida con su traje de bautismo en un pequeño ataúd blanco. El día siguiente sería enterrada en presencia de unos pocos familiares íntimos. No festejaríamos el cumpleaños de nuestra bebé, sólo lloraríamos y besaríamos por última vez a nuestra hija, a quien no veríamos nunca más.

Luego del entierro, mi esposo y yo regresamos a casa en nuestro primer intento por calmarnos después de la tormenta, pero nuestro hogar estaba lleno de recuerdos de Rosemary: biberones con leche de fórmula y ropa de la bebé para lavar. Para nuestros familiares y amigos, las pertenencias de la bebé eran un recuerdo doloroso de su fallecimiento. Muchas personas nos rogaron que desmanteláramos la habitación, pero nosotros nos rehusamos obstinadamente. Era la única forma de mantenerla viva en nuestro corazón un tiempo más. Sentía el tenue perfume de la bebé en su sábana, y coloqué una muñeca cubierta con una sábana para ver si podía imaginar su presencia cuando la acariciara. Sin embargo, no resultó. Rosemary se había ido, y hasta su perfume se fue desvaneciendo en forma gradual.

Poco tiempo después del fallecimiento de Rosemary, mi esposo y yo salimos a caminar una noche luego de la cena. No podía comprender el despliegue de luces y decoraciones navideñas con que habían adornado nuestro barrio. No podía comprender cómo podían festejar cuando nuestra bebé había fallecido. El reloj de nuestras vidas se había detenido. Sin embargo, el mundo continuaba su curso. Desafortunadamente, ésta era sólo una de las formas en que se manifestaría nuestro dolor durante el largo duelo de nuestra hija.

Tres semanas después del fallecimiento de Rosemary, regresé a mi trabajo en un débil intento por poner orden a mi vida. Durante esas semanas recibí numerosas visitas y llamados de asociados o colegas que torpemente me expresaban sus condolencias. Yo trabajaba en una gran empresa cuya actitud era mantenerse inmutable, por lo cual se esperaba que yo ocultara mis sentimientos y controlara cualquier intento de llorar. En forma gradual, comencé a alejarme de la mayoría de mis actividades sociales, ya que me resultaba extremadamente difícil sonreír cuando mi mundo se estaba desmoronando. El momento más placentero de mi día de trabajo consistía en sumergirme en uno de los compartimentos del baño de damas para llorar durante un largo rato.

Una fría mañana de fines de marzo cuando subía los escalones de la estación del subterráneo hacia mi oficina, la insensata realidad de la muerte de Rosemary me golpeó como una tonelada de ladrillos. En lugar de dirigirme a mi oficina debía estar cuidando a mi bebé, a quien no veía ni tocaba desde hacía más de tres meses. Una parte de mi ser era consciente del fallecimiento de mi hija, pero la dolorosa realidad había explotado dentro de mí y estaba consumiendo toda mi existencia. Gradualmente, esta revelación se transformó en ira, y todo lo que habíamos conversado con mi esposo durante años ya no era aplicable al período de duelo que estábamos viviendo. Nos encontrábamos en un punto del cual no podíamos regresar. Debíamos modificar el modo en que nos relacionábamos entre nosotros y con el mundo o sería el fin de nuestra relación.

Uno de los primeros problemas que debí enfrentar era la función que mi esposo cumplía en su familia. Desde niño, lo habían educado para que se ocupara de cualquier familiar que lo necesitara. Si bien mi esposo y yo nos ocupábamos de las necesidades de varios familiares, habíamos postergado las necesidades de nuestro matrimonio. Irónicamente, cuando nosotros más necesitábamos contención y atención, todos a nuestro alrededor desaparecían como por arte de magia. Sin embargo, creo que este comportamiento familiar en realidad nos benefició, porque nos obligó a enfrentarnos cara a cara por primera vez en nuestras vidas.

En respuesta a mi enojo, lancé un ataque a toda mi familia política, para hacerles saber que su comportamiento me había desilusionado y desamparado. Aproveché la oportunidad para liberarme de relaciones que sólo asfixiaban y ahogaban mi crecimiento personal y matrimonial. Era un momento de cambio, pero yo no comprendía que un comportamiento emocional de esas características tenía que acontecer en primer lugar entre mi esposo y yo para luego ser trasladado a otras personas que me hacían sentir ira y resentimiento.

Nuestras constantes batallas nos llevaron a realizar una terapia familiar, que nos ayudó a reconocer el enorme amor y compromiso que aún existía entre nosotros. Aunque esta ayuda nos benefició, al mismo tiempo fue un proceso agotador en el que teníamos que afrontar la pérdida de nuestra hija y al mismo tiempo fortalecer aspectos que se habían postergado durante años. Padecimos mucho durante esta etapa y en forma gradual renegociamos una armonía conyugal positiva para ambos. Este cambio nos brindó una extraordinaria felicidad, intimidad, y otra hija.

Pienso que aun en un cielo nublado podemos encontrar un rayo de luz. Mi esposo y yo vivimos uno de los acontecimientos más dolorosos que puede sucederle a una familia. Esta experiencia nos ha enriquecido y nuestra perspectiva del mundo y de nosotros ha cambiado. El tiempo ha pasado y ya no siento enojo por el fallecimiento de mi bebé o hacia la familia de mi esposo. Creo que todos actuamos de la mejor forma posible a pesar de nuestra falta de experiencia para afrontar una pérdida tan inesperada. He aceptado que Rosemary tenía una misión muy importante que cumplió durante sus fugaces ocho meses de vida. Su corta vida y el terrible dolor de su pérdida nos han enseñado a vivir en una forma más productiva y dichosa, lo cual no hubiese sido posible sin la presencia de nuestra preciosa bebé que nunca llegó a pronunciar una palabra.

Capítulo 12

¿Feliz cumpleaños?¿Feliz Navidad?

¿No podríamos ignorar
las fiestas de Navidad este año?
Mi bebé ha muerto
y no tengo ánimos para festejar.

Este poema fue titulado "Feliz Navidad" y publicado en el libro "Le llevamos flores" (*We Bring Her Flowers) (Fithian Press, Santa Barbara, CA,* 1990) de Sharon A. Dunn, mamá de un bebé víctima del Síndrome de Muerte Súbita del Lactante. Expresa en forma sintética las vivencias durante las celebraciones y aniversarios de aquellos padres que perdieron un bebé. ¿Cómo se puede festejar cuando nuestro bebé ya no está con nosotros?

Joani ya ha vivido seis cumpleaños de Christian sin él. Ha padecido seis aniversarios de fallecimiento, seis días de Acción de Gracias, seis Navidades, seis Pascuas, seis Días de la Madre y la lista de celebraciones sin Christian se extiende en forma interminable.

A excepción de Año Nuevo, cuando todos piensan en el año que va a comenzar, las celebraciones traen recuerdos. Se conmemora a un gran presidente, a los veteranos de guerra, el nacimiento o fallecimiento de una persona notable. Las celebraciones son acontecimientos importantes, momentos para detenerse, pensar, sentir, y para meditar acerca de lo que era, lo que debió haber sido y lo que aún es.

Para quienes sufrieron el SMSL, el primer año está lleno de acontecimientos y celebraciones desdichadas. La planificación suele ser peor que el día en cuestión. Pero luego de cada celebración y aniversario, la fortaleza es mayor. Cada año que pasa, el sabor es menos amargo.

Una parte importante del duelo consiste en conmemorar la vida del bebé que falleció a causa del SMSL y una buena oportunidad son las celebraciones.

"Es primavera y una docena de globos con cartas suben al cielo. En un primer momento, la familia Horchler está en silencio, casi susurrando *"Feliz cumpleaños"* a Christian. Parece injusto pero algunos globos se atascan en un árbol, para después liberarse y elevarse hacia las nubes. Todos aplauden y Joani les dice -*"no todo lo relativo a Christian debe morir. Aún podemos pensar que su espíritu está con nosotros y nos acompaña".*

Luego de casi diez años, Jennifer y Ken Wilkinson aún recuerdan el cumpleaños de su hija Larkin comprando regalos para otros niños en su honor. Ellos exclaman al verlos *"¡es el cumpleaños de Larkin!".*

Sam y Nina Sandeen festejan el cumpleaños de su hijo haciendo una torta especial de semillas, manteca de maní y palomitas de maíz con las que escriben "Dwight". Llevan la torta al cementerio y se la obsequian a los pájaros.

Algunas personas prefieren hacer algo por los demás para conmemorar la pérdida de su hijo. Por ejemplo, Jean Hulse-Hayman y su esposo Dale conmemoran la corta vida de su bebé atando un lazo en el roble de Ben, y enviando una donación a alguna organización relacionada con el SMSL. Además de fomentar la investigación, donaron aproximadamente dos docenas de copias del presente libro a bibliotecas, pediatras, obstetras, ginecólogos, hospitales, grupos de padres que perdieron un bebé a causa del SMSL y otros destinatarios a través del programa de auspicio organizado por su editor voluntario, SIDS-ES. (SIDS-ES se encarga de imprimir una etiqueta personalizada para la cubierta interior de cada libro donado. De esta manera se rinde homenaje al bebé fallecido a causa del SMSL y se menciona a la persona que donó el libro. Puede leerse más información acerca de este programa en la última página del presente libro).

Sandra Graben, abuela de un niño fallecido a causa del SMSL, junto con su hija Catherine Hulme, conmemoraron el aniversario de fallecimiento del bebé donando treinta y dos libros a bibliotecas en toda Arizona. Explica Sandra -*"Hacer algo que pudiera ayudar a los demás nos ayudó a sentirnos mejor ese triste día".*

Otras familias donan el dinero que hubieran gastado en la fiesta y en los regalos a una organización benéfica o invitan a algún anciano o estudiante extranjero a compartir las fiestas en su hogar. En Maryland, el "Programa de Información y Asesoramiento Acerca del SMSL" (*SIDS Information and Counseling Program)* realiza misas en conmemoración de las víctimas del lugar. Los padres encienden velas en memoria de sus bebés, y reciben un recordatorio con el nombre de cada niño. Pueden recitar poemas o artículos que hayan escrito. En el programa se leen los nombres de todos los bebés, el día en que nacieron y el día en que fallecieron. Los padres también se encargan de la música.

Otras formas de recordar al bebé son colocar una bota de

navidad o un adorno decorativo en su memoria; comprar las flores para una ceremonia religiosa o prender velas en cada fecha significativa para reconocer la presencia espiritual del bebé. Joani siempre incluye el nombre de su bebé en las tarjetas navideñas que envían a familiares y amigos. Firma cada tarjeta de la siguiente manera: *"Con amor, Joani, Gabe, Ilona, Gabrielle, Julianna, Genevieve, Stephanie y Christian en espíritu".* Siempre incluyen una fotografía de Christian en los retratos familiares. Un integrante de la familia sostiene la foto. Con el objetivo de recordar a sus bebés y crear conciencia muchas personas usan prendedores del SMSL y colaboran en su fabricación.

Sin embargo, encontrar la forma de rendir honor al bebé no es el único desafío que enfrentará. Por ejemplo, la obligación de asistir a la fiesta anual "imperdible" con los compañeros de oficina en un lugar especial puede ser difícil. Puede ser que se sienta física, mental y emocionalmente extenuado para participar. Quizás no esté listo para hablar con sus compañeros de trabajo o amigos acerca de su pérdida; o tal vez tema que nadie la mencione -el viejo y conocido "de eso no se habla". En cualquier caso, se puede aceptar la invitación en forma condicional, de acuerdo con la forma en que se sienta ese día. Si fuera necesario, explique que está pasando por una etapa emocionalmente difícil y que le gustaría estar con ellos si se siente bien.

Hay fiestas como el Día de Acción de Gracias, Navidad, Hanukkah o Pascuas que se festejan con celebraciones. Pero para una persona que vivió la muerte de un bebé a causa del SMSL, los preparativos pueden resultar terribles. Con frecuencia se deja todo para último momento, lo cual sólo causa pánico cuando nos damos cuenta en el último minuto que los obsequios aún no están envueltos, no se han horneado los pasteles y nos olvidamos de ir a buscar a algún familiar a la estación de tren.

No existen respuestas simples a estos problemas, pero algunas personas deciden planificar con anticipación, antes que nadie. También puede redactar una lista de las cosas que tiene que hacer y luego eliminar lo que no sea esencial. No tema realizar cambios que estime necesarios, pero tenga en cuenta los sentimientos de cada integrante de la familia. Finalmente puede escribir una lista de los temores que le produce la celebración y de qué forma reaccionaría si se hacen realidad. Algunas personas piensan que es mejor estar preparado para lo peor.

Al meditar, confiar y ser amables con nosotros mismos podemos utilizar las celebraciones para realizar cambios muy planificados en nuestras vidas, permitiéndonos "estar" en lugar de sentirnos obligados a "actuar", explica Patricia Andrus, asistente social de Lafayette, Lousiana. Hay que ser amable consigo mismo y enfocarse en el sentimiento de paz de la celebración. Algunos consejos prácticos pueden ser: comprar por catálogo en lugar de pelear contra el tránsito y las tiendas llenas de gente; pedir el envío de alimentos en lugar de extenuarse cocinando; decorar menos; realizar las compras más temprano; consumir alimentos bien balanceados y beber agua para estar tranquilo; evitar el consumo de fármacos y bebidas alcohólicas. Permita que otras personas lo ayuden a organizar las celebraciones, ya que no se trata de un signo de debilidad sino de un proceso de duelo necesario que puede ser física y emocionalmente extenuante.

Existen celebraciones que resultan más difíciles para el padre que para la madre, y viceversa. William Ermatinger, colaborador de un grupo de apoyo a padres víctimas del SMSL, explica que es más difícil para las madres el día del cumpleaños del bebé que el día de su fallecimiento. Piensa que la causa es que es la madre quien da a luz al bebé, y quien prepara las fiestas de cumpleaños. Por otro lado, son los padres quienes sienten con mayor dolor el aniversario de fallecimiento del bebé. Sugiere que es el padre quien se encarga generalmente del crecimiento y el bienestar del niño y quien invierte en su futuro. El aniversario de fallecimiento es el recuerdo cruel de que no hay en quien invertir.

Es normal que los padres víctimas del SMSL experimenten que las fiestas en realidad no resultaron tan terribles como lo habían imaginado. Sin embargo, hay quienes se quiebran el día después. Al no darse cuenta del modo en que se forzaron a participar en algo que no deseaban, retroceden a los primeros meses del duelo. Afortunadamente, todos los padres notan que el paso del tiempo aplaca las emociones que se viven en los cumpleaños, los aniversarios de fallecimiento y otras celebraciones.

Extraño a Danny en la playa

Para Daniel C. Roper IV: 9/9/95 - 4/12/95

~Janice John Roper

El cumpleaños de mi bebé. Un año,
sonriente boca rosada, un susurro
debió haber respirado. Suaves dedos en mis mejillas.
Una huella de ti.

Mi bebé. Rosado y regordete,
suaves e inquietos abrazos. Debiste dormir
un sueño sereno. En mis brazos
y hacia mi corazón. Desapareciendo
en un océano de sueños.

Hijo de ojos azules. Chillidos
como de gaviota. Intento
identificarlos.

Hay arena en tus manos y en tus pies.
Una pequeña huella
desaparece con un ola, luego nada,
una ola pequeña,
un resplandor invisible
húmedo como mis lágrimas
brillante y cegador como el sol
como mi dolor, mi hijo
cuando te recuerdo
no eres tú quien grita
sino otro niño
de la edad que tú deberías tener.

Comienza a caminar
pisadas regordetas, pequeñas huellas de arena.
Su madre lo alza en brazos
juegan y ríen.
Llega otra ola,
y alcanza las oscuras huellas
deshaciéndolas
disolviendo mis esperanzas
hasta ver transcurrir
otro minuto.

Toco mi rostro pero sólo lo siento
húmedo y arenoso
mientras el tiempo me arrastra
lejos de ti
hacia su oscuro océano
en el que yo también debería
olvidarme de respirar.

Cómo vivir aniversarios y celebraciones

~Shelley A. LeDroux

Los cumpleaños y los aniversarios son fechas especiales, así como los seres queridos con quienes los compartimos. He aprendido a encontrar paz y sosiego al honrar la memoria de nuestra hija Katelin, que falleció a causa del Síndrome de Muerte Súbita del Lactante el día 8 de diciembre del año 1991. El día de su cumpleaños me preparo para un largo camino de lágrimas y bellos recuerdos.

Como la dicha de haberla tenido es más fuerte que la tristeza de haberla perdido, los días de celebración son siempre hermosos. Como mi hija nació en una primavera radiante y colorida, llevo globos brillantes y un bello ramo de flores a su placa. Llena de lágrimas, coloco un retrato de Katelin con la inscripción "Feliz cumpleaños". De vuelta en mi hogar, enciendo una vela frente a su retrato en memoria de su nacimiento y del tiempo que compartimos.

Junto con otras personas que la amamos también recordamos el aniversario de su fallecimiento. Este año decidí hacer algo diferente. Luego de llevarle flores y de decirle cuánto la amo y la extraño, le dediqué un poema. Luego lo envié a escribir con una letra especial, lo enrollé y lo até con un bello lazo azul, que luego colgué en la pared del comedor.

El día de Kathy

~William C. Ermatinger

George Washington fue una persona especial para nuestra nación, así como Cristóbal Colón, Abraham Lincoln y Martin Luther King. En nuestro país, conmemoramos a esas personas con días especiales que honran su vida y su memoria. Se realizan ceremonias oficiales, y la mayoría de nosotros hacemos algo diferente, especial y tradicional.

Luego de algunos años del fallecimiento de Kathy, decidí que debía pasar un día especial para conmemorar su vida y su memoria. Elegí el aniversario de su fallecimiento, ya que es un día en el que pienso mucho en ella, y con el paso de los años, ese día ha adquirido un significado especial.

Si es un día laboral, entonces tomo el día libre. Durante la mañana visito su tumba, le hablo y le cuento las últimas novedades y todo lo que estoy haciendo. Luego hago algo especial. Un año fui a la costa y caminé por la playa, otro a un museo o galería de arte.

Hace un tiempo realizaba estas actividades en soledad. Actualmente mi esposa me acompaña, aunque no conoció a Kathy. Conmemoramos su vida y su memoria. No espero que el mundo participe en esta celebración, pero tampoco dejaré que pase el año sin haber recordado ese día especial.

Cómo vivir los acontecimientos importantes cuando has perdido a tu único hijo

~ Michelle Morgan Spady

Cuando pienso en el pasado, recuerdo mi felicidad cuando supe que estaba embarazada de mi primer bebé, y más aun al saber que era un varón. Quería encontrar un nombre bello, único y a la vez atractivo, porque sabía que mi hijo sería muy especial. Y ese nombre era Armani.

¿Quién hubiera imaginado que el mismo año que llegó a mi vida me dejaría? Durante un tiempo dejé de trabajar, y luego de la muerte de Armani en marzo del año 1991 me sentí sola, indefensa, desesperada y a veces tuve deseos de suicidarme.

Armani y yo solíamos hacer muchas cosas juntos: íbamos de compras, al lavadero, cantábamos, bailábamos, paseábamos en los parques, jugábamos y a veces sólo nos recostábamos por ahí. Recuerdo momentos en que colocaba objetos en una canasta y él los sacaba. Siempre me quería ayudar.

Fue muy difícil al comienzo. Me sentía como si hubiera perdido a mi mejor amigo. Las siguientes son cosas que hice para recordar a Armani y superar mi dolor:

~ Comencé a escribir un diario, aunque luego de un año y medio de su muerte no he escrito mucho.

~ Debido a que al poco tiempo de su fallecimiento se festejaba Pascuas, llevé un juguete a su tumba.

~ El Día de la Madre compré un relicario y coloqué una foto de Armani en él, que siempre llevo cuando salgo de casa.

~ Hice bañar en bronce dos pares de sus zapatos: los primeros que vistió y el último par que compramos poco tiempo antes de su fallecimiento.

~ Hice encuadrar algunas de las fotografías favoritas de su álbum de bebé.

~ Navidad fue particularmente difícil porque él había estado con nosotros la Navidad anterior. Tomé una fotografía de Armani con todos sus juguetes, la coloqué junto a una tarjeta de Navidad del SMSL y la envié por correo a familiares y amigos.

~ El día de su cumpleaños, compré una tarjeta y la coloqué en su álbum de bebé. Planeo hacerlo todos los años. Visité su tumba con un juguete. También compré pasteles pequeños y regalos para sus amiguitos de guardería. Encendí durante todo el día una vela roja en su memoria.

~ Hablé acerca del SMSL en organizaciones, iglesias, escuelas y con amigos. Es muy importante para mí poder hablar de Armani con otras personas y que ellos me hablen de él. Es parte del proceso de duelo.

~ Tengo una fotografía de Armani en el escritorio de mi trabajo, lo cual fomenta el diálogo acerca del SMSL y ayuda a crear conciencia.

~ He participado activamente en las actividades relacionadas con el SMSL. Edito el boletín de noticias de nuestra organización; presido el Comité de Servicios Familiares y el Comité de Extensión de la Minoridad. También colaboro con el Comité para la Diversidad Cultural y Extensión de la Minoridad de *"SIDS Alliance"*. Todo lo anterior me ayuda a experimentar un sentimiento de pertenencia. Pienso que debo colaborar en la lucha contra el SMSL porque es lo único que aún puedo hacer por Armani.

Fotografías de Pascuas

En memoria de Nigel Christopher Radich: 24/2/94 - 11/7/94

~ Cheryl Radich

Ayer llevé a mis tres hijas a tomar una fotografía para Pascuas. Era la primera vez que les tomarían una fotografía juntas, y yo esperaba el momento con ansiedad. Sin embargo, fue una de las experiencias más difíciles para mí desde la muerte de Nigel. Lo que más me impactó fue que él "no estuviera en la fotografía". Observé las paredes del estudio y pude ver fotografías de niños pequeños vistiendo sus trajes de deportes, sosteniendo pelotas o camiones de juguete. Cada una de ellas era como una puñalada de dolor en mi corazón. Pensé en todos los trajes que Nigel nunca llegó a vestir. Ahora están guardados en un baúl a los pies de mi cama y aún conservan las etiquetas.

Habían soportes y paisajes de canchas de football y camiones de juguete. Sin embargo, el fotógrafo nunca pensó en utilizarlos en mi caso.

Cuando aguardaba para pagar, una enfermera joven sostenía en sus brazos a su bebé. Recogía las fotos de su hijo, y le mostraba una de ellas. El bebé parecía tener apenas unos meses de edad, y pensé en lo afortunada que debía ser esta mujer. Pero también pensé que no se equivocaba en hacerle tomar las fotografías, nunca se sabe. Observó a su bebé para ver si veía las fotografías y luego me miró. Su bebé me observaba y sonreía. Me conmovió. Su mamá estaba orgullosa. Volví a casa con mis tres hijas y lloré.

Capítulo 13

Ayuda profesional y apoyo de otros padres

Cierta noche en la que no podía conciliar el sueño, encontré en Internet el sitio de "SIDS Network". Percibí inmediatamente una conexión con otras personas que sentían lo mismo que yo. Desde entonces se ha convertido en un lugar en el que puedo buscar información, compartir ideas y conversar acerca de mi hijo cada vez que lo desee.

~ Cheryl Radich

Existen muchos recursos disponibles para ayudar a quienes vivieron el Síndrome de Muerte Súbita del Lactante. Lee Tanenbaum, ex especialista en programación de la División de Georgia del proyecto *"Public Health's SIDS Project"*, afirma: *"Luego de sufrir el fallecimiento de un bebé a causa del SMSL, muchas familias sienten una necesidad muy intensa de devorar todo tipo de información que pueda responder aunque sea en forma parcial a las preguntas: ¿qué es el SMSL?; ¿cómo podría haber protegido a mi bebé?; ¿sufrió mi bebé?"* La Sra. Tanenbaum afirma: *"También puede encontrar información en libros como el presente; en los proyectos del estado acerca del SMSL (disponibles en el programa de salud materno infantil de la oficina de salud del estado); en el centro de información "National SIDS Resource Center"; en la organización "First Candle" y en sus sedes locales o en otras organizaciones de apoyo a familiares de víctimas del SMSL (Puede encontrarlas en el apéndice del presente libro)".*

Otra fuente importante de información y apoyo tanto para profesionales como para familiares es Internet. El sitio que posee *"SIDS Information"* en Internet (URL: http://sids-network.org) se encuentra clasificado entre el 5% de los mejores sitios de la red. El sitio de *"SIDS Information"* brinda varios tipos de ayuda. Reúne toda la información parcial o incompleta que aparece en Internet, y proporciona información no publicada en la red: descubrimientos; información acerca de grupos de apoyo; contactos en todo el mundo; información educativa acerca de los factores de riesgo; información acerca de actividades para tomar conciencia e historias de aquellas personas afectadas en forma directa por la tragedia del SMSL. Las familias obtienen un apoyo inmediato; los investigadores contribuyen con nuevos descubrimientos y el público en general se informa acerca del síndrome. Miles de personas de todo el mundo han visitado este sitio web. El sitio web de *"SIDS Information"* es diseñado y auspiciado por voluntarios de *"SIDS Network, Inc"*, organización de voluntarios sin fines de lucro de Ledyard, Conn. *"SIDS Network"* fue creada por Deb y Chuck Mihalko, quienes participaron a nivel local, nacional e internacional en la toma de conciencia, educación, apoyo y marketing del SMSL desde que su hija de treinta y ocho días, Margaret Joy, falleció a causa del SMSL en el año 1989.

Otra fuente de información importante para familias es el foro *"Sudden Infant Death Syndrome Mailing List"*. Se trata de un grupo de debate en el cual tanto padres como profesionales pueden intercambiar información acerca del SMSL. Al participar de un foro, usted recibirá los mensajes vía correo electrónico. Cuando usted envía un mensaje, éste es recibido por todos los participantes. Las familias buscan y envían información; brindan ayuda mutua; comparten sentimientos profundos y exploran teorías acerca del SMSL. Asimismo, los investigadores, educadores y programas profesionales contribuyen al debate y pueden conocer las necesidades y preocupaciones de las familias que sufrieron el SMSL. El foro es un recurso disponible durante las veinticuatro horas del día para aquellos padres que buscan un apoyo en medio de la noche, cuando se intensifican los recuerdos del bebé amado. Puede encontrar este foro en el sitio web de *"SIDS Information"* (URL:http://sids-network.org) o directamente en http:www.mills.edu/PEOPLE/gr.pages/balzer.public.html/sids.list.html o a través de la casilla de correo electrónico balzer@ella.mills.edu. El coordinador del foro es Ned Balzer, padre de Willie, quien falleció en el año 1993 a los cuatro meses de edad a causa del SMSL. Ned Balzer colabora asimismo con el presente libro.

Una forma de recordar y rendir homenaje a su bebé es colocar su fotografía en el sitio Web *"SIDS Information"* de *"SIDS Network"*. Steve Ruggiero, quien perdió a su hijo Lucas a causa del SMSL en el año 1995, se ofrece para copiar en scanner las fotografías que le envíen para colocarlas en el sitio. Para obtener más información, puede contactarse con Steve Ruggiero a su dirección de correo electrónico steve@cookie.secapl.com o al sitio Web.

Los enfermeros de salud pública constituyen otra fuente importante de información para las familias, debido a su labor en casi todos los municipios del país. Puede obtener más información y recomendaciones en el artículo escrito por Linda Espósito para el presente capítulo.

El contacto con otros padres o familiares a través de diversas organizaciones es un componente importante en la lucha contra el SMSL. En el apéndice del presente libro puede obtenerse información acerca de los números telefónicos de consulta gratuita. Este apoyo personalizado a padres víctimas del SMSL es otra de las misiones de SIDS-ES, auspiciante sin fines de lucro del presente libro. Su número telefónico gratuito aparece en el apéndice y puede llamarse con cobro revertido. La persona voluntaria que recibe los llamados de otras víctimas del SMSL puede ser un padre, abuelo, padre adoptivo, persona contratada para cuidar niños, u otro familiar que vivió el fallecimiento de un bebé a causa del SMSL. Estas personas se ocupan de contactar a otros familiares que acaban de vivir la pérdida de un bebé a causa del SMSL. Quienes han sufrido el SMSL y se han recuperado pueden ayudar a quienes comienzan a transitar por este camino desde una perspectiva que no pueden brindarles sus familiares, amigos o profesionales. Estos voluntarios no son considerados asesores, ni intentan reemplazar la ayuda profesional. Ellos conocen su función y sus limitaciones; pero son muy buenos oyentes de las familias en duelo, con quienes éstas pueden intercambiar experiencias. El artículo de Nancy Maruyana analiza en detalle este tipo de ayuda.

Los asesores profesionales del SMSL son trabajadores sociales, psicólogos, psiquiatras o asesores familiares o matrimoniales. Ellos pueden ayudar a aquellas familias cuyo duelo esté transitando por una etapa difícil. El artículo de Carla Hosford brinda más información acerca de este tipo de profesionales, el momento en que se debe optar por una consulta y cómo elegirlo.

En varias ocasiones los familiares voluntarios trabajan en equipo con los consejeros profesionales para coordinar el trabajo de un grupo de apoyo con las familias víctimas del SMSL. En el libro *"Guía de los Grupos de Apoyo de Familiares en Proceso de Duelo: Un Manual Para Cualquier Persona o Profesional Que Desee Iniciar Un Grupo de Ayuda Mutua Durante el Proceso de Duelo" (Bereavement Support Group Guide: A Guidebook for Individuals and/or Professionals Who Wish To Start a Bereavement Mutual Self-Help Group)*, Margie Pike, RN, y Sara Rich Wheeler, RN, escribieron acerca de los grupos de apoyo: *"Para muchas personas, el hecho de saber que no están solas en su pérdida y en su duelo es de gran ayuda; así como el hecho de saber que otras personas que ya transitaron el difícil camino del dolor pueden actuar como guía, y que existe un ámbito en el que pueden compartir su tristeza"*. Este libro es un manual de instrucciones excelente para comenzar a organizar un grupo de apoyo.

~

Un familiar voluntario responde a la pregunta... ¿Aún lo haces?

~Debbie Gemmill

Acabamos de enviar nuestra inscripción para la reunión de ex alumnos de la escuela secundaria. Será la primera a la que asistiremos. Cuando se realizó la décima reunión, yo estaba embarazada de Tyler, en un momento de mi vida en que prefería pantuflas a zapatos de baile. No vimos a la mayoría de nuestros ex compañeros durante años, y estamos ansiosos por saber qué han hecho durante todos estos años.

Completar el formulario de inscripción resultó divertido. Mi esposo y yo éramos los típicos enamorados de la escuela secundaria; John estaba en la banda musical y yo en el equipo deportivo. El cuestionario nos sugería llevar cualquier recuerdo que tuviésemos de la escuela. Sería interesante ver quién asistiría, quién habría contraído matrimonio y quién tendría hijos.

Me tomó por sorpresa la sección del cuestionario en que había que completar los datos de los hijos. Escribí el nombre de Jen, su edad, así como el de Jordan. Cuando pasé al renglón siguiente sentí una necesidad de regresar a la pregunta de los hijos, ¿y Tyler?

Excepto por algunos amigos íntimos, ninguna de estas personas conocía a Tyler, y menos que había fallecido en forma súbita e inesperada cuando tenía siete semanas de vida ¿para qué mencionarlo?

Comencé a pensar en una conversación imaginaria con mis ex compañeros de la escuela secundaria. La mayoría sonreiríamos cuando nos preguntaran qué habíamos hecho durante los últimos veinticinco años.

"Oh, pasamos mucho tiempo corriendo de una casa a la otra"

"La neurocirugía me mantuvo bastante ocupado, además de los torneos deportivos"

"Dejé la carrera de modelo. Era una profesión tan trivial."

En realidad, lo que todos intentamos hacer fue trabajar para ganarnos la vida, dividirnos entre la casa y el trabajo; proporcionarle lo mejor a nuestros hijos; solventar la industria de los seguros de automóviles abonando primas cada vez más costosas. Y en medio de todo lo anterior, intentamos comprender y aceptar por qué un bebé completamente sano falleció mientras dormía.

Un amigo que no veíamos hacía varios años sí sabía lo que nos había sucedido. Cuando llamó para invitarnos a la reunión anterior, le expliqué que hacía seis semanas había tenido otro bebé.

Le enviamos una tarjeta de nacimiento y una tarjeta la Navidad siguiente en la que le contábamos que Tyler había fallecido durante la primavera. No podía imaginar otra forma de explicar la ausencia de Ty. No volvimos a saber de él hasta que nos llamó para preguntarnos si asistiríamos a la reunión. Cuando me preguntó qué había estado haciendo durante el último tiempo, naturalmente comencé a contarle acerca de mi trabajo voluntario para combatir el Síndrome de Muerte Súbita del Lactante.

"¿Aún lo haces?"

Una vez más recuerdo cuando le preguntaron a mi hija de cuatro años de edad a las pocas semanas de haber fallecido Ty - *"¿Te sientes mejor ahora?"*

Jen respondió *"No, mi hermano sigue muerto"*

Sí, continúo mi labor como voluntaria. No lo hago porque no tenga otras cosas que hacer, y no lo hago porque esté obsesionada, estancada o deprimida. Lo hago porque mi bebé falleció, y porque durante el tiempo en el que estuve escribiendo este capítulo, otro bebé acaba de fallecer, y otra familia ha comenzado a transitar este terrible camino.

El tiempo que dediqué a mi trabajo voluntario y a escribir acerca del SMSL y de la familia es sólo una pequeña fracción del tiempo que hubiera pasado con mi primer hijo. He perdido catorce cumpleaños, trece Navidades; trece canastas de Pascuas y quién sabe cuántos juegos de baseball, basketball y football. Todos esos momentos no se pueden reemplazar.

Cuando comencé a escribir, un instructor me sugirió que escribiera acerca de lo que sabía. Fue un buen consejo, y los primeros capítulos que escribí para diferentes publicaciones fueron acerca de cómo enseñar a los niños a dejar los pañales, cómo preparar sus comidas, cómo cultivar un jardín para nuestros hijos y acerca de la planificación de los cumpleaños. Era parte de mi vida, por lo tanto conocía muy bien estos temas. Actualmente escribo acerca de cómo superar la pérdida de un ser querido, porque es otra experiencia que tuve que vivir.

Recuerdo el momento en que calculé que mi hijo llevaba fallecido el mismo tiempo que había vivido. No puedo determinar cuál fue el momento en que observé que la mayoría de las personas registradas en mi agenda se relacionaban de algún modo con el SMSL, personas que había conocido luego del fallecimiento de Ty. Tampoco recuerdo cuándo decidí que debía hacer más por el SMSL que sólo "superarlo".

Un año después del fallecimiento de Ty, alguien me dijo que

comprendía mi trabajo voluntario para el grupo de apoyo a víctimas del SMSL. Dijo: *"Algún día sentirás que has compensado todo lo que ellos han hecho por ti".* Aunque siempre estaré agradecida con ellos por la ayuda que nos brindaron, no se trata de un plan de pago que debamos cancelar. Lo hago simplemente porque deseo hacerlo.

No sé si podré realizar algún comentario ingenioso durante nuestra reunión. Seguramente alardearé acerca de mis hijos Jen y Jordan, y me lamentaré con los demás por el paso del tiempo y por el descenso en el precio de los inmuebles. No sé si conversaremos acerca del SMSL y no sé si podré mantenerme callada durante todo el fin de semana. No sé qué haré cuando me pregunten *-¿qué has estado haciendo?"*

Tomé nuevamente el formulario de inscripción y anoté el nombre de Tyler al lado del de Jen y Jordan. Nunca en el pasado había ocultado a mi hijo, y no existen razones para hacerlo ahora. Creo que incluso llevaré una fotografía de él y cuando me pregunten les responderé -*"Sí, aún trabajo como voluntaria".*

~ *Este artículo fue extraído del libro* "Cómo Superar el Dolor: Desde la Perspectiva de un Padre" (*Getting Through Grief: From a Parent's Point of View*).

Sin título

~H. Thurman

Sé que no podré comprender lo que sientes ni la magnitud de tu dolor. Pero puedo ofrecerte mi amor, la fuerza del cariño, la calidez de interpretar el silencio y el vacío que queda después de una pérdida. Puedo hacerlo en silencio, para que en tu viaje no tengas que caminar en soledad.

Consejos de una madre víctima del Síndrome de Muerte Súbita del Lactante

~Carla Hosford, LCSW-C

Como madre asesora del "Centro de Maryland de Ayuda a Quienes sufrieron el Fallecimiento de un Hijo" de Baltimore (*Maryland Center for Infant and Child Loss*), siempre me pregunté cómo podía trabajar con padres víctimas del Síndrome de Muerte Súbita del Lactante cuando yo misma lo era. Como en varias ocasiones, respondí a mi pregunta con una variedad de sentimientos. Podría decir que me agrada utilizar mi experiencia personal para ayudar a otras personas que viven lo que yo viví en el pasado. O podría decir que siento como si me mirara en un espejo al observar a estos padres que comienzan a transitar su duelo y sienten lo que yo sentía y aún siento a veces, a pesar de que mi hija Susana falleció hace dieciocho años. Finalmente, puedo confesar que algunos de mis amigos me dijeron que estaba loca al involucrarme, y que tenían razón.

Todas mis anteriores respuestas son verdaderas, pero prefiero pensar que la primera lo es más. Mi hija falleció poco tiempo antes de que los proyectos del SMSL fueran aprobados con financiación federal. El apoyo que existía en ese momento provenía de grupos voluntarios como *"SIDS Foundation"*, *"Guild for Infant Survival"* y otros. La efectividad de esos grupos dependía de sus coordinadores, pero el hecho de ofrecer ayuda a los padres que acababan de sufrir la pérdida de un hijo los hacía invalorables.

Recuerdo muy bien los días y semanas que transcurrieron antes de recibir la llamada de *"SIDS Foundation"* de Nueva Jersey. En ese momento yo no podía creer que alguien pudiese recuperarse luego de haber vivido lo que me había sucedido, y ni siquiera sabía si quería superarlo. La voz de otra madre que había sufrido la pérdida de un bebé a causa del SMSL fue como una línea vital. Mi dolor no disminuyó, pero me demostró que otras personas pueden superarlo e incluso ayudar a otros padres.

Posteriormente, trabajé para *"SIDS Foundation"* de Nueva Jersey y para *"Guild for Infant Survival"* de Washington. Me sentí bien al poder ayudar a otros padres que habían perdido a un hijo por diversas causas. Sin embargo, sabía que sólo podía contactarme con algunas familias porque no existía en ese momento un mecanismo para localizarlas. Los padres contactados eran unos pocos afortunados.

Como consultora del programa de asesoramiento e información *"SIDS Information and Counseling Program"*, obtuve acceso a un mejor sistema de localización de familias de bebés víctimas del SMSL. El médico forense pasaba con rapidez a nuestra oficina la información relativa a todos los casos de muerte súbita que habían ocurrido en Maryland, y con frecuencia podíamos contactar a los padres a los pocos días de ocurrido el fallecimiento. Es muy importante poder disipar rápidamente la información incorrecta que reciben quienes perdieron un bebé a causa del SMSL. Por ejemplo, una madre angustiada puede comentar -*"Mi novio cree que el bebé no habría fallecido si yo no lo hubiera dejado al cuidado de una niñera"*; o *"mi madre afirma que mi bebé falleció porque yo lo alimentaba con la leche de fórmula incorrecta".*

Estos temores pueden disiparse al conversar con un asesor especialista en el SMSL y en las cuestiones relacionadas con el duelo. La ayuda profesional no necesariamente debe ser costosa. Algunos centros cobran según las posibilidades económicas de cada persona. Una buena forma de comenzar es escuchar los consejos de un amigo, vecino, colega o del servicio de asesoramiento acerca del SMSL del estado en el que usted vive. Su médico puede recomendarle a alguien. Las coberturas de salud y otros proveedores de seguros poseen registros de personas calificadas que pueden proporcionar este tipo de servicio. Las organizaciones que se ocupan del fallecimiento deberían proporcionar este tipo de información. Muchos profesionales realizan la derivación, y se los puede ubicar en el directorio telefónico.

Entre los profesionales capacitados para brindar asesoramiento podemos encontrar a psiquiatras, psicólogos, trabajadores sociales, enfermeras capacitadas en psiquiatría, consejeros religiosos y consejeros en salud mental. Quizás usted prefiera contactarse con una persona de su mismo sexo o religión, o que se especialice en determinado tratamiento como la terapia familiar o matrimonial. Su relación con el profesional es de suma importancia, ya que una preparación académica de excelencia no garantiza que usted pueda relacionarse con él y obtener la ayuda que necesita.

Recuerde que usted es un consumidor, y puede preguntar, por ejemplo, si el psiquiatra ha tratado a personas en duelo, si ha trabajado con quienes perdieron un hijo o si él mismo sufrió el fallecimiento de uno. Esto no garantiza que el especialista posea la experiencia que usted necesita para su tratamiento. Sin embargo, para algunas personas resulta más sencillo trabajar con alguien que ha vivido la misma situación.

El hecho de solicitar la ayuda de un asesor no significa que usted sea fuerte o que por el contrario carezca de energía propia. No debe dar crédito a este tipo de comentarios. Superar el SMSL es un desafío enorme, y cada persona lo vive con un conjunto de emociones diferentes, ya que cada persona posee una historia única de relaciones, y un inventario personal de fortalezas y debilidades. Los sistemas de apoyo y su capacidad de solucionar los problemas de estrés y trauma varían ampliamente, así como la aceptación de una intervención exterior.

Las situaciones vividas en el pasado o el presente de una persona pueden dificultar la forma en que esta persona afronta la pérdida de un hijo. Puedo mencionar el caso de una mujer que me consultó porque continuaba llorando en forma incontrolable un año y medio después del fallecimiento de su bebé. Pensaba que actuaba en forma extraña, y esta sensación se intensificaba porque quienes la rodeaban no podían comprender sus reacciones. Sucedió que al momento de fallecer la bebé, esta mujer estaba sufriendo otro cambio importante porque su esposo había comenzado a trabajar en otra ciudad. Además, su madre había enfermado de cáncer y su expectativa de vida era corta. El duelo requiere de mucho tiempo y energía, y esta mujer se encontraba dividida al tener que afrontar tantos cambios y pérdidas anticipadas. Por todas estas causas, no había logrado realizar un duelo adecuado cuando su bebé falleció. Con el paso del tiempo, cuando su vida se estabilizó, algunos acontecimientos o recuerdos desencadenaban el duelo que ella había postergado.

Un hombre que había perdido a un bebé hacía varios años no podía relacionarse adecuadamente con su nuevo hijo porque pensaba que no había podido despedirse de su bebé fallecido y que no era justo para ese bebé que él amara a otro hijo. Al conversar descubrimos que él estaba manifestando algunas experiencias de su infancia, cuando había sufrido abandono y carencias afectivas. Deseaba conversar acerca de esas vivencias y superar los sentimientos de tristeza y enojo que le producían. Poco a poco comprendió que en realidad necesitaba aferrarse a este bebé.

Si siente que se encuentra "estancado", que no puede conversar acerca de su pérdida; que no puede relacionarse con los demás; que se siente superado por el sentimiento de enojo, la culpa, el temor o la depresión, entonces debe considerar buscar ayuda profesional. Otros indicadores pueden ser una alimentación pobre o excesiva; problemas para dormir o un sueño demasiado prolongado, la necesidad de consumir drogas o alcohol; las dificultades de concentración o una conducta desinhibida.

El hecho de que usted esté leyendo el presente libro constituye un gran paso en la dirección correcta. Me complace haber participado en él como consultora porque considero que ofrece valiosos aportes, confirma sentimientos compartidos y aporta esperanza a los padres. También es muy valioso para quienes trabajamos en el área de salud mental. ¿Quién puede explicar mejor esta tragedia que un padre que la ha vivido y que escribe acerca de ella? Cuando falleció mi hija Susana hace dieciocho años no existía un libro así. Hubiese deseado haberlo leído en ese momento.

Encontrar amigos entre otras víctimas del Síndrome de Muerte Súbita del Lactante

~ Nancy Maruyama, RN

El apoyo de otros padres constituye un factor muy importante en la recuperación de una familia que ha perdido a un hijo. Durante los primeros días posteriores al fallecimiento de un bebé a causa del SMSL, el contacto con otros padres puede ofrecer apoyo, información, esperanza y aliento. Como ellos mismos padecieron el fallecimiento de un hijo, tienen mucho que ofrecer a quienes acaban de sufrir la pérdida, al intercambiar sus experiencias y el modo en que afrontaron el fallecimiento de su hijo.

El apoyo de otros padres proporciona un ámbito seguro y libre de prejuicios para quienes vivieron el SMSL. La función de estas personas no es aconsejar o brindar soluciones a los problemas; por el contrario, es escuchar con atención y ofrecer ayuda. No se lo considera un asesor, porque en realidad trabaja en equipo con asesores profesionales con experiencia en el SMSL y puede realizar la derivación si fuera necesario. La confidencialidad y el derecho a la privacidad son absolutamente respetados.

Cuando ocurre un fallecimiento a causa del SMSL, es importante que este tipo de apoyo se produzca lo antes posible. Según los recursos locales disponibles, quienes perdieron un bebé a causa de este mal son contactados dentro de las veinticuatro horas de producido el fallecimiento. En algunos casos la familia rechaza este tipo de apoyo en un primer momento, aunque puede ocurrir que luego lo solicite días, semanas, meses o incluso años después. Algunas culturas ofrecen otro tipo de apoyo a las familias, por ejemplo, a través de la comunidad religiosa. Se debe respetar cualquier decisión que tome la familia, y nunca se los debe obligar a aceptar un apoyo en contra de sus deseos.

Existen varios tipos de derivaciones, entre ellas podemos mencionar el asesoramiento de los enfermeros de salud pública, el personal de las salas de emergencia, la comunidad religiosa y los integrantes de la familia. Los padres reciben un sobre con información, en el cual se incluyen folletos y libros diseñados para padres, hermanos, abuelos y personal contratado para el cuidado infantil. El sobre también incluye información acerca de las reuniones de apoyo y del organismo local que se ocupa del SMSL. El sobre que envía el grupo *"SIDS Alliance"* de Illinois incluye asimismo una copia de "Cómo aceptar la muerte súbita e inesperada de un niño" (*The SIDS and Infant Death Survival Guide). "SIDS Alliance*" compró trescientas copias a un precio inferior para que cada familia en duelo pueda leer el presente libro inmediatamente después del fallecimiento de su bebé.

El contacto inicial se realiza en forma telefónica o por carta. En algunos lugares, se realiza en forma personal. En ciudades grandes como Chicago, es frecuente que el primer contacto se realice telefónicamente.

Este tipo de apoyo se prolonga durante el tiempo que la familia lo solicite. Puede consistir en una o dos conversaciones telefónicas o extenderse durante más de un año. Es importante que la persona que brinda apoyo comprenda que el duelo de la familia no concluye cuando ésta ha aceptado la pérdida de su hijo.

~ Nancy y su esposo Rodney perdieron a su primer bebé Brendam en el año 1985. Posteriormente tuvieron dos hijos, Caitlin y Jennifer. Nancy formó parte de la comisión directiva de "SIDS Alliance" de Illinois durante varios años, y continúa trabajando como voluntaria a nivel local y nacional.

Visitas Domiciliarias de enfermeros de salud pública

~ Linda Espósito, RN, MPH, CNS, CNA

Durante los últimos veinte años las familias en duelo han recibido el asesoramiento domiciliario de enfermeros. Quienes proporcionan este servicio suelen ser enfermeros de salud pública capacitados en la fisiopatología de las enfermedades o la muerte. Procuran lograr un estado mental positivo sin recurrir necesariamente a tratamientos psiquiátricos. Tampoco recomiendan una derivación psiquiátrica si no existe una causa que la justifique. Son profesionales matriculados en el estado en que desempeñan su labor, y con frecuencia son empleados de los organismos de salud municipales o estatales. Realizan visitas domiciliarias a aquellas personas en período de duelo dentro de un área determinada. Estas visitas son solventadas por el municipio, donaciones o a través de la colaboración de otras organizaciones comprometidas en la lucha contra el Síndrome de Muerte Súbita del Lactante.

A veces las familias se sienten amenazadas cuando un enfermero de salud pública visita su hogar. Este temor se fundamenta en la creencia errónea de que el municipio o el estado están investigando a la familia. Se trata de un temor infundado, ya que el único objetivo de la visita es ofrecer apoyo y consuelo. Trabajan además en agencias privadas, con frecuencia contratadas por organizaciones que asisten a personas postradas, cuyas visitas son solventadas por los sistemas de cobertura médica. También asisten a familias en duelo que perdieron a un bebé a causa del SMSL, y sus servicios son solventados por organizaciones comprometidas con el SMSL o por medio de donaciones.

Los enfermeros de salud pública realizan visitas a familiares en duelo a causa del SMSL en todo el país. En otros países, reciben el nombre de visitadores domiciliarios y poseen capacitación en el asesoramiento durante el duelo.

Las etapas iniciales del duelo producen en la familia emociones variadas, como enojo, culpa, conmoción, tristeza y dolor. Las familias deben iniciar un largo viaje emocional para encontrar respuestas que quizás no existen. Se sienten sorprendidos y agobiados por la intensidad de esas emociones y la intensidad del dolor que experimentan. Los padres describen esta etapa como un estado de aturdimiento emocional. A través de la ayuda de los enfermeros, las familias obtienen información y apoyo para superar la conmoción inicial. También obtienen información acerca de los lugares en los que pueden obtener ayuda adicional. Algunas familias encuentran el apoyo necesario en los grupos organizados por otros padres de víctimas del SMSL, al conversar con ellos telefónicamente o al realizar consultas con enfermeros u organizaciones dedicadas al SMSL. En otros casos, las familias pueden necesitar ayuda psicológica o terapia.

Estos enfermeros pueden ayudar a la familia a conversar acerca de su pérdida; a expresar sus sentimientos hacia el bebé y a analizar la escena del fallecimiento. También pueden ayudar a la familia a aceptar sus sentimientos y ofrecerles apoyo. Además pueden analizar con la familia qué comportamientos son considerados normales durante el duelo. Con frecuencia, los integrantes de la familia temen volverse locos al sentir que oyen el llanto del bebé o al sentir dolor en sus brazos por no poder tomarlo en sus brazos. Los padres sienten un dolor diferente al del resto de la familia. Los hermanos también sienten dolor, y el enfermero puede brindar a la familia valiosa información acerca del modo en que los niños viven la muerte según su edad. También pueden ayudar a los padres a analizar diferentes formas de apoyar a sus hijos durante el duelo.

Una madre que había perdido a un bebé a causa del SMSL pensaba: *"Debí haber hecho algo mal u olvidado algo que provocó el fallecimiento de mi hijo"*. Al escuchar esta declaración, el enfermero debe enfocarse en ese sentimiento de culpa y explicar las características relativas al SMSL. La culpa puede impedir la recuperación emocional de una persona y destruir su auto estima.

Los enfermeros poseen amplios conocimientos y pueden ayudar a la familia a identificar información relevante en el laberinto de descubrimientos referentes al SMSL. Las familias pueden intensificar sus sentimientos de culpa cuando toman conocimiento acerca de los factores de riesgo del SMSL, pero es importante que comprendan que los factores de riesgo por sí mismos no son la causa del SMSL.

El duelo puede ser un proceso difícil y solitario, y es importante dedicarle tiempo. El dolor que experimentamos durante el duelo llega a formar parte de nuestras vidas, por lo tanto no se lo debe negar ni bloquear, porque estaríamos bloqueando un aspecto de nuestra vida. No existe una forma preestablecida de vivir el duelo de un hijo. A veces sucede que otros padres desean influir en el duelo y sienten impaciencia al observar que no se produce una recuperación de la familia que desearon ayudar. Los padres nunca se recuperarán por completo del fallecimiento de un hijo, pero llegará un momento en que los integrantes de la familia lograrán retomar el curso de sus vidas.

El objetivo de este tipo de asesoramiento es optimizar y facilitar el período de duelo. Algunas de las señales que podrían indicar la necesidad de terapia psicológica son: la incapacidad de los padres de hablar acerca del niño sin experimentar un intenso dolor; un incidente menor que desencadena una reacción dolorosa intensa; la incapacidad de retirar las pertenencias del bebé durante un período de tiempo muy prolongado; cambios radicales en el estilo de vida; depresión; comportamientos auto-destructivos o fobias acerca de las enfermedades o la muerte. El objetivo de la terapia es identificar y resolver los conflictos de la separación, que imposibilitan la concreción del duelo.

La regla general para determinar si una familia necesita terapia es observar el modo en que el proceso de duelo afecta su vida cotidiana. Los enfermeros están capacitados para evaluar el proceso de duelo de cada familia y pueden reconocer los casos en que se necesita ayuda psiquiátrica.

Cómo lograr una buena relación con el asesor
Entrevista a Mike Hitch

~Robin Rice

Mike y Janet Hitch habían sido bendecidos con la llegada de su bebé en Navidad. Sin embargo, el Síndrome de Muerte Súbita del Lactante los golpeó durante la primavera. De todo lo que habían oído acerca de la tragedia del SMSL, lo que más los angustiaba era el futuro de su matrimonio y el de sus dos hijas. Mike había oído -*"El SMSL puede tomar como rehenes a las personas que intentan superarlo"*. Le habían informado -*"La mejor forma de evitar una tragedia aun mayor es buscar desde un primer momento ayuda profesional"*.

Dos meses después de su pérdida, contactaron a Cyndi Butler, madre de una niña que asistía a la misma institución maternal que una de sus hijas. Como trabajadora social, Cyndi se especializaba en el duelo, y fue como un regalo del cielo para Mike y Janet. Debieron encontrar la forma para que su sistema cerrado de salud (HMO) aprobara –mediante la derivación de un médico autorizado- el tratamiento que realizarían con Cyndi bajo el diagnóstico de "trastorno de adaptación". Dicho diagnóstico fue suficiente para que ellos recibieran un reembolso parcial del tratamiento, lo que los ayudó a solventar el costo de las consultas.

Desde la primera consulta, Cyndi demostró un amplio conocimiento del proceso de duelo. Podía sentirse identificada con el SMSL, porque ella había perdido a un hermano menor a causa de un tipo de muerte infantil hacía aproximadamente treinta años. Mike explica -*"Realmente logramos una buena relación con Cyndi. Debe ser una cuestión intuitiva. Cyndi siempre se mostró muy perceptiva acerca de los temas que nosotros deseábamos abordar"*. Al haber sido educado en la concepción de que un hombre no debe expresar sus emociones, Mike sintió más facilidad al poder conversar con Cyndi acerca de todo lo que había revelado el fallecimiento de su hijo. Con el paso del tiempo, lograron conversar acerca de muchos temas, según el modo en que se sintieran y la etapa del duelo que estuvieran atravesando.

Los primeros sentimientos que aparecieron fueron la negación y la culpa. Actualmente se enfocan en la transición hacia la etapa de la recuperación. Lograron además conversar con Cyndi acerca de sus hijas de cinco y siete años, quienes también debieron vivir el proceso de duelo.

A excepción de algunas circunstancias en las que Mike se encontraba fuera de la ciudad, siempre concurrieron juntos a las consultas. Descubrieron que se sentían como si estuviesen sobre un columpio: cuando uno de ellos estaba bien, el otro decaía. Mike explica: *"Era como si nos turnásemos para sentir el peso del dolor"*.

Según Mike, quien admite que en el pasado no podía expresar sus emociones, era como si se sintiera obligado a dedicarse a su proceso de duelo en forma semanal -*"Siempre reí pensando que Cyndi era como una especie de exorcista, capaz de sacar a las superficie todas esas emociones"*. A veces abandonaba la sesión de terapia sintiéndose peor durante horas, y en forma invariable el día siguiente acontecía en él una explosión de enojo o tristeza. *"Ella pudo sacar todos esos sentimientos a la superficie, y lo que parecía negativo en un primer momento resultó en realidad positivo"*.

Mike y Janet consultaron a Cyndi durante aproximadamente cuatro meses y luego interrumpieron las consultas, ya que en ese momento sentían que habían asimilado todo lo que necesitaban. Pero al analizarlo, Mike siente que se involucró demasiado en su trabajo. Luego, cuando se aproximó la temida época de Navidad, tanto Mike como Janet comenzaron a sentirse presionados y reiniciaron las sesiones de terapia. Mike afirma -*"Fue extraño, pero en realidad el cumpleaños de Michael no nos golpeó con la fuerza que habíamos imaginado. Sin embargo, durante el mes de enero, cuando todo pasó, sentimos una gran tristeza"*.

Actualmente se aproxima el aniversario de fallecimiento de Michael, y Mike y Janet no planean aún abandonar las sesiones de terapia -*"Quizás durante el verano, quizás no. Visitaremos a Cyndi durante el tiempo necesario"*.

Mi línea vital
Entrevista a Gwen Robinson

~Robin Rice

Poco tiempo después del fallecimiento de su hija Rachel a causa del SMSL, Gwen Robinson comenzó a buscar en la guía telefónica local a alguien que le brindara el apoyo emocional que necesitaba en ese momento. Por casualidad encontró a Gretchen Poole, una trabajadora social que se convirtió en su línea vital. Gretchen dictaba clases acerca del tema del sufrimiento que se llamaban "Cómo curar las heridas causadas por una pérdida" (*Healing the Loss*). Se trataba de doce sesiones en un período de seis semanas y podía participar cualquiera que estuviese atravesando por un período de dolor. Gwen y su esposo Kevin conocieron a muchísimas personas, entre ellas a una mujer que había reprimido durante veinte años el dolor por la pérdida de su madre y otra mujer que sufría por el alejamiento con su padre quien aún vivía. Gwen y Kevin eran los únicos que habían perdido un bebé. Al compartir diferentes experiencias Gwen comprendió que no podemos subestimar el dolor que padecen otras personas.

Pudieron reafirmar este pensamiento cuando asistieron a una reunión del grupo de apoyo "Amigos Solidarios" (*Compassionate*

Friends), destinada a aquellas personas que habían sufrido un aborto, la pérdida de un hijo o el fallecimiento de un bebé recién nacido. *"Cada persona experimenta dolor y pérdidas. Comprendí que aunque mi hija había fallecido, mi dolor no era comparable al de una persona que perdiera un bebé recién nacido o sufriera un aborto".* Al mismo tiempo, Gwen se sintió identificada con aquellas personas que habían perdido un bebé a causa del SMSL en reuniones organizadas por grupos de apoyo a padres de víctimas del SMSL.

Gwen también recurrió a la ayuda del libro "Manual Para Recuperarse del Dolor" (*Grief Recovery Handbook*), escrito por John W. James y Frank Cherry, fundadores del instituto *"Grief Recovery Institute".* Con la ayuda de este libro, Gwen siguió un programa gradual para avanzar en su recuperación. Gretchen, su instructora, creía en el concepto espiritual de la reencarnación, y esta teoría fue del agrado de Gwen -*"Gretchen creía que mi hija me había elegido para ser su madre y que yo tenía un contrato con ella y con Dios, por el cual mi bebé había nacido para aprender lo que necesitaba saber. Estos pensamientos lograron reconfortarme".*

Desde ese momento, Gwen leyó varios libros acerca de personas que habían sobrevivido a la muerte clínica y quienes creen que existe vida después de la muerte. Entre esos libros podemos mencionar "Más allá del umbral de la muerte" (*Beyond Death´s Door*). Gwen afirma: *"En el pasado nunca había meditado acerca de la vida después de la muerte".*

Además de la ayuda brindada por Gretchen, Gwen se contactó con un consejero a través del grupo *"Haven"* de Annandale, Virginia. Este grupo de apoyo sin fines de lucro ofrece asesoramiento en forma gratuita. Gwen y Kevin fueron asignados a Peggy Cauley, una mujer que conocía muy bien el tema del duelo. Peggy tenía cuatro hijos. Tres de ellos tenían fibrosis quística, de los cuales dos habían fallecido. Gwen y Peggy se reunían para observar fotografías; almorzar o simplemente para conversar.

Las clases con Gretchen, las lecturas, las reuniones de los grupos de apoyo y las reuniones con Peggy ayudaron a Gwen a superar en forma gradual su período de duelo. Pero aún con toda esta ayuda, Gwen cree que cada persona debe elaborar por sí misma el duelo - *"Sabía que debía superar mi dolor y comenzar a vivir otra vez, y por sobre todas las cosas, no deseaba una vida desagradable".*

Capítulo 14

Los servicios médicos de urgencia y las autoridades

Cuando ocurre un fallecimiento a causa del Síndrome de Muerte Súbita del Lactante, una cantidad de personas extrañas entran en contacto con los familiares del bebé fallecido. Podemos mencionar a quienes responden al servicio 911; a los paramédicos; a los investigadores; a los médicos y enfermeras; a los médicos forenses; a los asesores en el SMSL y a quienes organizan funerales. Con frecuencia estos profesionales comprenden el dolor de quienes sufren la muerte de un ser querido a causa del SMSL. Sin embargo, en algunas ocasiones actúan en forma insensible, agresiva o mal intencionada, lo que incrementa los sentimientos de enojo de quienes sufrieron la tragedia.

Desafortunadamente, en la actualidad existe una tendencia a culpar a los padres o a quienes cuidaban al niño que falleció. La edición del mes de marzo del año 1996 de *"Redbook Magazine"* documentó la tendencia de los médicos forenses y otros funcionarios de cuestionar el diagnóstico cuando se trata del SMSL. El artículo relata: *"Los padres que sufrieron el SMSL no sólo padecen el agobio del dolor y la duda, sino que temen la reacción de amigos y familiares que desconocen este problema. También temen que las autoridades -quienes actualmente sospechan de cualquier potencial caso del SMSL- los acusen de haber asesinado a sus hijos por abuso de negligencia".*

Lo anterior no implica que los padres no deseen una investigación detallada de las circunstancias en que falleció su hijo. Tanto los padres pertenecientes a organizaciones nacionales relacionadas con el SMSL como sus abogados han realizado grandes esfuerzos para que se aprobaran leyes que determinaran una rigurosa investigación de cada muerte infantil. *"El objetivo es lograr un procedimiento estándar"*, explica Phipps Cohe, ex director de comunicaciones de *"First Candle"*. Desafortunadamente, muchas comunidades ya han adoptado procedimientos que permiten a los investigadores y a quienes responden las llamadas de urgencia detectar un posible caso de SMSL durante la investigación de la escena del fallecimiento. En varias comunidades los fallecimientos a causa de muerte súbita son analizados por médicos forenses, quienes no poseen especialización en patología, medicina legal o pediatría.

La investigación policial que rodea a un caso de muerte súbita puede resultar en extremo agresiva y atemorizante para cualquier padre. Quienes responden las llamadas de urgencia deben comprender lo difícil de esta situación para los padres de la víctima, en especial cuando un grupo de extraños irrumpirá en sus vidas y cuestionarán su aptitud como padres. Cuando Joani encontró a su hijo Christian sin vida, esperó durante algunos minutos antes de llamar al servicio 911 -*"Sabía que me lo arrebatarían y que nunca, nunca más podría estar a solas con él".* Cuando llamó al 911 y llegaron los paramédicos, lo llevaron apresuradamente hacia la ambulancia y desaparecieron, dejando a Joani detrás impartiendo instrucciones a sus vecinos para ubicar a su esposo Gabe. Ellos indudablemente cumplían con su trabajo, ya que su prioridad era la supervivencia de Christian.

Posteriormente, luego de haber sido interrogados en el hospital, Joani y Gabe fueron tomados absolutamente por sorpresa cuando regresaron a su hogar y encontraron a otros investigadores tomando fotografías y examinando la habitación de Christian. La familia Horchler nunca había sido investigada en el pasado, y el primer pensamiento de Joani fue -*"Dios mío, ¿habré matado a mi bebé?"* También se preguntó -*"¿me encarcelarán por no haber controlado más a mi bebé o por no haber observado si respiraba?"* Joani permaneció en la planta baja al tiempo que Gabe subía para conversar con los investigadores. Uno de ellos le informó amablemente - *"Su bebé dormía en la posición más segura".* A pesar de que parecía imposible que alguien pudiera fallecer en una posición segura, Joani y Gabe se sintieron reconfortados al escucharlo. Tiempo después, supieron que se había realizado una investigación de la escena del fallecimiento, que difiere de una investigación penal. El detective Steve Kerpelman explica la diferencia en uno de los artículos del presente capítulo.

En el Municipio de Prince George, Maryland, lugar de residencia de los Horchler, se publicó un manual de instrucciones para los funcionarios de policía que investigan los fallecimientos a causa del SMSL. Este manual insta a los funcionarios de policía a tratar a los padres con amabilidad, a quienes define como las verdaderas víctimas del caso. El manual explica:

-"Los agentes de policía deben ser cuidadosos y no provocar dudas o sentimientos de culpa en los padres. Las verdaderas amenazas que padecen los integrantes de una familia que sufrió el SMSL ya son lo suficientemente complicadas: problemas emocionales; divorcio, suicidio, etc. Los agentes de policía deben tener en cuenta todas estas posibilidades".

El manual (1) está muy bien redactado, su tono es solidario y constituye un excelente ejemplo para los agentes de policía y los investigadores. Puede obtenerse escribiendo a la "División de Capacitación y Educación del Departamento de Policía del Municipio de Prince George (*Prince George's County Police Department's Education and Training Division).* Su dirección se encuentra en la bibliografía.

Existen manuales similares diseñados según la especialidad del lector: recepcionistas del servicio 911, paramédicos, enfermeros, médicos, personal de emergencias del hospital y personas encargadas de organizar los funerales. Pueden solicitarse estos protocolos a *"Pennsylvania SIDS Centre"* (2) o al *"National SIDS Resource Centre"* (Consultar direcciones en el apéndice).

Los agentes están autorizados a informar a los padres durante la investigación en qué casos la causa de muerte es el SMSL. Sin embargo, la causa de fallecimiento definitiva debe determinarla un médico. En el caso de Joani, fue un empleado del hospital quien le informó acerca de la posible causa de fallecimiento de su hijo. Esto la ayudó a aliviar sus pensamientos y su auto incriminación. De hecho, estaba tan perturbada que pensaba que si era responsable en alguna medida del fallecimiento de su hijo se arrojaría al vacío desde el puente más cercano.

Cuando llegó al Hospital Prince George, una amable asesora llamada Rose Nalley la estaba esperando. La condujo a una pequeña sala blanca, donde otro médico le informó que Christian había fallecido y que los exámenes preliminares determinaban que la causa del fallecimiento había sido el SMSL. El Padre John Hurley -quien había sido llamado por una vecina de Joani- también llegó al hospital y esperó a Joani. Mientras tanto, los investigadores la interrogaron acerca de la forma en que había encontrado al bebé; si había sucedido algo anormal ese día y acerca de su embarazo. Joani siempre agradecerá a Rose el haberle permitido estar con Christian durante varias horas para que su esposo Gabe -quien regresaba de un viaje de negocios- tuviese el tiempo suficiente para llegar a despedirse de su único hijo varón.

Luego llegaron otros profesionales, entre ellos Pablo Renart, el obstetra y ginecólogo de Joani, quien le aseguró que no debía culparse por la muerte de Christian. Ruth Steerman, la pediatra del bebé, se reunió con Joani varias semanas después para analizar el informe de la autopsia. Tres días después del fallecimiento del bebé, Joani fue contactada por un asesor del "Centro de Maryland de Ayuda a Quienes Sufrieron el Fallecimiento de un Hijo", (*Maryland Center for Infant and Child Loss)* quienes reciben en forma habitual los informes de fallecimiento a causa del SMSL redactados por los médicos forenses; para contactarse con las familias y ofrecer ayuda.

Tiempo después Joani sintió una necesidad de consultar al médico forense del estado para pedirle más información y confirmar algunos datos. La atendieron con prontitud y calidez.

La experiencia vivida por Joani constituye un ejemplo del modo en que debe afrontarse el fallecimiento de un bebé a causa del SMSL. Para estimular este tipo de reacciones, iniciamos este capítulo con una lista de sugerencias de acción y de omisión propuestas en el manual de capacitación del Departamento de Policía del Municipio de Prince George.

Sugerencias para los responsables del Servicio Médico de Urgencia *(capítulo extraído del módulo de capacitación para Síndrome de Muerte Súbita del Lactante 85-2)*

~Redactado por Kerry Day, del Departamento de Policía del Municipio de Prince George, Maryland

Se aconseja:

~ Alentar a los padres a ser pacientes y a no abrigar esperanzas.

~ Expresar sus condolencias por el niño fallecido.

~ Permitir a los padres expresar libremente su dolor.

~ Permitir a los padres hablar acerca del bebé fallecido.

~ Asegurar a los padres que el bebé recibió la mejor atención y cuidados médicos, si considera que ellos necesitan escucharlo.

No se aconseja:

~ Afirmar que comprende el modo en que se sienten a menos que usted también haya perdido un hijo a causa del SMSL.

~ Cambiar de tema cada vez que el padre menciona al bebé fallecido.

~ Evitar la mención del bebé por su nombre.

~ Decir a los padres cómo se deberían sentir.

~ Buscar algo positivo relacionado con la muerte del bebé (lecciones de moral o consecuencias para la familia).

~ Decir a los padres que tendrán otros hijos en el futuro, o que por lo menos tienen otros hijos (un hijo no puede ser reemplazado ni siquiera por otro hijo).

~ Realizar comentarios que cuestionen la calidad del servicio médico que atendió al bebé. Los padres que sufrieron la pérdida de un bebé a causa del SMSL padecen dudas y sentimientos de culpa, y no necesitan agregar otras hipótesis al fallecimiento de su hijo.

El fallecimiento del hijo de quienes integran el Servicio de Emergencia

~ Michelle Grogan

Mi esposo Patrick es paramédico profesional y bombero voluntario (EMT-P). Yo trabajo cuidando niños en mi hogar y como técnica voluntaria de emergencias médicas básicas (EMT-B) en la central local de bomberos y como parte del equipo de la ambulancia.

Nuestro hijo Aaron Christopher nació el día 29 de junio del año 1996. Al nacer pesó aproximadamente dos kilos setecientos gramos y era un bebé muy saludable. Patrick y yo nos sentíamos superados por la felicidad.

Durante los primeros meses de vida de Aaron, Patrick trabajaba cada veinticuatro horas en el servicio de paramédicos del Departamento de Bomberos de la Ciudad de Annapolis. El día 22 de septiembre, Patrick se había ausentado durante casi toda la noche para responder las llamadas al 911. Cuando llegó a casa esa mañana, me despertó cuando subía las escaleras. Dijo *"buenos días"* y se dirigió a la cuna de Aaron. Al observar a nuestro bebé mi esposo quedó petrificado. Pude percibir algo pero en ese momento no sabía que sufriría el impacto más fuerte de toda mi vida. Al tiempo que me sentaba en la cama, recuerdo haber pensado - "coloca una mano en su espalda", y quizás incluso se lo dije. Mi esposo respondió - *"¡Por Dios Michelle, está muerto!"*, mientras se arrodillaba para realizarle reanimación cardio pulmonar. Salté de la cama, caí de rodillas y me arrastré gritando -*"¡No Dios, no!"*

Algunos segundos después, me arrastré hasta el teléfono, y cuando comenzaba a discar, escuché a mi esposo decirme -*"Es demasiado tarde"*. Llamé al 911 simplemente porque necesitábamos ayuda como padres, aunque sabía que mi bebé ya había fallecido. Luego Patrick dijo llorando tan fuerte que apenas podía comprender lo que decía -*"Es demasiado tarde, él se ha ido"*. Grité *"¡No!"* una y otra vez, al tiempo que lloraba y gritaba con terror y enojo a la vez. Cuando Patrick me mostró a Aaron, supe que él estaba muerto, pero no podía aceptarlo. No podía habernos sucedido esto a nosotros. ¡Podremos solucionarlo!, ¡Nosotros sabemos cómo!

Aunque la ambulancia llegó en pocos minutos, nos pareció una eternidad. En todo el tiempo que yo había conducido la ambulancia, nunca había visto a alguien tan conmocionado como a mi esposo Patrick en ese momento.

Recosté a Aaron sobre la cama y comencé a vestirme, y luego lo llevé hacia la planta baja. Me senté en un sillón, comencé a mecerlo, aunque no soportaba ver su rostro hinchado y sin vida. Su cuerpo estaba frío e inerte.

Cuatro de nuestros amigos más íntimos llegaron en la ambulancia: Dottie, quien se encontraba en el hospital al momento de nacer Aaron; Dallas, el mejor amigo de Patrick y quien me llevó al hospital cuando estaba en trabajo de parto; Waynne y Allen, amigos muy cercanos durante años.

Dallas cruzó corriendo la entrada de nuestra casa y pude observar la determinación en su rostro. Le dije -*"¡No, Dallas, no. Es demasiado tarde, se ha ido, no tiene sentido realizarle RCP, es demasiado tarde!"*. Comprendió mis palabras cuando tomó en sus brazos a Aaron.

No es sencillo omitir todo lo que estábamos capacitados para hacer. Nuestro oficio es salvar vidas, y no resultaba sencillo aceptar la realidad. No era fácil aceptar que nuestro hijo había fallecido y que los intentos de reanimación hubiesen sido un esfuerzo absurdo y cruel.

Cuando llegó la policía y el médico forense, entregué mi bebé a Patrick y esperé afuera de la casa. Dottie se sentó a mi lado y realizó algunos llamados telefónicos. Me encontraba aturdida, no podía llorar ni hablar. No podía mover mi cuerpo ni dejar de temblar.

Fue muy difícil para los agentes de policía realizar su labor. Los conocíamos hacía muchos años, a algunos del Departamento de Bomberos y a otros de un modo más personal. Los oía formular preguntas acerca de Aaron y de su cuna, pero no podían evitar que sus voces se quebraran y que sus ojos se llenaran de lágrimas. Parecía un sueño. Mi cuerpo estaba allí pero yo observaba todo desde afuera. No podía dejar de repetirme -*"Despierta Michelle. Aaron está bien, fue sólo un sueño"*. Sin embargo, era una pesadilla real.

El médico forense es un amigo muy cercano. Tomó fotografías, revisó el cuerpo de Aaron y llenó formularios de rutina. Patrick colaboró en todo, yo estaba como congelada en mi silla. Patrick llamó a la casa funeraria y me sugirió tomar en brazos a Aaron hasta que se lo llevaran. Lo sostuve muy cerca de mi pecho, pero aún no podía observar su rostro. No podía soportar verlo de ese modo. Luego Patrick lo llevó en la ambulancia hasta la casa funeraria a sólo dos cuadras de nuestro hogar.

Los tres días anteriores al funeral fueron muy difíciles. Yo no podía comer ni dormir, tan sólo bebía café y me sentía en un estado de aturdimiento total; Patrick no podía dejar de limpiar ni dejar de comer hasta enfermar. Apenas podíamos mirarnos. Esta situación continuó durante semanas, durante las que temí que nuestro matrimonio se destruyera, ¿cómo se puede superar el fallecimiento de un hijo?

Durante el velatorio de Aaron, me impresionó la cantidad de flores y tarjetas. Más tarde nos reunimos en casa de mi hermana y luego regresamos a casa. Aún en silencio, nos recostamos en la cama y observamos el lugar que ocupaba la cuna de nuestro hijo. Creo que aún pensábamos -¿cómo pudo suceder?

Luego sonó la sirena de la ambulancia y pensé -*"¿y si es un bebé?"*. Encendí mi localizador y aliviada observé que no se trataba de un bebé. Sin embargo, alguien necesitaba ayuda. La sirena volvió a sonar porque necesitaban a un técnico médico de urgencias (EMT) para que la ambulancia pudiera salir. Durante unos momentos dudé, pero luego pensé -*"Debo hacerlo por Aaron y por mí"*. Era difícil subir nuevamente a la misma ambulancia que había llevado a mi hijo a la casa funeraria.

Patrick no se encontraba en condiciones de ir, todo lo que podía pensar era que mientras él estaba salvando a alguien su propio hijo fallecía en su cuna. Lo repetía una y otra vez. Me dijo -*"¿y si tengo que decirle a alguien que ya es demasiado tarde? No puedo hacerlo aún, y quizás nunca logre hacerlo otra vez"*.

Luego de algunas semanas regresamos a nuestro trabajo. Patrick fue asignado al camión de bomberos, no al servicio de paramédicos. Sentía que no podía tomar decisiones relativas a la vida de una persona y temía ser requerido para un caso de muerte súbita. Yo necesitaba conducir la ambulancia para asegurarme de que todas las personas que llamaran al 911 recibieran la ayuda que nosotros habíamos recibido cuando la necesitamos.

Ya han pasado tres meses y medio desde el fallecimiento de Aaron. Sigo conduciendo la ambulancia pero cuando se trata de un bebé o un niño siempre dudo. A veces mis temores me superan: -¿qué haré o diré en caso de fallecer un bebé?, ¿podré sobreponerme a la situación o me quebraré? Patrick volvió a su trabajo como voluntario, pero ambos sabemos cuándo debemos hacernos a un lado y dejar que otra persona se haga cargo de la situación.

Patrick llora a diario y visita cada tres días la tumba de Aaron para llevarle flores frescas. Ambos lo extrañamos mucho.

Hay momentos más difíciles que otros. Patrick me contó que cierto día estaba en el camión de bomberos y pasó caminando un niño con su madre. El niño lo observó y dijo -*"¡un camión de bomberos!"*. Patrick no pudo contener sus lágrimas al leer sus labios. Tanto mi esposo como yo amamos nuestro trabajo en el departamento de bomberos, y anhelábamos compartir nuestra pasión con Aaron.

Lo más difícil para nosotros es que ni siquiera tuvimos la oportunidad de utilizar nuestros conocimientos para salvar a nuestro hijo. Nosotros no tuvimos la gota de esperanza de aquellas personas que llaman al 911.

Nos consuela pensar que Aaron está a salvo con mi madre y que nunca vivirá nuestro dolor, aunque entregaríamos todo para tenerlo con nosotros otra vez.

El Síndrome de Muerte Súbita del Lactante y los investigadores de homicidos

Entrevista a J. Richard Salen y Steve Kerpelman

~Joani Nelson Horchler

Más del 75% de los padres que conoció el detective J. Richard Salen al investigar fallecimientos a causa del Síndrome de Muerte Súbita del Lactante desconocían esta enfermedad cuando él intentó explicarles la causa de fallecimiento de sus bebés.

Más aun -*"Podría apostar que más del 95% de los padres desconocían la técnica de reanimación cardio pulmonar"*, afirma el detective Steve Kerpelman, colega del detective Salen en la división de investigaciones penales del municipio de Prince George.

Ellos creen que si los pediatras explicaran con más detalle los riesgos del SMSL, los padres no sentirían tanta culpa al fallecer sus bebés. *"No existe la suficiente difusión acerca de este tema"*, afirma Salen. Ambos afirman que la mayoría de las personas cree equivocadamente que el SMSL es causado por asfixia, atragantamiento u otra causa evitable. Entonces, cuando encuentran a su hijo sin vida, creen que podrían haber evitado su fallecimiento. Podría disminuirse este sentimiento de culpa si existiera más educación al respecto.

El detective Kerpelman también afirma -*"Como la reanimación cardio pulmonar (RCP) puede salvar la vida de algunos bebés que dejan de respirar, esta capacitación tendría que ser parte normal de la instrucción prenatal. Es extraño que se explique a las madres con tanto énfasis acerca de la respiración durante el parto, y al mismo tiempo se pase por alto la instrucción acerca de cómo salvar la vida de un bebé que ya nació".*

También afirma que cuando existe un fallecimiento cuyas causas no inducen a pensar en un asesinato –como en el caso del SMSL- entonces se realiza una investigación -*"Se investigan las circunstancias que rodearon al fallecimiento, y nadie es considerado sospechoso de un accionar delictivo. Por el contrario, en una investigación por homicidio existen sospechosos, testigos, etc."* Cuando ocurre un fallecimiento a causa del SMSL, por lo general no existe investigación penal. El procedimiento se convierte en una investigación por homicidio sólo si se sospecha que pudo existir engaño o accionar delictivo.

Ambos detectives analizan en qué casos la causa del fallecimiento es el SMSL. El detective Salen señala que habitualmente se inspecciona la casa para verificar la existencia de alimentos, pañales y accesorios necesarios para el correcto cuidado del bebé. El estado de estos elementos debe quedar registrado en las anotaciones del investigador, ya que quizás exista relación entre el resultado de la autopsia y algún objeto peligroso o defectuoso utilizado para el cuidado del bebé. Los agentes también deben registrar el nombre y cargo de los integrantes de la ambulancia, así como los procedimientos que llevaron a cabo para salvar la vida del bebé. Estas anotaciones son importantes porque los intentos de reanimación a veces pueden ocasionar heridas que podrían sugerir un posible abuso infantil de no ser explicadas. *"Por ejemplo, uno de los efectos colaterales negativos de la RCP es la aparición de costillas rotas"*, explica el detective Kerpelman.

"Debemos ser cautelosos al investigar un posible fallecimiento a causa del SMSL. Lamentablemente existen personas que abusan de sus hijos o los asesinan, razón por la cual debemos estar preparados pero al mismo tiempo tener una actitud solidaria con los padres del bebé fallecido", observa el detective Salen.

Salen señala que todos los agentes de policía del municipio de Prince George saben que el SMSL puede sucederle a cualquier niño, incluso al suyo -*"Tengo tres hijas hermosas, y siempre me inquietó la posibilidad del SMSL cuando ellas eran bebés. Creo que por esa razón siempre he tratado a los padres de la forma en que me gustaría ser tratado en una situación así".*

Los investigadores deben conocer además ciertos indicios en el cuerpo del bebé que podrían ser "sospechosos" en otro caso y que son usuales en un fallecimiento a causa del SMSL. Por ejemplo, la presencia de secreciones teñidas de sangre alrededor de la boca o nariz del niño y la posible palidez del rostro y las extremidades. El manual de capacitación de la policía del municipio de Prince George aclara que en el cuerpo de un bebé pueden aparecer manchas moradas con mayor nitidez que en el cuerpo de un adulto, y que lo que podrían considerarse golpes o hematomas son en realidad el resultado de la lividez propia del SMSL.

"En realidad, resultaría sospechosa la ausencia de fluidos en las sábanas sobre las que falleció el niño", explica el detective Salen. Algunos padres sienten tanta culpa que cambian las sábanas de la cuna antes de la llegada de los investigadores. *"Sin embargo, un investigador astuto debería advertirlo".*

Quizás la tarea más complicada para los agentes de policía sea la preservación de la escena en que ocurrió el fallecimiento. Si el niño es hallado sin vida y no se están realizando intentos de reanimación, entonces los agentes deben evitar que los padres lo tomen en sus brazos o que alteren la disposición de los objetos de la habitación. Deben ser en extremo considerados y explicar a los padres que esta separación es sólo temporal hasta concluir la investigación de la escena en que ocurrió el fallecimiento.

El trabajo del investigador no siempre resulta agradable, pero los detectives Salen y Kerpelman afirman que una mayor información acerca del SMSL facilitaría su labor.

Formas incorrectas de tratar a alguien que perdió un bebé a causa del Síndrome de Muerte Súbita del Lactante

~Darlene Buth

El Síndrome de Muerte Súbita del Lactante es un acontecimiento que creemos nunca nos sucederá, pero que puede golpearnos con la fuerza de una tonelada de ladrillos.

Yo creía ser una mujer casada feliz y normal, con dos hijas hermosas. Sin embargo, la mayoría de la gente desconoce que en realidad soy madre de tres hijos. Mi hija mayor, Amanda Lynn, tiene nueve años de edad y mi hija menor Kayla Ann tiene tres. Mi tercer hijo nació el día 23 de julio del año 1995. Aunque su nacimiento se adelantó tres semanas, su control médico determinó que era un bebé sano, que pesaba casi tres kilogramos y medio. Era la luz de nuestros ojos.

Creíamos ser una familia completa, con dos hijas sanas y un pequeño varón. Nuestros sueños se estaban haciendo realidad. Elegimos llamarlo como su padre, James Alan, y su abuelo, Pete. Peter James-Alan era su nombre, y le decíamos PJ.

Antes de darnos cuenta, nuestro bebé ya tenía seis semanas y yo debí regresar a mi trabajo. Me había fascinado pasar la licencia con mi bebé, pero era conciente de que no había forma de pagar nuestras cuentas a menos de que yo trabajara. Afortunadamente, mi esposo y yo trabajamos en horarios diferentes y decidimos compartir las tareas del hogar. De esa forma, no tendríamos que preocuparnos por contratar a alguien para cuidar a nuestros hijos. Yo trabajaba durante el día y por la noche estaba en casa.

Pero cierto 3 de octubre nuestro mundo se derrumbó. Me desperté a la hora habitual, bajé las escaleras, me duché, vestí y preparé un biberón para PJ. Regresé a la planta alta y alimenté a mi bebé, quien luego se quedó dormido. Una parte de mí deseaba faltar al trabajo y quedarme para mimar a mi hijo, pero debía ir a trabajar. Lo besé como todas las mañanas y lo recosté en su cuna con sus amigos "los 101 dálmatas". Nunca imaginé que lo sucedido esa mañana se transformaría en un dulce recuerdo de algo que nunca más se repetiría.

Durante el trabajo, conversamos acerca del juicio a O.J. Simpson, ya que ese día se conocería el veredicto, ¿lo condenarían por haber asesinado a dos personas o sería absuelto? Luego todos escuchamos cómo O.J. Simpson recuperaba su libertad. Nuestra conversación acerca de si se trató de un juicio justo, acerca de su inocencia o posible culpabilidad cobraría mucho sentido para mí en poco tiempo.

Una empleada del Departamento de Personal me informó que debía regresar a mi hogar debido a una emergencia familiar.

-*"No te preocupes por ordenar, debes regresar a tu casa y yo misma te llevaré"*, me informó. No tenía idea de qué estaba hablando. Afortunadamente, vivo a tres cuadras de mi oficina. Cuando llegamos, pude observar a un agente de policía conversando con nuestro productor de seguros. Recordé que él debía venir a casa a llenar unos formularios, pero -¿qué tenía que ver él con la policía?

-*"¿Qué sucede?"*, pregunté.

-*"Entre a su casa y lo averiguará"*, me dijeron. Entré a mi hogar y percibí un silencio aterrador. Había otro agente de policía en el comedor. Mi esposo se encontraba en la sala vistiendo a nuestra hija de dos años de edad. No podía ver a mi bebé.

-*"¿Adónde está mi bebé?"* Nadie respondió. Finalmente mi esposo me informó que nuestro bebé estaba camino al hospital. Tiempo antes, mi esposo había respondido a un llamado y cuando regresó descubrió que P.J. no respiraba y tenía un color azul. Llamó de inmediato al servicio 911 y a mi trabajo.

Ningún agente de la policía me habló cordialmente, ni siquiera me dijeron -*"Lo siento"*. Lo único que dijeron fue -*"Regresaremos más tarde para interrogarla acerca de lo sucedido"*.

¿Me interrogarían acerca de lo sucedido? No sabía qué había sucedido ni cómo.

El camino al hospital fue terrible, aunque vivimos a quince minutos del mismo. Sólo podía recordar lo sucedido durante la mañana: el momento en que mi bebé había estado en mis brazos y me sonreía, y el momento en que lo había recostado en su cuna. Pensaba que mi hijo debía estar bien porque yo lo amaba y porque era una parte muy importante de mi vida. Deseaba que mi bebé estuviera llorando para ver a su mamá.

En la sala de emergencias nos reunimos con dos enfermeras. Apenas pude decir -*"Quiero ver a mi bebé, llévenme ahora con él".* Nos condujeron a una pequeña sala y nos informaron que el pediatra estaría en un momento con nosotros.

Todo lo que podía pensar era -*"¡NO! ¡Esto no puede sucedernos!, ¡Mi hijo no!. ¡Es un bebé sano!"*

Luego los médicos nos informaron que habían hecho todo lo posible. Sin embargo, mi hijo no había sobrevivido. Deseaba gritar -*"¡No es justo! ¡No pueden quitarme a mi hijo!"* Nos informaron que nuestro bebé había fallecido a causa del Síndrome de Muerte Súbita del Lactante. No existían explicaciones, simplemente que nuestro hijo había fallecido sin dolor. Aún me preguntaba por qué Dios se había llevado a nuestro bebé y le había otorgado la liberad a O.J. Simpson. No me parecía justo.

Nos condujeron a una sala en la que PJ se encontraba recostado en una pequeña cuna. Mi esposo caminaba a mi lado con nuestra pequeña de dos años en brazos.

Notificaron a mis padres. Los padres de mi esposo ya se encontraban camino al hospital. Ellos llamaron a nuestro sacerdote. Luego sugirieron que nos despidiéramos de nuestro bebé -*"¿cómo podía despedirme de mi bebé?"*

Me senté en la silla mecedora y colocaron a nuestro bebé en mis brazos como el día en que había nacido. Se veía tan sereno, como si estuviera dormido. Deseaba sacudirlo para ver si despertaba. Lo amaba y lo necesitaba vivo, deseaba que comenzara a respirar nuevamente por su mamá. Deseaba salir corriendo con mi bebé en brazos, pero ni siquiera tenía fuerzas para levantarme. De alguna manera reunimos la fuerza para dejar el hospital, sólo para regresar a casa y encontrar más dolor y más tragedia.

Cuando llegamos a nuestro hogar, aún conmocionados y sin poder creer la situación, fuimos recibidos por un policía y dos personas del Departamento de Servicios Sociales. Nos separaron. Un policía y una empleada de Servicios Sociales interrogaron a mi esposo en una habitación y a mí en la cocina. No existieron demostraciones de solidaridad o comprensión por parte de estas personas.

"¿Qué tipo de póliza de seguros posee el bebé?; ¿cuál es el monto del seguro?; ¿quién es el beneficiario?; ¿cómo se realizará el pago?; ¿cómo trata su esposo a sus hijos?; ¿por qué su hija mayor tiene un apellido diferente?; ¿adónde está su padre?; ¿su esposo se siente enfadado por tener que mantener a su hija mayor?; ¿el padre de su hija mayor paga cuota por alimentos?; ¿cómo es la personalidad de su esposo?; ¿es un hombre violento?; ¿se siente a salvo con él?; ¿siente que sus hijos están a salvo?"

Durante el interrogatorio mi familia política llegó con mi hija de dos años. Les habían solicitado que se llevaran a la pequeña y les habían advertido que sólo podían regresar al concluir el interrogatorio. Sin embargo, mi suegra regresó porque estaba preocupada. No le permitieron expresarse, pero por lo menos pudo permanecer en la habitación a mi lado.

Cuando terminaron de torturarme con el interrogatorio, inspeccionaron la casa. Mi esposo los había llevado a la habitación en la que estaba PJ Tomaron fotografías y dijeron que necesitaban revisar el resto de la casa.

Los llevamos a la planta alta a la habitación de las niñas. Sólo había una cama y ellos querían saber por qué. Intentamos explicarles que habíamos devuelto una cama recientemente porque nuestra hija de dos años de edad se había atorado en la cabecera y no queríamos arriesgarnos. Les comentamos que estábamos por comprar otro colchón para poder armar otra cama. No podía comprender el gran alboroto que estaban armando por todo este asunto, ya que a mi hija de dos años le encantaba dormir en la cama de mamá y papá y tomar el lugar de papá cuando él se encontraba trabajando.

Sin embargo, no nos escuchaban, sólo decían que una niña de dos años debe dormir en su propia cama. Querían saber qué había en las cajas y bolsas que guardábamos en el armario. Les informamos que era ropa para las niñas. Nos dijeron que la quitáramos de allí porque constituía un peligro en caso de incendio -*"Y además, podemos multarlos si no lo hacen"*

Yo no podía comprender qué intentaban hacer, ¿adónde estaba la compasión?; ¿adónde estaba la solidaridad?; ¿adónde estaban las palabras amables?; ¿por qué nos trataban de esa forma? Habíamos perdido a nuestro hijo ¿qué significaba todo esto?

Luego conocimos todas esas respuestas. Habíamos sido acusados de engaño, de intento de fraude a la compañía de seguros. Querían sacar a nuestras hijas de la casa porque creían que era por su bien. Esta situación me hizo perder el control -¿cómo podían pensar que alguien es capaz de lastimar a su propio bebé o asesinarlo? Nunca podría lastimar a alguno de mis hijos o a cualquier otro niño. Les dije una y otra vez que nunca hubiera lastimado a mi bebé por dinero. El dinero no significa nada para mí -*"Si me devuelven a mi bebé les daré todo el dinero que poseo, lo único que deseo es tener a mi bebé, sano y vivo, junto a mí".* Dejaron a las niñas con nosotros, pero el acoso no concluyó. Continuaron investigando el posible intento de fraude a la compañía de seguros.

Con gran esfuerzo logramos organizar el funeral. Elegimos un ataúd para niños y le colocamos la chichonera que PJ tenía en su cuna. También le colocamos su sábana y su chupete. Parecía dormir tranquilamente en su propio moisés con sus "101 dálmatas" cuidándolo. Compramos un pequeño camión de juguete como el que le regalaríamos para Navidad. Armamos un cuadro de recuerdos con todas sus fotografías.

Las semanas posteriores fueron muy complicadas. La policía aún nos interrogaba a pesar de que la autopsia no había revelado indicios de un accionar ilícito. Por el contrario, el informe concluía que nuestro bebé había fallecido a causa del Síndrome de Muerte Súbita del Lactante. Cuando se aproximaba Navidad la policía dejó de investigarnos. El jefe de policía nos llamó porque deseaba visitarnos para conversar acerca de los resultados de unos análisis de sangre. No sabíamos nada acerca de esos análisis, entonces llamamos al hospital para saber de qué estaba hablando. El hospital no estaba autorizado a brindarnos información y nos sugirieron comunicarnos con nuestro médico.

Nuestro pediatra se asombró cuando le comentamos que nos estaban investigando por el fallecimiento de nuestro hijo. Nos informó que además de la autopsia no se había solicitado ningún análisis de sangre. No existían resultados porque no había existido análisis alguno. Además de ser el pediatra de nuestros hijos era el médico designado por el municipio para investigar los casos de abuso infantil. Si él hubiese advertido un problema lo habría informado a las autoridades, pero nunca había observado indicios de abuso infantil en nuestra familia. Entonces llamó a la policía y les afirmó que en nuestro caso no pudo existir un accionar ilícito y que no nos estaban ayudando a superar nuestro dolor.

El haber sido acusados de asesinar a nuestro hijo es algo que nunca olvidaré ni comprenderé. Amábamos a nuestro bebé y hubiéramos hecho cualquier cosa para tenerlo con nosotros otra vez. Es evidente que muchos profesionales que deberían estar informados acerca del SMSL no saben nada al respecto -¿por qué no reciben una capacitación para tratar adecuadamente los casos de muerte súbita?; ¿por qué tratan a los padres con tanto desprecio? Si el interrogatorio es parte de su trabajo -¿por qué no lo realizan mejor? El SMSL es una experiencia trágica y dolorosa, ¿por qué contribuyen a aumentar ese dolor?

El «sospechoso» fallecimiento de hermanos gemelos

~Joani Nelson Horchler

-*"Creí que iban a encarcelarme por homicidio, aunque sabía que era inocente"*, dijo Kimberly Panuska luego de que sus gemelos fallecieran a causa del Síndrome de Muerte Súbita del Lactante. *"Mi preocupación principal debía estar enfocada en mis bebés, pero me obligaron a preocuparme por la posible destrucción de mi familia".*

El día 21 de febrero del año 1993 la Sra. Panuska y George Blair de Baltimore intentaron despertar a sus bebés gemelos de seis meses para su comida del mediodía. Sin embargo, sintieron horror al descubrir que no respiraban. No obstante, en lugar de recibir solidaridad y comprensión, fueron acusados de abuso infantil. Su hija de cuatro años fue separada de ellos durante diez días por indicación de trabajadores sociales que actuaron en forma equivocada.

Luego de encontrar a sus bebés casi al borde de la muerte, el matrimonio llamó al servicio 911 y el Sr. Blair intentó realizarles reanimación cardio pulmonar. Sin embargo, los gemelos no habían respirado durante aproximadamente veinte minutos y habían sufrido daño cerebral. En el "Centro Infantil Johns Hopkins" (*Johns Hopkins Children's Center*), Todd parecía recuperarse hasta el día en que falleció Brandon, el 23 de febrero. Entonces Todd comenzó a deteriorarse y falleció el día siguiente. *"Parecía existir un vínculo entre ambos"*, dijo la Sra. Panuska.

Al regresar a su hogar el primer día de la tragedia, el matrimonio fue informado por la madre de la Sra. Panuska de que un agente de policía había estado en la casa durante su ausencia y había inspeccionado el cuerpo de su hija de cuatro años de edad, solicitándole que bajara sus pantalones y levantara su camiseta para verificar la posible existencia de indicios de abuso infantil.

Esta sospecha de abuso infantil tuvo origen en el informe inadecuado de un especialista del hospital, quien malinterpretó la investigación realizada en el cuerpo de los bebés, al observar costillas fracturadas en la radiografía de uno de los gemelos y al confundir con hematomas la lividez propia de los intentos de reanimación. Luego se demostró el error cometido por el especialista. Sin embargo, su informe fue suficiente para provocar la visita del agente de policía y la hostilidad del personal del hospital y de los trabajadores sociales hacia los padres.

A sólo dos días del fallecimiento de los gemelos, el Dr. John E. Smialek, Jefe Médico Forense de Maryland, determinó en forma provisional que la causa de fallecimiento había sido el Síndrome de Muerte Súbita del Lactante y que no existía evidencia de engaño o accionar ilícito por parte de los padres. Dos meses después, confirmó en forma oficial su informe. Además, la policía no encontró indicios de abuso infantil, pero le informaron a la Sra. Panuska que si no colaboraba, ubicarían a su hija en un hogar de niños expósitos. La niña fue separada de sus padres, pero la Sra. Panuska logró que le asignaran la custodia a su tía.

La separación fue muy dolorosa para la madre y la niña -*"Yo la llamaba por teléfono dos o tres veces por día, y ella me imploraba que la llevara a casa. Cuando yo llorando le decía que aún no podía, ella dejaba de hablarme. Estaba enojada y se sentía abandonada. Mi hija era todo lo que me quedaba, y no me permitían estar con ella".*

Los informes equivocados del hospital originaron relatos erróneos por parte de los medios de comunicación, lo que provocó el temor de la Sra. Panuska y el Sr. Blair de permanecer en su hogar - *"Pensaba que arrojarían una piedra a través de mi ventana"*, relata la Sra. Panuska -*"Tantos periodistas se hacían pasar por mí o por médicos que no podía llegar al hospital para enterarme del estado de mis bebés. Debí utilizar mi fecha de cumpleaños como código para obtener información cuando llamaba al hospital".*

Los medios de comunicación nacionales y locales persistían en difundir información en forma parcial o incompleta. Por ejemplo, se basaban en la llamada desesperada de la Sra. Panuska al servicio 911 e informaban que ella había encontrado a sus gemelos "envueltos en una sábana", sugiriendo que los bebés se habían asfixiado. *"¿Quién se atrevería a envolver a dos bebés en la misma sábana?"*, pregunta la Sra. Panuska. A pesar de que estaban envueltos en sábanas diferentes, los gemelos dormían en la misma cuna, separados por una frazada enrollada colocada en medio de la cuna. Su pediatra nos había explicado que estaba bien porque habían nacido dos meses prematuros y pesaban menos de cuatro kilos y medio cuando tenían seis meses de edad. Ambos dejaron de respirar con sus cabezas de costado y sus rostros descubiertos.

El informe del Dr. Smialek absolvió a los padres. Los gemelos habían fallecido a causa del Síndrome de Muerte Súbita del Lactante, una de las causas más frecuentes de fallecimiento de bebés entre un mes y un año de edad. Es la causa de fallecimiento de uno entre seiscientos cincuenta niños y es más frecuente entre gemelos que en nacimientos únicos. Sin embargo, es excepcional el fallecimiento de ambos gemelos. Sólo se han documentado once casos en todo el mundo.

Se cree que la causa del SMSL es una inmadurez o anormalidad del tronco encefálico. Sin embargo, es considerado impredecible. La Sra. Panuska afirma que sólo un trabajador social la trató con decencia y con respeto. Cuatro días después del funeral de sus bebés, fue visitada en su hogar por dos trabajadores sociales, cuando ella se encontraba recuperándose de la tragedia y con más de treinta y ocho grados de fiebre -*"Se detuvieron a observar una planta que había en mi habitación y preguntaron si estaba allí al momento de fallecer mis bebés. Además, me interrogaron acerca de cuándo compraría a mi hija el cachorro que le había prometido".*

Los funcionarios de la oficina de preservación familiar de la Administración de Servicios Sociales de Maryland se negaron a realizar comentarios, expresando que los procedimientos aplicados al caso del fallecimiento de los gemelos fueron los habituales. Dam Timmel, ex director del *"Maryland Center for Infant and Child Loss"* de Baltimore, un servicio de apoyo a las familias en duelo, afirma que el estado tiene la obligación de proteger a los otros hijos del matrimonio.

Timmel explica -*"Sin embargo, debemos analizar la forma en que se separó a la niña ¿es correcto que un agente de policía de sexo masculino obligue a una niña a quitarse su vestimenta?, ¿podría haberse separado a la niña durante una noche al cuidado de algún familiar en lugar de separarla durante diez días?".* El Sr. Timmel también critica la actitud acusatoria y desconsiderada del personal del hospital y del gobierno, incluso luego de que el Dr. Smialek anunciara que la causa probable de fallecimiento de los bebés era el SMSL.

La Sra. Panuska y el Sr. Blair se sienten enfadados por el modo en que fueron tratados en el hospital -*"Cualquier persona hubiera esperado un trato amable. Sin embargo, tanto las enfermeras como los médicos nos trataron en forma cruel, y nunca se disculparon por su error al malinterpretar los resultados de las radiografías, la causa principal de separación de nuestra hija de su familia".*

La Sra. Panuska expresa -*"En un primer momento no desea-*

ba que mi caso alcanzara notoriedad. Sin embargo, quiero que el mundo sepa que todo lo que hicimos fue amar a nuestros bebés, y que fuimos tratados de una forma espantosa. Sé que es difícil creer que dos bebés puedan fallecer en el mismo instante y en el mismo lugar por una causa natural, porque incluso para nosotros es difícil comprenderlo. No obstante, esto no autoriza a nadie a deducir culpabilidad sin evidencias. Pasamos por una experiencia terrible, y hemos sufrido demasiado como para que otras personas intensifiquen nuestro dolor".

Luego de que el caso Blair fuera clasificado como un caso de SMSL, el Sr. Timmel visitó a la familia en su hogar para conversar con el matrimonio y su hija acerca del SMSL y para ofrecerles apoyo e información acerca de otros padres víctimas de la misma desgracia. La Sra. Panuska afirma que su visita fue muy útil y que hubiera esperado que otras personas los trataran de esa forma cuando más lo necesitaban.

El Sr. Blair y la Sra. Panuska se sienten afortunados de que el Dr. Smialek, Jefe Médico Forense, fuera uno de los investigadores más capacitados en todo el mundo en relación al caso excepcional de fallecimiento de mellizos a causa del SMSL. En el año 1986, el Dr. Smialek investigó nueve casos de bebés mellizos fallecidos en forma simultánea a causa del SMSL y escribió un artículo acerca del modo en que las familias son tratadas. Expresó que tanto en Estados Unidos de América como en otros países de Europa las familias son sujeto de sospechas a pesar de que la evidencia médica reunida demuestra la posibilidad de fallecimiento simultáneo de mellizos a causa del SMSL -*"Aunque se sabe que el SMSL es un trastorno que los padres no pueden predecir ni evitar, el fallecimiento de hermanos mellizos es un fenómeno que causa asombro y sospechas".*

En el pasado, las muertes causadas por el SMSL se atribuían en forma errónea a la negligencia de los padres, a la sofocación, al hecho de haber asfixiado al bebé al dormir en la misma cama o a la neumonía -*"Tales opiniones derivaban de investigaciones inadecuadas, de autopsias mal realizadas y de desinformación, tanto del público en general como de la comunidad científica".*

Aunque el Dr. Smialek no se aventura a especular acerca de la causa del fallecimiento simultáneo de gemelos, cita las palabras de otro investigador -*"La circunstancia misma de ser hermanos mellizos predispone en ciertos casos al fallecimiento súbito e inexplicable".*

--Una versión editada de la presente historia fue publicada en "The Washington Times" el día 6 de junio del año 1993.

La función del médico forense

~Dr. John E. Smialek, Jefe Médico forense de Maryland

Luego de la conmoción y el descreimiento de los padres que sufren el fallecimiento de un hijo aparentemente sano, sobreviene una necesidad urgente de encontrar respuestas y explicaciones a lo sucedido. Pero no son sólo las familias quienes necesitan respuestas ante una pérdida tan abrumadora. La sociedad también debe preocuparse ante el fallecimiento súbito e inexplicable de cualquier niño. Por esta razón, existen leyes que autorizan a los médicos forenses en todo Estados Unidos de América a realizar una investigación de las circunstancias y causas de fallecimiento de cualquier persona, incluso de un bebé o un niño. La correcta investigación de la escena en que ocurrió el fallecimiento, así como la realización de una autopsia detallada, otorgan en la mayoría de los casos las respuestas acerca de las causas del fallecimiento. Como mínimo, sirven para excluir la posibilidad de negligencia o maltrato por parte de otras personas. Sin embargo, los hallazgos de la autopsia no pueden constituir la única fuente de información para responder a tantas preguntas. La asfixia o la estrangulación dejan poca evidencia en el cuerpo de un niño como para determinar la posibilidad de un accidente o un homicidio. Si no se realiza la correcta investigación de la escena en que ocurrió el fallecimiento, entonces los interrogantes no obtendrán respuesta y las sospechas persistirán mucho tiempo después del fallecimiento.

Se debe comprender la importancia de tal investigación para evitar que los padres del bebé sean perseguidos o maltratados por parte de quienes se ocupan de hacer cumplir la ley. Un enfoque profesional, objetivo y sin un tono acusatorio por parte de los agentes de policía que realizan la investigación, facilitará en gran medida que los padres puedan sobrellevar un momento tan traumático en sus vidas. Existe un reconocimiento creciente por parte de la policía en general de que la investigación del fallecimiento de un niño a menudo determina que el Síndrome de Muerte Súbita del Lactante es un tipo de muerte natural. Como resultado, han modificado su enfoque de la investigación y el interrogatorio de los integrantes de la familia, quizás debido a que han descubierto que los hijos de los agentes de policía y de los investigadores también pueden fallecer a causa del SMSL.

Cuando se investiga el fallecimiento de un niño, el anatomopatólogo cumple una función muy importante. Es el responsable del examen físico del niño, que puede incluir análisis toxicológicos y biológicos para determinar la causa del fallecimiento. Según la experiencia y la capacidad del anatomopatólogo, debe llegar a una conclusión acerca de la causa y modo de fallecimiento dentro de las veinticuatro horas de haber finalizado la autopsia completa, la evaluación de la información obtenida de la investigación de la escena del fallecimiento y de otros informes médicos. Este resultado permite al anatomopatólogo contactar a la familia para informarles acerca de los resultados de la autopsia y de la investigación. También constituye una oportunidad para que el anatomopatólogo explique a la familia qué es el SMSL y asegurarles que no puede predecirse ni evitarse.

La familia tiene derecho a obtener la información del anatomopatólogo en un tiempo breve. Si no son contactados y no reciben información acerca de la causa y modo de fallecimiento, pueden comunicarse con el médico forense para obtener los resultados de la autopsia. En algunos casos, aún pueden existir interrogantes luego de concluida la autopsia. Puede resultar necesario realizar análisis adicionales, como estudios toxicológicos o exámenes microscópicos de tejidos. Estos análisis pueden demorar varios días o incluso semanas. Quizás los resultados demoren más tiempo si se requiere una investigación más detallada de las circunstancias del fallecimiento.

Los anatomopatólogos deben comprender la importante función que cumplen en el trato y apoyo de los padres que han perdido a un bebé a causa del SMSL. Deben reconocer la importancia de difundir información acerca del SMSL –causa de fallecimiento de dos mil quinientos niños sólo en los Estados Unidos de América por año. Esta información es de gran interés para aquellos padres que luchan por resolver sus sentimientos de culpa por no haber podido evitar el fallecimiento de su hijo. Al mismo tiempo, los padres deben comprender que la investigación adecuada y la realización de la autopsia redundarán en su propio beneficio. Es la única forma de reunir la información que en el futuro responderá a las preguntas acerca del fallecimiento del niño. Tales preguntas adquieren más importancia cuando el matrimonio tiene otros hijos en el futuro. Los padres deben comprender además que tienen derecho a conocer la información reunida durante la investigación o la autopsia. No deben resistirse a buscar respuestas a los interrogantes relacionados con el fallecimiento de su hijo.

Capítulo 15

Los hijos futuros y la validez del monitoreo domiciliario

Luego de haber perdido un bebé a causa del Síndrome de Muerte Súbita del Lactante, la mayoría de los padres contienen la respiración cuando piensan en tener otro hijo. Con toda razón se trata de una posibilidad atemorizante. Aparecen muchísimas preguntas -*¿Podré amar a otro bebé aunque sea la mitad de lo que amaba al bebé que falleció?; ¿será considerado un reemplazante del bebé que perdimos?; ¿cuándo es el momento adecuado para tener otro bebé?*. Sin embargo, existe un interrogante que produce aún más temor -*¿puede morir este bebé también?*

Cuando se ha decidido que es el momento adecuado para tener otro bebé, surge una pregunta que es necesario responder -*¿Utilizaremos un monitor domiciliario -el cual puede ser una fuente de tranquilidad o ansiedad según el padre- para controlar la respiración y la frecuencia cardiaca del bebé?* En la mayoría de los casos, la respuesta es analizada detenidamente por los padres luego de haberse asesorado. Afortunadamente, el instinto de cada padre lo lleva a actuar de la mejor forma posible.

¿Cuándo se debe concebir otro bebé?

El consejo de la mayoría de los asesores es esperar al menos un año para que la decisión de concebir otro bebé no se base sólo en el dolor. Se cree que tener otro bebé puede interferir en el proceso de duelo y en los cambios de ánimo propios de un padre que debe curar sus heridas. Por cierto, muchos padres que tuvieron otro bebé poco tiempo después del fallecimiento de su hijo sufrieron un "colapso" emocional varias semanas después del nacimiento de su nuevo hijo.

Una madre explica que evitó sentirse desdichada durante el embarazo por temor a que esos sentimientos pudiesen dañar al bebé que estaba creciendo en su vientre. También se sentía culpable por no vivir el embarazo con felicidad, razón por la cual postergó su proceso de duelo. Luego de nacer su bebé, se sintió culpable por no haber realizado el duelo del bebé fallecido. Al mismo tiempo, se sentía dividida emocionalmente porque deseaba concluir su duelo pero al mismo tiempo quería sentir felicidad por el nuevo bebé.

Aunque deben considerarse los peligros potenciales mencionados con anterioridad, muchos padres que vivieron la muerte de su bebé a causa del SMSL creen que la decisión de tener otro hijo es personal. Muchas parejas que concibieron un bebé inmediatamente después del fallecimiento de su hijo expresaron que la planificación y la llegada de su nuevo bebé los ayudó a conservar la esperanza y a aliviar sus doloridos brazos, si bien el nuevo bebé no reemplazó al anterior. Muchos padres explican que deseaban desesperadamente tener otro bebé. Por esta razón, se preguntan por qué esperar a concretar su sueño de criar a un hijo. Este razonamiento es más significativo cuando los padres sufrieron algún problema de fertilidad o están finalizando sus años fértiles.

(Una investigación realizada por el Dr. Frederick Mandell descubrió que el índice de abortos e infertilidad es mayor en aquellos padres que perdieron un bebé a causa del SMSL, debido al estrés físico y emocional relacionado con el proceso de duelo).

¿Debemos tener otro bebé?

Quizás para usted la pregunta no sea cuándo concebir otro bebé, sino si realmente podrá animarse a tener uno. En el caso de un padre que perdió a su primer hijo y no conoce la experiencia de criar a un niño más allá de la etapa de bebé, el temor puede ser agobiante. Luego de haber sufrido la pérdida de un bebé a causa del SMSL, quizás usted se sorprenda al observar cómo otros padres permanecen serenos mientras sus bebés duermen. Tampoco podrá creer cuando escuche que alguien "tuvo un bebé sano". Es probable que usted piense... *"Por supuesto, mi bebé también era sano y sin embargo falleció".* No obstante, la mayoría de los hermanos de bebés víctimas del SMSL son sanos y logran vivir.

El futuro bebé... ¿Posee un riesgo mayor de fallecer a causa del Síndrome de Muerte Súbita del Lactante?

Algunas investigaciones indican que el riesgo de estos bebés es tres veces mayor que el de la población en general. Sin embargo, este aumento en el índice se debe a que las familias que perdieron un bebé a causa del SMSL presentaban mayor número de factores de riesgo al momento de la muerte del mismo, y en muchos casos esos factores de riesgo persistieron durante el siguiente embarazo (podemos mencionar entre ellos el hábito de fumar por parte de la madre).

También explican que aquellas familias que no presentan dichos factores de riesgo tendrán un riesgo mucho menor de perder un bebé a causa del SMSL.

Un estudio de casos control realizado en Washington demostró que las familias víctimas del SMSL no estaban en mayor riesgo de perder otro bebé que aquellas familias que no habían vivido esta tragedia. Otras investigaciones demostraron que el riesgo es menor al 1%.

¿Debe realizarse monitoreo al futuro bebé?

Los monitores domiciliarios controlan la respiración y la frecuencia cardiaca del bebé. Cuando cualquiera de estos valores desciende por debajo de determinado nivel, entonces suena una alarma, lo que indica la existencia de un problema. Si el bebé no respira o no tiene pulso, entonces debe realizársele RCP (reanimación cardio pulmonar). Sin embargo, la mayoría de las alarmas son falsas, y son causadas por la respiración superficial del niño y por otros factores. Más aun, según varios investigadores, un bebé que realmente está por fallecer a causa del SMSL no puede ser reanimado.

Muchos padres entrevistados para el presente libro señalaron que sus bebés fallecieron casi instantáneamente a pesar de los inmediatos intentos de reanimación. Por ejemplo, Martina Murphy relató que su hijo Jimmy estaba con vida y atento en su silla de paseo mientras ella compraba unos boletos en el aeropuerto y que a los pocos minutos lo encontró sin vida al pasar por el detector de metales. El bebé fue inmediatamente asistido por una enfermera y un policía que estaban allí. Le realizaron RCP pero los intentos fueron en vano.

Existe una gran controversia en la comunidad médica acerca de la validez del monitor domiciliario y de su supuesta capacidad para salvar vidas. Muchos expertos sostienen su inaplicabilidad al afirmar que sólo el 7% de los niños fallecidos a causa del SMSL habían sufrido apneas -interrupción de la respiración- o un evento de aparente amenaza a la vida o *"ALTE".* Sin embargo, el monitor domiciliario puede brindar un apoyo emocional importante a aquellos padres que perdieron un bebé a causa del SMSL.

Muchos padres sienten que el monitor -recomendado sólo en casos de investigación o por razones médicas- es realmente de gran ayuda para su tranquilidad y que puede ayudarlos a dormir durante la noche. Liz Waller, madre de un bebé fallecido a causa del SMSL, comentó que podía dormir tranquila al observar las luces del monitor encendiéndose y apagándose.

Muchos médicos recomiendan la utilización del monitor domiciliario para los hermanos de víctimas del SMSL, normalmente durante seis meses o hasta haber pasado un mes de la edad de fallecimiento del hermano. Sin embargo, los médicos no se ponen de acuerdo acerca de si los sistemas de cobertura de salud deben cubrir los costos de la utilización del monitor domiciliario. El Dr. John Kattwinkle, profesor de pediatría de la Universidad de Virginia, afirma que el comité *"Fetus and Newborn Committee"* de la *"Academia Americana de Pediatría"* confirmó su anterior declaración que establecía que no existe evidencia de que el monitor domiciliario pueda actuar como protección contra el SMSL. No obstante, se puede recomendar la utilización del monitor en el caso de bebés prematuros, de niños con apnea recurrente o para aquellos niños que dependan de este tipo de tecnología. También sostiene que las compañías de seguros no solventan métodos cuya eficacia no haya sido comprobada. Kathleen Fernbach, ex presidenta de la "Asociación de Estudio del SMSL y de los Programas de Mortalidad Infantil" *(Association of SIDS and Infant Mortality Programs)* observó que los padres están optando por no utilizar el monitor, independientemente de las coberturas de salud. Sin embargo, muchos médicos, entre los que podemos mencionar al Dr. Robert Meny, presidente de la "Asociación Estadounidense de Médicos Dedicados a la Prevención del SMSL" *(American Association of SIDS Prevention Physicians)* -consultados para escribir el presente artículo- observa que muchos padres optan por utilizar el monitor y con frecuencia obtienen una respuesta afirmativa por parte de sus sistemas de cobertura de salud cuando presentan una carta de su médico o cuando apelan una negativa anterior.

La investigación del Dr. Meny, ex director de la división clínica de *"SIDS Institute"* de la Universidad de Maryland, demostró que la frecuencia cardiaca de los bebés que luego fallecieron era muy baja cuando la alarma comenzó a sonar por última vez. Por esta razón, los padres no lograron reanimar a sus hijos. El Dr. Meny cree que es indispensable obtener una señal previa a la disminución de la frecuencia cardiaca para que los intentos de reanimación sean exitosos. El Dr. Meny propone continuar experimentando con saturómetros o monitores de oxígeno -los que además controlan apneas y frecuencia cardiaca- en el ámbito del hogar. (Puede leerse un artículo escrito por el Dr. Meny en el presente capítulo)

¿Y si no deseamos tener otro bebé o si no logramos concebirlo?

La recuperación de la pérdida de un hijo a causa del SMSL no se reduce al nacimiento de otro bebé. Aunque usted decida no tener otro bebé o no pueda hacerlo, existen otras formas de cuidar a un niño. Michelle y Arnett Spady encontraron la felicidad luego de adoptar a un bebé varón. Otros padres se convierten en "tíos favoritos" al ofrecerse para cuidar a sus sobrinos. Cuando una pareja decide no tener otro bebé, puede ser que reciba comentarios negativos de otras personas, aludiendo a su "cobardía" o cuestionando su amor hacia el bebé. Como todas las decisiones tomadas luego del fallecimiento de un bebé a causa del SMSL, tener otro hijo depende sólo de los padres y los demás integrantes de la familia deben apoyar esa decisión.

Sensaciones del nuevo embarazo

~ Sheri Laigle

¿Qué se siente al estar embarazada luego de haber perdido a un bebé a causa del Síndrome de Muerte Súbita del Lactante? Por supuesto existe alegría, así como entusiasmo, amor, nerviosismo y náuseas matinales – como en el caso de cualquier otra futura mamá. Deben planificarse muchos aspectos, realizar compras y se debe conversar acerca de los cambios. Muchas personas querrán conocer la noticia y otros querrán felicitarnos.

Sin embargo, también existe algo diferente a mis dos embarazos anteriores y a los embarazos de mis amigas, hermanas y vecinas, y por cierto diferente de los embarazos descriptos en libros y revistas. Esta vez algo me persigue. Es algo que me despierta por las noches, que desdibuja la sonrisa de mi rostro y del rostro de mi esposo y que se lleva el encanto de estar embarazada. Esta vez existe temor, inseguridad, tristeza y dolor. Existe el enorme anhelo de tener al bebé que perdimos, así como a este nuevo bebé. Pensamos que nuestro bebé debería haber vivido y compartido este momento con nosotros, luego de crecer en mi vientre hace sólo algunos meses. Pensamos en nuestro bebé que falleció.

Sentada acariciando mi vientre, aún curvado por mi embarazo anterior, me siento abatida por las emociones. Mi cuerpo lleno de hormonas hace que mis ojos se llenen de lágrimas, las cuales caen sobre mi regazo nublando mi visión -¿vivirá mi bebé? No puedo evitar preguntar -¿logrará nacer?; ¿aprenderá a sonreír, a levantar su cabeza, a tomar un juguete con sus dedos?; ¿llegará a usar un vestido?; ¿sentirá el calor del sol en su rostro?; ¿juntará flores de primavera?; ¿dará sus primeros pasos?; ¿pronunciará sus primeras palabras?; ¿sentirá la emoción de su independencia?; ¿se enojará o hará un berrinche?; ¿conocerá la tristeza y la lluvia?; ¿podrá crecer?

El calor asciende y entra por la ventana; mi frente se llena de sudor. Aún no sé cómo cuidarte, hijo mío. Temo robarte tu derecho a ser amado y cuidado como cualquier otro niño normal, sano e imperfecto. Tienes derecho a dormir tranquilamente durante la noche, a tomar una siesta al lado de la piscina en tu coche de paseo, y a visitar a tus abuelos dormitando en el asiento del automóvil mientras yo manejo. Tienes derecho a una mamá que te consuele cuando estornudes, tosas o te resfríes. Tienes derecho a una infancia sin consultorios médicos ni clínicas de apneas. Tienes derecho a no ser sometido a análisis, tubos, monitores. Tienes derecho a no ser sacudido ni despertado cuando intentas hacer algo tan natural como dormir.

¿Y qué sucederá con nosotros?; ¿podremos disfrutarte como disfrutamos a tu hermano y a tu hermana?; ¿podré sonreír al observarte moverte y suspirar durante tus primeros sueños inquietos?; ¿podré apoyar mi cabeza y dormitar después de alimentarte mientras duermes en mis brazos?; ¿podré colocarte al abrigo de papá en nuestra cama mientras me demoro en un baño caliente?; ¿lograré sentir tranquilidad, alegría, gratitud?; ¿lograré volver a sentir la paz que brinda el instinto y la confianza de una madre?; ¿podré amarte sin pensar en el bebé que perdí?; ¿podré disfrutar de tu primer año de vida, o desearé superar la "zona de riesgo"?; ¿llegarás a soplar tu primera vela de cumpleaños?; ¿perderé por temor todos los encantos de tu etapa de bebé?

Te contemplo, cuando aún eres un pequeño bulto debajo de mi piel, mientras el ventilador seca las lágrimas de mis mejillas, y sólo puedo sonreír -¿Quién puede conocer el futuro? Ahora te amo y siempre te amaré. Como el vínculo de amor que existe entre cualquier padre y su hijo, el nuestro es único y precioso, con su propia historia de esperanzas, temores, expectativas, así como de satisfacciones especiales tanto para ti como para mí. Nuestro vínculo es bello, milagroso, sano, humano, lleno de promesas y sólo nosotros lo compartiremos. Mi sueño es que perdure por siempre.

Otro bebé con ojos color café

~Kandace DeCaro

Ocho meses después del fallecimiento de mi hija Kelly Marie, quedé embarazada nuevamente. Estaba tan deprimida que ni siquiera tenía esperanzas con respecto a este nuevo embarazo. Estaba segura de que iba a sufrir un aborto a pesar de que nunca me había sucedido, y así fue, lo que me hizo sentir muy desdichada. Lloré todo el día en el hospital cuando aguardaba para que me realizaran el legrado. Lloraba todo el tiempo por mi hija Kelly. Conversé con mi médico porque estaba segura de que mi actitud hacia el embarazo había sido la causa del aborto. Él me aseguró que estaba equivocada.

Dos años después del fallecimiento de Kelly, volví a quedar embarazada. Nuevamente me inundó el pánico. Deseábamos tanto a este bebé, pero al mismo tiempo temía otro aborto así como al Síndrome de Muerte Súbita del Lactante. Fue un embarazo muy difícil. Desafortunadamente, luego de perder un bebé a causa del SMSL, es casi imposible volver a disfrutar de un embarazo. Te sientes devastada porque deseas a este bebé pero extrañas al bebé fallecido. El temor es una amenaza constante. Creo que no recibí demasiado asesoramiento acerca de esta situación. Sólo puedes vivir el día a día. Recé muchísimo y conversamos con un médico de *"SIDS Institute"* de Baltimore acerca de la posibilidad de utilizar un monitor de apneas. Finalmente decidimos utilizarlo.

Fue muy difícil abrir la habitación de Kelly para prepararla para el nuevo bebé. La puerta había permanecido cerrada durante más de dos años. Este hecho había traumatizado a nuestra hija más pequeña, Julia, quien sentía temor ante las puertas cerradas. No podía estar en una habitación con la puerta cerrada, porque creo que lo asociaba con la muerte. Afortunadamente, me ayudó en esta tarea una amiga que conocí en el grupo de apoyo *"MIS"*, quien también había perdido un bebé llamado Frank. Sentía muchísimo temor antes de abrir esa puerta, pero mi amiga estaba allí. La experiencia no resultó tan desdichada. Todo estaba en el mismo lugar en que lo habíamos dejado unos días después del fallecimiento de Kelly. Mi amiga y yo nos abocamos a la tarea con toda la energía, sacamos todo de la habitación, ubicamos todo en bolsas, limpiamos, quitamos las cortinas y abrimos las ventanas. Más tarde, mi esposo pintó la habitación y colocamos cortinas nuevas.

Fue bueno volver a ver el sol entrar por la ventana. Al tiempo que mi embarazo avanzaba, sentí que estaba más preparada para volver a ser madre. Cuando el día finalmente llegó, pensé en Kelly durante todo el trabajo de parto, no podía evitarlo. Me preguntaba si este bebé me recordaría a ella. Luego de haber tenido tres hijas, me sorprendió el hecho de tener un varón -¡Era hermoso! Y me recordaba a Kelly. Mi hija Katie tiene ojos azules, mi hija Julia tiene ojos color avellana, y Kelly tenía ojos color café. Cuando ella falleció, recuerdo haber pensado -*"Quizás nunca vuelva a tener un hijo con esos bellos ojos color café"*. Sin embargo, sí sucedió.

Los ojos de Thomas son al mismo tiempo una fuente de felicidad y de desazón, porque siempre me recuerdan a Kelly. De noche, cuando me siento en la mecedora con mi hijo en brazos en la misma habitación que era de Kelly, a veces me siento triste. En la oscuridad, al observarme con sus ojos oscuros, me recuerda a su hermana porque yo solía sentarme cada noche allí para hacerla dormir.

La utilización del monitor fue bastante complicada, aunque yo de todos modos deseaba hacerlo. Me brindaba una sensación de seguridad, especialmente porque la mayoría de las veces yo me encontraba sola con él en la casa. Por supuesto, el fantasma del SMSL siempre nos atemoriza, inclusive durante nuestros sueños. Cuando Thomas superó los seis meses y medio de edad -edad en la que había fallecido Kelly- comencé a sentirme mejor. Cuando cumplió los siete meses, desconectamos el monitor. Hace poco tiempo festejamos su primer cumpleaños y finalmente pude respirar con tranquilidad.

Superar el dolor implica un largo camino. Se vive la sensación de estar muriendo y al mismo tiempo se siente la necesidad de aprender a vivir otra vez. Es un proceso lento en el cual queda un vacío en nuestro corazón que nunca se volverá a ocupar. En mi caso, ese vacío lleva el nombre de Kelly. Aunque tengo otro vacío por el embarazo que perdí después de su fallecimiento. Sin embargo, siento gratitud hacia ellos, porque me han brindado un motivo para vivir.

Celine

~Marie-Pascale Hill

Es la primera vez que escribo acerca de Celine desde su fallecimiento. Escribir acerca de ella me causa mucho dolor, quizás porque falleció hace sólo algunos meses. Celine era mi segunda hija. Mi esposo y yo creíamos tener la familia perfecta (siempre me habían gustado las niñas), y habíamos decidido que dos hijas eran suficiente. Tres meses después del nacimiento de Celine, fuimos transferidos de Bruselas -donde habíamos vivido durante tres años- a Estados Unidos de América. Para que el cambio no fuera tan complicado para las niñas, las dejamos durante algunas semanas en casa de mis padres en Francia. Desafortunadamente, Celine nunca llegó a conocer los Estados Unidos de América. Cinco días después de nuestra llegada, mi madre me llamó para decirme que no había podido despertar a Celine para su biberón de las nueve de la mañana.

Estábamos conmocionados, no podíamos comprender la situación. Estábamos tan lejos, era como una pesadilla. La primera noche fue terrible, estuve casi toda la noche tratando de tranquilizar a mi madre por teléfono para aliviar su sentimiento de culpa al tiempo que planificábamos qué hacer. Decidimos volar a Francia la noche siguiente para asistir al funeral. A pesar de que yo estaba bajo los efectos de un tranquilizante, puedo afirmar que fue uno de los momentos más terribles que tuve que afrontar en toda mi vida. Pero era algo que debía hacer por mi hija, por mí y por mi familia.

Nunca pude ver a Celine luego de que falleciera. Por un lado, sentía que debía tener en brazos el cuerpo sin vida de mi hija por última vez, pero al mismo tiempo temía que la imagen de su muerte me persiguiera en el futuro. Sólo conservo recuerdos de momentos felices vividos con mi bebé, y no puedo afirmar aún si actué en forma adecuada.

Durante el funeral toqué su ataúd, y mientras nos dirigíamos al cementerio con mi esposo conversamos con nuestra bebé. Dios, me siento tan cerca de ella. Está enterrada en un pequeño cementerio en el pueblo en el que vive mi familia en Francia. El cementerio está rodeado de campos dorados de trigo, es un lugar sereno y bello. Durante una semana nos quedamos en Francia, y yo visité su tumba varias veces al día para hablarle. Fueron momentos muy íntimos que actualmente añoro por vivir tan lejos del lugar. Como mi hija no fue cremada, siento que ella aún está en el pueblo de mis padres. Todavía hablo con ella, pero está a miles de kilómetros de mí.

Mi hija Anne-Charlotte de dos años y medio sabe que su hermana nunca regresará. Ella cree que Celine es como una pequeña estrella, y cada vez que ve una estrella piensa que allí está su hermana. Seis meses después del fallecimiento de Celine, Anne-Charlote aún le cuenta a todos que tiene una hermana más pequeña llamada Celine. Conversamos frecuentemente acerca de ella con alegría, pero cuando Anne-Charlote me observa llorar sabe que estoy triste y dice -*"Lloras por Celine"*. Yo trato de asegurarle que mis sentimientos por Celine son de felicidad. En Navidad nos pidió - *"Quiero tener un bebé, pero esta vez para siempre"*. Actualmente estoy embarazada de tres meses y le aseguro que este bebé es para siempre, aunque en realidad no puedo afirmarlo.

Desde el mes de julio, este bebé ha sido un gran alivio para nosotros. Sin embargo, mis sentimientos son confusos porque Celine estuvo con nosotros hace sólo algunos meses. Me trae muchos recuerdos así como esperanza. Cuando pienso acerca de bebés, no lo hago sólo con dolor sino también con esperanza hacia el futuro. Nuevamente puedo tomar en brazos a un bebé y observar prendas de vestir sin que mis ojos se llenen de lágrimas. Le doy gracias a Dios por estar embarazada otra vez. Aunque sé que este bebé nunca reemplazará a Celine, sé que en muchos aspectos me hará recordarla. De hecho, no existiría de no ser por ella.

Celine me recuerda que vivo momentos preciosos con mi hija mayor. Uno nunca sabe por cuánto tiempo será feliz, por eso debe aprovechar cada momento al máximo. Anne-Charlote me ha ayudado a superar mi dolor, y disfruto de cada momento que comparto con ella. Me imagino el dolor de aquellos padres al perder a su único hijo, y el dolor que deben sentir al no tener otros niños para abrazar y amar. Cuando escucho acerca de casos más desdichados que el que yo viví, entonces pienso que no debo quejarme de lo que nos sucedió.

El fallecimiento de Celine cambió mi vida, en algunos aspectos positiva y en otros negativamente. Debo aceptar que perdí mucho entusiasmo y alegría, que eran características de mi personalidad. También perdí la inocencia y el humor que tuve alguna vez, y me pregunto si alguna vez los recuperaré.

Ya pasaron cinco meses más y estoy embarazada de ocho meses. Estoy esperando un varón. Esta semana se celebra el aniversario de fallecimiento de Celine, y deseo superar esa fecha. No puedo comparar el modo en que me siento actualmente y el modo en que me sentía la última vez que escribí acerca de Celine.

Un año ha transcurrido y puedo ser yo misma otra vez. He sido muy feliz durante los últimos meses, aunque Celine siempre está presente en mis pensamientos. He recuperado mi entusiasmo y mi sentido del humor, y tengo mucha energía. Siento que puedo ser feliz otra vez y vivir de un modo positivo, en conmemoración de mi hija Celine.

Más ángeles en mi corazón

~Deneena Herrera

Cuando Kendal nació el día 31de marzo del año 1989, pensé que mi vida estaba completa y que era perfecta. Había tenido un varón hermoso y sano, y estaba a punto de vivir junto a él y a mi esposo Bill una vida llena de dicha y felicidad. Kendal crecía muy saludable y trajo más amor a nuestro hogar del que habíamos imaginado. Recuerdo muchos momentos maravillosos que vivimos juntos -Mamá, Papá y Kendal. Vivimos la experiencia del amor incondicional. Luego, el día 15 de noviembre del año 1989, Kendal nos dejó para ascender al cielo junto a Jesús. Entonces descubrí el verdadero significado de la palabra dolor.

En mi caso, el dolor fue una sensación de aflicción, vacío y soledad que nunca me abandonaría. Mi vida estaba destrozada y no sabía cómo lograría reconstruirla. Debía redefinirme a mí misma -¿seguía siendo una madre a pesar de haber perdido a mi único hijo?; ¿ya no éramos más una familia? Cuatro meses después de haber perdido a Kendal, mi esposo y yo decidimos tener otro bebé. Kendal había sido concebido sin dificultad, por eso yo esperaba poder tener un bebé en nueve meses en mis brazos. Sin embargo, esos nueve meses transcurrieron sin que Bill y yo concibiéramos un hijo.

En el mes de noviembre de 1990 supimos que estábamos esperando otro bebé. Fue un momento de gran impacto emocional para nosotros. Estábamos felices y emocionados, aunque al mismo tiempo sentíamos un gran temor y aprensión. Debí comprender que este nuevo bebé no reemplazaría a Kendal; que mi hijo estaba en el cielo y que ya nunca regresaría. También me preocupaba el hecho de poder amar a otro hijo que no fuese Kendal. Mi bebé había sido perfecto y yo pensaba que en mi corazón ya no había espacio para amar a otra persona. Fueron momentos de gran confusión, ya que deseaba con toda mi alma tener otro hijo pero temía no poder amarlo.

Ahora sé que Dios estuvo escuchando mis plegarias. El día 1 de agosto del año 1991 nació nuestra hija Devon y se evaporaron todos mis temores. Ni bien la vi asomarse a la vida me enamoré completamente de ella y no pude reprimir mi emoción. Fue una sensación verdadera, maravillosa y perfecta. En realidad mi preocupación había sido en vano porque descubrí que en mi corazón existe suficiente espacio para dos ángeles: el ángel que está en el cielo y el ángel que tengo en la tierra. También creo que aún existe más espacio para albergar a más ángeles en el futuro.

El perturbador recuerdo del Síndrome de Muerte Súbita del Lactante

~Jennifer Wilkinson

La mañana siguiente a la Navidad del año 1984, descubrí a mi hija Larkin, de tres meses y medio de edad, sin vida en su moisés.

"Tendremos otro bebé", acordamos con mi esposo Ken, mientras nos abrazábamos llorando minutos después de haber encontrado a nuestra hija sin vida. Fue una reacción inmediata surgida del interior de mi ser.

Al tiempo que mi familia y yo intentábamos en forma vacilante salir de aquella etapa desdichada de nuestra vida, me sentía dividida entre valorar a mi familia tal cual era en ese momento o tentar al destino intentando tener otro bebé. Mi anhelo era desafiar al destino que me había quitado a Larkin, pero al mismo tiempo sabía que esa fuerza era más fuerte que yo.

¿Y si nos sucedía otra vez?; ¿podríamos soportarlo? Era demasiado difícil comprender que esta vez todo sería diferente.

Finalmente comprendí que necesitaba otro hijo para que nuestro vínculo familiar fuese completo. Mi esposo Ken, en un primer momento, se sintió atemorizado por este proyecto, pero finalmente logró pensar igual que yo.

Como el Síndrome de Muerte Súbita del Lactante sucede con mayor incidencia durante los meses de invierno, decidimos que el nacimiento debía producirse durante la primavera, para que el verano transcurriese durante sus meses de mayor riesgo. Fui afortunada al poder concebir como lo habíamos planificado, ya que nuestro bebé nacería a principios del mes de marzo. Mi reacción inicial fue de incredulidad, y luego un conjunto de emociones agobiantes como la alegría, el temor, la expectativa, la ansiedad y la nostalgia. Durante el progreso de mi embarazo, dichas emociones aparecieron en forma intermitente, lo que causaba en mí un estado emocional agotador.

Cuando anunciamos la noticia, nuestras hijas se emocionaron. Emily, de seis años de edad, y Claire, de cinco, decidieron que nuestro próximo bebé debía ser una niña, que debíamos llamarla Larkin, y que debía ser igual a la bebé. En mi interior también fantaseaba con el anhelo de traer a Larkin nuevamente.

Yo continuaba sintiéndome incómoda cuando estaba con niños de dos edades diferentes -la edad que Larkin debería tener y aun más con aquellos niños de la edad que tenía mi bebé al fallecer. Esta sensación me preocupaba porque me preguntaba si persistiría al momento de nacer mi nuevo bebé.

El día más difícil en mi caso fue el primer aniversario de fallecimiento de Larkin. Decidimos que sería más fácil si no estábamos en casa -lugar en el que había fallecido. Por esa razón alquilamos una casa en Vermont junto con las familia de mis hermanas para pasar la Navidad allí. Era un lugar hermoso sobre una colina muy nevada, y la experiencia fue mejor que si hubiéramos permanecido en nuestro hogar. Sin embargo, fue un día muy desdichado para mí.

Me desperté aproximadamente a las siete y media como el mismo día del año anterior y reviví cada minuto de ese terrible día: mi sorpresa por el prolongado tiempo que la bebé había dormido; el momento en que yo corría hacia su habitación; mi sorpresa inmediata al observar el cuerpo inerte de mi hija y el espantoso descubrimiento. Aún hoy me conmocionan estos recuerdos.

En enero comprendí que debía comenzar a preparar todo para el nuevo bebé. Aún me resultaba difícil concentrarme en esta tarea, ya que sentía algo de pánico. Comprendí la profundidad de mi temor la noche anterior a una reunión de agasajo a mi futuro bebé que una amiga había organizado, cuando no pude dejar de llorar al pensar en el momento en que abriría los obsequios para mi futuro bebé. Cuando llegó el momento de abrir los obsequios que consistían en prendas de vestir y en juguetes, pensé -"*Sería hermoso que mi bebé viviera lo suficiente como para poder disfrutarlos*".

Este acontecimiento me dio energía para seleccionar entre los elementos que ya tenía para el bebé, tarea que me producía pánico. Luego del fallecimiento de Larkin, una de mis hermanas había guardado todo en bolsas y las había ubicado en el ático. Yo debía decidir qué hacer con ellas. Agitada por la emoción, subí las escaleras hasta el ático. Allí encontré el moisés en el que había encontrado a mi hija sin vida; la sábana color rosa y azul debajo de la que ella estaba; su pequeño vestido azul de Navidad y sus obsequios sin abrir. Tomé la sábana entre mis brazos y aún conservaba el olor de mi bebé, mi pequeña y bella Larkin.

Descarté la mayoría de las cosas que había utilizado Larkin y seleccioné otras para mi nuevo bebé. El proceso carecía de método, pero yo me sentí muy cómoda al dejarme guiar por mis instintos. Es extraño, pero actualmente conservo la sábana rosa y azul plegada en mi cuarto de estudio, a pesar de que nunca tuve la intención de utilizarla para mi próximo bebé.

Al aproximarse mi fecha de parto, todos los integrantes de la familia mostraban signos de tensión. Comencé a sufrir las mismas pesadillas posteriores al fallecimiento de Larkin, con la diferencia de que ahora tenía dos bebés. En una pesadilla particularmente horrible soñé que me dirigía a la habitación de mi nuevo bebé y encontraba el cuerpo sin vida de Larkin a su lado.

Nuestros médicos nos recomendaron utilizar un monitor para nuestro futuro bebé por ser hermano de una víctima del SMSL. Nos enviaron varias semanas antes del parto al Hospital de Niños para que nos entrevistáramos con el neumonólogo Robert Fink. Nos explicó cómo utilizar el monitor y nos instruyó en la técnica de reanimación cardio pulmonar. Reprimí mi llanto cuando practicaba la técnica de RCP con un muñeco sin vida tamaño natural ¿Podría haber salvado a Larkin?

Ese mismo día nos mostraron el monitor. El aparato se veía menos amenazante de lo que yo había imaginado. Medía aproximadamente veinte centímetros y pesaba pocos kilogramos. La enfermera nos familiarizó con los sonidos de las diferentes alarmas: el sonido agudo constante en caso de dificultades técnicas en el monitor; y los sonidos intermitentes elevados de las alarmas humanas: aceleración de la frecuencia cardiaca; disminución de la misma y apnea. Cuando un bebé está conectado al monitor, se encienden luces en coordinación con su respiración y sus latidos.

Mi médico decidió inducir el parto una semana antes del tiempo programado. El nacimiento de Larkin se había producido muy rápidamente con complicaciones menores, ya que habían tenido que aspirarle secreciones de la vía aérea y el estómago. El parto inducido brindaría a los médicos un mejor control del nacimiento y la posibilidad de monitorear al bebé durante el proceso.

Me emocionaba profundamente el hecho de tener otra niña y me sentí aliviada cuando supe que era sana –y que no se parecía a Larkin. Sin embargo, me preocupé al no sentir el vínculo inmediato que había experimentado con mis otras hijas. Me preocupé aún más cuando vi a mi hija conectada al monitor.

El monitor del hospital tenía una pantalla de televisión en la que podían observarse sus latidos y su respiración. Me encontraba hipnotizada por esas líneas, y pensaba que si dejaba de observarlas mi bebé moriría. Cada tanto se acercaba la enfermera y me preguntaba si deseaba que se llevara a la niña a la enfermería para que yo pudiera dormir. Sin embargo, yo sólo me sentía segura si podía oírla respirar, y tenerla sobre mi pecho durante toda la noche. Ken y yo decidimos que no sería adecuado llamar a nuestra bebé con el nombre de su hermana. Sin embargo, utilizamos las iniciales de Larkin para rendirle honor sin perjudicar la identidad de nuestra nueva hija. Decidimos llamarla Lucia Anne –Anne se llamaba mi madre, quien había fallecido recientemente. Elegimos "Lucia" por su significado: "quien lleva la luz". Deseaba desesperadamente que esta bebé pudiera ayudarnos a salir de nuestra oscuridad.

Durante aquellas largas noches de internación en el hospital me acosaban tres palabras que se repetían en mi mente torturándome - *"Lucía está muerta", "Lucía está muerta"* ¿Por qué me torturaba de esa forma?, me preguntaba. Luego recordé un artículo escrito por el disidente soviético Andrei Sakharov, quien había sido liberado recientemente luego de haber permanecido diez años prisionero de un campo de concentración soviético. Comentó que una de sus técnicas de supervivencia había sido repetir una y mil veces - *"asesinado por el pelotón de fusilamiento", "asesinado por el pelotón de fusilamiento"*, para ser inmune al dolor y estar acostumbrado a este pensamiento cuando sus captores intentaran asesinarlo. El fallecimiento de Lucía era una posibilidad muy real para mí, y creo que yo intentaba aliviar el impacto potencial.

Nuestra llegada a casa fue mucho menos exaltada que cuando habíamos llegado con Larkin. Estaba agotada por haber pasado tantas noches sin dormir en el hospital, y la etapa inicial del monitor fue agobiante. El monitor reforzó la obsesión que todos teníamos con la respiración del bebé. Las luces se encendían en forma constante y habíamos colocado carteles recordatorios en toda la casa: "RCP: Recordatorio", con subtítulos resaltados -"SI EL BEBÉ NO LLORA NI SE MUEVE"; y "SI NO SE OYEN LATIDOS".

La primera vez que sonó la alarma vivimos un momento de verdadero pánico. Se abrieron todas las puertas de la casa ya que todos corrimos hacia la bebé para salvarla. Nunca tuvimos que realizarle RCP pero sí tuvimos varias alarmas de apneas durante el primer mes. Luego supimos que es normal que se produzcan períodos breves de apnea durante el primer mes de vida y que no necesariamente conducen a episodios de apnea en el futuro. Sin embargo, estas apneas nos mantenían alerta.

La alarma también sonaba cuando el aparato funcionaba en forma defectuosa cuando se desconectaba alguno de los electrodos conectados al bebé o cuando alguno de los cables se había deteriorado. Luego descubrimos que nos asustábamos por varios sonidos similares a los del monitor, como por ejemplo el localizador de Ken; la alarma del lavarropas al finalizar su ciclo o el ruido del camión de los recolectores de residuos. Incluso cierto día en que debía estar muy cansada me desperté por el sonido de un grillo. Sin embargo, a pesar de la intromisión constante del monitor, éramos muy dependientes de esas pequeñas luces verdes que nos señalaban que todo estaba bien.

La llegada de Lucía hizo que muchos amigos se comunicaran más abiertamente de lo que habían hecho luego del fallecimiento de Larkin. Me consternaba la información errónea transmitida por sus pediatras. Una de estas creencias era que un bebé nunca puede fallecer a causa del SMSL mientras está sentado. Una de mis tareas fue re educar a una amiga, quien colocaba a su bebé a dormir en su coche de paseo. A otra de mis amigas su médico le había informado que los bebés amamantados nunca fallecen a causa del SMSL. Sin embargo, la declaración más atroz que escuché fue que la mayoría de los casos de bebés fallecidos a causa del SMSL son atribuibles al abuso infantil.

Cuando superamos los tres meses y medio –edad en la que había fallecido Larkin-, comencé a relajarme y a sentirme más cerca de Lucía. Como no había conocido a Larkin a esa edad, la tentación de compararla con Lucía ya no era posible. También advertí que las personas se equivocaban menos al pronunciar su nombre, lo cual le otorgó una verdadera identidad a la bebé. Debo aclarar que nuestros familiares cercanos nunca equivocaban el nombre de la bebé, ya que desde el primer día la llamaron Lucía, mientras que nuestros amigos a menudo le decían Larkin. Luego se disculpaban pensando que yo podía ofenderme por el error, cuando en realidad me reconfortaba el hecho de que no se olvidaran de mi bebé fallecida.

Durante esa etapa el monitor era ya parte de nuestra vida. Me acostumbré a subir o bajar las escaleras dependiendo de la ubicación de la bebé, y aprendí a conectarla sin despertarla cuando se quedaba dormida inesperadamente.

Cierta noche, cuando Lucía tenía aproximadamente cuatro meses de edad, el monitor se desconectó en mitad de la noche. Corrí hacia su habitación y la encontré jugando feliz con uno de los cables en su mano. Finalmente le había encontrado una utilidad a esos dispositivos que habían estado adheridos a su pecho desde su nacimiento.

Lucía advirtió con qué velocidad aparecía algún adulto corriendo cuando ella tocaba alguno de los cables, lo que significó muchísimas falsas alarmas en mitad de la noche. Afortunadamente nunca aprendió -como otros niños- a hacer sonar la alarma de apnea conteniendo su respiración.

Lucía también fue sometida a estudios del sueño en los cuales se grababa durante aproximadamente ocho horas cada latido, para que luego los neumonólogos pudieran examinar los modelos respiratorios de una noche completa. El centro de apneas del Hospital de Niños aconseja utilizar el monitor durante seis meses en el caso de hermanos de bebés fallecidos a causa del SMSL. Si en esa etapa los estudios del sueño dan resultado normal entonces puede interrumpirse la utilización del monitor. Todos los estudios realizados a Lucía dieron resultado normal.

Aproximadamente a los cinco meses y medio, Lucía hacía sonar tantas alarmas que decidimos desconectarla del monitor. No pudimos dormir demasiado durante esas primeras noches. Actualmente Lucía tiene seis meses y medio, y cada día adquirimos más confianza. En una primera etapa el monitor me brindaba tranquilidad para poder dormir durante la noche. Actualmente su ausencia me brinda confianza en la propia capacidad de Lucía de sobrevivir sin él.

Por supuesto que aún vivo momentos de pánico. Debo lograr levantarme por la mañana sin palpitaciones hasta ver a mi bebé con vida. Hasta ahora su pequeña sonrisa siempre ha estado allí para tranquilizarme cada vez que abro su puerta.

~ El artículo precedente ha sido extraído de la publicación "The Washington Post" del día 7 de octubre de 1986.

Siempre estarás en nuestro corazón

~Nick Missos

Tu habitación estuvo en silencio durante un tiempo,
tus cosas fueron guardadas.
Nuestro corazón padecía constantemente,
y creímos que sería un dolor eterno.

Nuestros días tuvieron un cielo oscuro;
nuestro dolor fue aun más profundo.
Luego Dios nos sonrió,
y nos envió un rayo de luz.

Ahora otro bebé duerme en tu cuna,
Y hemos derramado lágrimas de felicidad.
Nos ha traído paz y alegría,
aunque también muchos temores.

Este bebé que duerme sereno
no nos brinda placer
ansiosos vivimos cada noche
temerosos por lo que
pueda suceder

Tu muerte nos ha enseñado mucho;
ahora valoramos cada día.
Nunca te olvidaremos.
Siempre estarás en nuestro corazón.

Punto de vista clínico del monitoreo domiciliario

~Dr. Robert Meny, Médico Pediatra especialista en el sueño y en el Síndrome de Muerte Súbita del Lactante

El Síndrome de Muerte Súbita del Lactante es la causa de casi dos mil quinientos fallecimientos por año en los Estados Unidos de América. Ha constituido un enigma para mí durante muchos años, y he hablado acerca de él durante décadas. Cada vez que doy una conferencia, en especial a padres que perdieron un bebé, surge en mí el dilema de brindar información y mi temor de causar sentimientos de dolor y culpa en quienes escuchan.

El conflicto mayor aparece cuando debatimos acerca de la posibilidad de prevenir el SMSL. Esta situación se agrava por la creencia de que como el SMSL no tiene una causa, entonces no puede prevenirse, y por lo tanto los padres no deben sentir culpa. Esta creencia, fomentada por personas bien intencionadas, carece de sentido porque todas las enfermedades poseen alguna causa y porque nuestro objetivo final es poder tratarlas y prevenirlas. También produce un efecto negativo en la investigación cuyo objetivo es la prevención del SMSL.

Como médico neonatólogo especialista en el SMSL, siempre pensé que algunos casos pueden evitarse. Esta convicción se originó cuando me desempeñé como becario en la unidad neonatal de cuidados intensivos, donde pude observar el modo en que las enfermeras estimulaban y a veces reanimaban a lactantes prematuros que habían sufrido episodios de apnea, bradicardia o cambios de color. La mayoría de esos intentos de reanimación resultaban exitosos, y de no haber existido dicha intervención, los bebés habrían fallecido en muchos casos. Muchos de estos casos de fallecimiento, cuando son sometidos a la autopsia, no evidencian una causa de fallecimiento, y por esa razón son considerados casos de SMSL.

En teoría, la idea de que un monitor que controla la respiración y la frecuencia cardiaca puede evitar el SMSL parece posible, simplemente porque el fallecimiento se produce a causa de una interrupción de la respiración o porque el corazón deja de latir. De hecho, conocí a muchísimos padres que afirman que el monitor salvó la vida de sus bebés. Más aun, he analizado los registros de memoria de algunos monitores que inicialmente grabaron un fallecimiento ya que exhibían varios minutos de baja frecuencia cardiaca, que descendió aún más a pesar de la estimulación. Ésta es una característica que he observado en varios registros de fallecimiento. Pero con la administración de oxígeno se produce un aumento notable de la frecuencia cardiaca y aparentemente se logra salvar la vida. Utilizo la palabra "aparentemente" porque no se ha verificado lo contrario.

Para que estos aparatos logren salvar una vida deben producirse un conjunto de acontecimientos. En primer lugar, el monitor debe estar conectado y la alarma debe sonar con la suficiente anticipación y volumen como para que la persona que cuida al niño la oiga en tiempo adecuado. En segundo lugar, la persona que cuida al niño debe ser capaz de reanimarlo a pesar del pánico y de que la capacitación de reanimación se haya realizado hace meses. Debe llegar una ambulancia a los pocos minutos con personal capacitado en la administración de oxígeno si los intentos de reanimación han resultado vanos. Finalmente, en los casos más graves, puede requerirse internar al niño en la unidad de cuidados intensivos del hospital para administrarle ventilación mecánica. Existe una cantidad de niños que cumplen con las anteriores condiciones.

Debo admitir que no existen estudios prospectivos aceptados que demuestren que los monitores domiciliarios puedan prevenir el SMSL. Sin embargo, los datos obtenidos hasta el año 2002 por el Dr. Gary Freed de Atlanta son muy persuasivos. Utilizó el monitor en doce mil cuatrocientos niños de alto riesgo y sólo fallecieron cinco a causa del SMSL, lo cual constituye un índice de 0,4 cada mil. Si comparamos estos datos, el índice de SMSL de Georgia durante el mismo período fue de 0,88 cada mil, y debemos tener en cuenta que los pacientes analizados por el Dr. Freed eran bebés de alto riesgo. Además, sólo una de las cinco víctimas falleció conectada al monitor y sus padres habían rechazado la internación antes de su fallecimiento a causa del SMSL.

Los Dres. Spitzer y Gibson (1) de Filadelfia evaluaron a más de once mil pacientes en un período de trece años y utilizaron el monitor en siete mil setecientos casos. Si consideramos que el promedio del índice de fallecimiento por el SMSL era de dos cada mil niños, de esos once mil pacientes deberían haber fallecido al menos veintidós. Los autores sugieren que como se trataba de niños de alto riesgo, el índice en ese caso sería más elevado -5,5 cada mil; y que entonces los fallecimientos a causa del SMSL podrían haber sumado sesenta. Sin embargo, dicho estudio prospectivo sólo registró nueve fallecimientos a causa del SMSL, una disminución estadísticamente importante de los parámetros considerados con anterioridad.

De esos nueve fallecimientos, siete estuvieron asociados con negligencia. Desafortunadamente, algunos lactantes fallecieron mientras estaban conectados al monitor y sus padres iniciaron los intentos de reanimación con prontitud. Estos casos excepcionales y trágicos evidencian que los monitores de apnea o cardiorrespiratorios no son adecuados para todos los niños. Quizás algunos lactantes requieran un monitor de oxígeno o saturómetro además del monitor cardiorrespiratorio tradicional, ya que la disminución de la oxigenación puede ocurrir mucho tiempo antes de que suene la alarma del monitor cardiorrespiratorio. Cuando suena la alarma del monitor, los intentos de reanimación son ineficaces porque ésta suena demasiado tarde.

Tres investigaciones diferentes demostraron que los niños fallecidos -a quienes se les había recomendado la utilización del monitor cardiorrespiratorio- murieron cuando no estaban conectados o cuando el monitor era utilizado en forma incorrecta (2,4). Por ejemplo, registramos el caso de cinco entre diez fallecimientos de niños a quienes se había recomendado la utilización del monitor. Entre seis y ocho de esos niños estaban desconectados del monitor o sus padres no respondieron a la alarma en el momento en que ocurrió el fallecimiento. Esta relación entre la utilización inadecuada del monitor y la muerte es sorprendente. Significa que si los monitores hubiesen sido utilizados en forma adecuada la mayoría de esos niños habría sobrevivido.

Durante la década del 80′, se produjo una disminución en los fallecimientos a causa del SMSL, especialmente en la Ciudad de Nueva York (5). Nadie puede asegurar la causa de esa disminución, pero la utilización del monitor debió incidir. Finalmente, el 75% de los fallecimientos a causa del SMSL se produce en bebés de "bajo riesgo", es decir: bebés sanos cuyos padres y médicos no imaginaban la posibilidad de su fallecimiento. Incluso en el caso de los bebés prematuros de un kilogramo y medio -considerados grupo de "alto riesgo"- la mayoría de los médicos no adhieren a la utilización del monitor en forma universal. El objetivo es identificar a aquellos bebés que requieren una intervención. Podemos concluir que la mayoría de los fallecimientos a causa del SMSL no pueden ser identificados antes del deceso.

Otro tema conflictivo es en qué casos el comportamiento de los padres influye en el riesgo del SMSL. Por ejemplo, todos los estudios epidemiológicos demuestran que el tabaquismo materno durante el embarazo incrementa el riesgo del SMSL. Se ha comprobado la existencia del efecto dosis: en otras palabras, a mayor número de cigarrillos fumados por la madre, mayor será el riesgo del bebé de sufrir el SMSL. Esta relación implica que los efectos del cigarrillo inciden en el SMSL. Una publicación reciente determina que el SMSL disminuiría en un 30% en los Estados Unidos de América si se abandonara el hábito de fumar durante el embarazo.

Cuando presento esta información me preocupa el hecho de que muchas madres posiblemente fumaron durante su embarazo. Aunque debemos ser sinceros, no deseo que los padres sientan que alguna conducta -como el hecho de haber fumado- contribuyó al fallecimiento de su hijo. De hecho, la mayoría de los hijos de padres fumadores no fallecen a causa del SMSL; y el tabaquismo en sí no ubica al bebé en el grupo de "alto riesgo", aunque triplica su incidencia.

Las incertidumbres que rodean al SMSL son motivo de frustración tanto para los médicos como para los padres. Un ejemplo es la recomendación de la "*Academia Americana de Pediatría*" emitida en el año 1992 en la que aconsejaban que los bebés fueran colocados a dormir en posición boca arriba o de costado. Dicha recomendación desató un debate entre los pediatras. Muchos pediatras creímos que era prematura por varias razones, y cuando los padres supieron de este debate en la comunidad médica se sintieron frustrados. Afortunadamente para los padres y para nosotros los médicos, en el año 1992 se determinó que la mejor posición era boca arriba. En el Reino Unido, la "Campaña bebés boca arriba" disminuyó en un 50% el índice del SMSL en sólo algunos años. En el año 2000 observamos una disminución similar en los Estados Unidos de América. Datos recientes (6) demuestran que los bebés que duermen boca arriba poseen pocas posibilidades de ahogarse con su propio vómito. La posición boca arriba es segura y reduce el riesgo del SMSL. Estamos progresando en esta lucha. Sin embargo, las dudas continuarán porque la medicina no es una ciencia exacta.

Alguna consideraciones acerca del monitoreo domiciliario

Entrevista con Barb Follett de «Kirson Medical Equipament Company»

~Joani Nelson Horchler

Cuando surge la necesidad de utilizar un monitor domiciliario, usted puede sentirse confundido acerca del lugar en el que debe adquirirlo y el tipo de monitor que debe solicitar. También puede sentirse abrumado ante la posibilidad de tener en su hogar un aparato que probablemente lo hará salir corriendo a mitad de la noche para responder a lo que esperará sea una falsa alarma.

"Sin embargo, cuando la familia logra acostumbrarse al monitor, resulta muy complicado convencerla de que el bebé ya no lo necesita", explica Barb Follett, representante de *"Kirson Medical Equipment Company"* de Baltimore. Su labor es llevar los monitores alquilados a los hogares y explicar a los padres u otros familiares el modo de utilizarlos. *"Los padres expresan que pueden dormir mejor al saber que el monitor los alertará ante cualquier problema que el bebé pudiera tener con su respiración o frecuencia cardiaca. De hecho, algunos padres se acostumbran tanto al monitor que llegan a expresar cierta disconformidad cuando su médico o sistema de salud sugieren dejar de utilizarlo".*

El negocio de las compañías que alquilan monitores está en auge porque muchos bebés prematuros son enviados a su hogar con la recomendación de conectarlos a un monitor en lugar de permanecer internados en el hospital.

Barb nos relata la historia de un bebé prematuro que ella cree sobrevivió gracias al monitor, el cual alertó a ella y al personal de emergencias acerca de su problema cardiaco. La madre del bebé, una mujer muy joven que vivía en una zona rural junto con sus padres, tenía en brazos a su bebé mientras yo descargaba la información grabada en el monitor (la información grabada por el monitor debe ser descargada al menos una vez por mes para que un médico o una enfermera puedan analizar la frecuencia cardiaca y la respiración del bebé). La alarma de "baja frecuencia cardiaca" sonaba mientras la madre caminaba por la habitación con su bebé en brazos y le daba suaves palmadas en la espalda. Como creía que se trataba de una falsa alarma, pidió ayuda a Barb para desconectarla. Sin embargo, Barb observó que el bebé había adquirido un color gris. -*"Conecté inmediatamente el monitor a la computadora y advertí que la alarma era verdadera. El bebé vivía sólo porque su madre lo estaba estimulando con esas palmadas. Lo llevamos a un hospital de la zona donde lo estabilizaron y luego lo trasladaron al Centro Médico de la Universidad de Maryland, donde se recuperó".*

Barb se apresura a aclarar que este bebé era considerado de alto riesgo debido a su problema cardiaco. No obstante, el Dr. Meny aclara en este capítulo que aproximadamente el 75% de los bebés fallecidos a causa del SMSL no poseían factores de riesgo, es decir, eran bebés de término sanos cuyos médicos y padres nunca imaginaron que podrían fallecer. Por lo tanto, los padres no deben sentir culpa si no estaban utilizando un monitor con sus bebés al momento del fallecimiento. Tampoco existe la certeza de que el monitor pueda advertir a los padres con la suficiente prontitud como para reanimar a su bebé. Muchos bebés fallecieron a causa del SMSL mientras estaban conectados a un monitor domiciliario y luego de recibir una adecuada RCP a los minutos de haberse producido la alarma.

Muchos padres manifiestan que sus sistemas de salud les informaron que no solventarían los costos de un monitor, especialmente si éste es solicitado para un bebé hermano de una víctima del SMSL. Sin embargo, Barb aconseja que "apelen esta decisión" con insistencia. Algunos padres cambiaron de pediatra para que éste los ayudara a obtener el monitor, y otros han solicitado al *"SIDS Institute"* de la Universidad de Maryland o a otra organización similar que escribieran una carta o realizaran un llamado telefónico a sus sistemas de salud.

Barb afirma -*"Cuando se recomienda la utilización de un monitor, este debe implementarse en forma rutinaria".* De hecho, dentro de cada monitor hay dispositivos que detectan si el aparato está siendo utilizado en forma habitual. Si los padres o quienes cuidan al bebé se niegan a utilizar el monitor, pueden ser acusados a los servicios de protección al menor del estado. Sin embargo, Barb comenta que antes de tomar una medida tan extrema el médico y ella trabajan intensamente con los padres.

A veces los padres tienen dificultades con los parches adhesivos que conectan al bebé al monitor. En forma ocasional, estos parches pueden causar algún tipo de irritación en la piel, entonces Barb recomienda reemplazarlos por un cinturón suave que se coloca alrededor del pecho del bebé. Barb afirma que incluso los niños de dos kilogramos y medio de peso pueden ser conectados al monitor mediante este cinturón.

Barb cree que su función implica más que descargar la información de los monitores. Ella advirtió que muchas enfermeras no informan a las madres primerizas acerca de la importancia de colocar al bebé a dormir boca arriba. Por lo tanto, ella siente que debe educar a los padres acerca de esta recomendación pediátrica.

Barb recomienda a los padres que están buscando un monitor domiciliario que realicen las siguientes averiguaciones:

~ ¿Qué tipo de monitor se encuentra disponible? (Existen muchos fabricantes. Quizás usted desee leer folletos o manuales).
~ El monitor recomendado por ustedes -¿posee memoria? En caso afirmativo -¿qué tipo de información registra? (¿frecuencia cardiaca; respiración; oxigenación?).
~ ¿Aceptan a todos los sistemas de cobertura de salud?
~ Mi sistema de cobertura de salud -¿tiene contrato con su empresa?
~ ¿Quién se ocupa del control del bebé?; ¿una enfermera o un especialista en respiración?
~ ¿Con qué frecuencia se realizan las visitas?
~ ¿Se cobran las visitas adicionales?
~ ¿Qué gastos deberé afrontar además de los solventados por mi sistema de salud?
~ La empresa proveedora del aparato -¿puede leer y analizar los registros del monitor si fuera necesario? (Normalmente es el médico del hospital quien analiza los datos extraídos del monitor).
~ La empresa proveedora del aparato -¿brinda capacitación en RCP?

Cuando has perdido a tu único varón o a tu única niña

~Joani Nelson Horchler

Hace poco tiempo estaba curioseando en una feria de compras cuando una amiga que había organizado el evento se acercó y me dijo -*"Tú no necesitas nada de esto, no tienes hijos varones".*

Si usted es un padre en duelo que perdió a su único varón o a su única niña entonces podrá comprender lo hirientes que resultan este tipo de comentarios. Creo que ya es suficientemente terrible haber perdido a mi único hijo Christian a causa del Síndrome de Muerte Súbita del Lactante hace cinco años. Sin embargo, hay personas - quienes posiblemente saben que perdimos a nuestro único hijo varón - que ponen el dedo en la llaga cuando realizan este tipo de comentarios:

~ Eres afortunada en tener sólo niñas, los varones traen muchos problemas (*Me encantaría haber vivido este tipo de problemas).*

~ ¿Tienen cinco niñas? Apuesto a que su esposo se siente desilusionado de no tener un varón *(¿Por qué no desapareces de mi vista?).*

~ Algunas personas no logran tener hijos varones (*De hecho sí tuvimos un hijo varón, no es nuestra culpa que él falleciera).*

~ Quizás el esperma de su esposo sólo puede procrear niñas *(Como si fuese un esperma de inferior calidad. Creo que todos podemos reaccionar ante un comentario tan cruel, desatinado e insensible).*

~ Realmente no importa si han tenido niñas o niños. *(Este tipo de comentario con frecuencia es pronunciado por aquellas personas que no perdieron un hijo, y que seguramente tienen hijos varones y mujeres. Por supuesto, estas personas creen que no es importante y nunca llegarán a comprenderlo a menos que pierdan a su único varón o a su única niña. Entonces sí comprenderán que realmente importa).*

Sé que mis palabras suenan crueles, y esa no es mi intención, pero sucede que extraño tanto a mi pequeño hijo varón. Se veía tan diferente a mis pequeñas. Sus manos eran tan grandes -como patas de oso. Era una versión en miniatura de mi esposo, y la promesa de posteridad de su apellido. Podía ver en mi hijo características de mi padre y mi hermano fallecidos. Imaginaba a mi hijo ganando trofeos de natación o corriendo en una cancha de fútbol como el mejor jugador.

Actualmente me enorgullece mi hija de catorce años cuando gana competencias de natación con tiempos increíblemente veloces; así como mis hijas de doce y ocho años cuando se destacan en competencias de gimnasia y en actuación. Mis dos pequeñas nacidas después del fallecimiento de Christian han traído nuevamente la alegría a nuestro hogar.

Tanto mi esposo como yo adoramos a nuestras cinco hijas, e intentamos brindarles lo mejor. Estamos agradecidos por la felicidad y el orgullo que nos regalan a diario. Nuestras hijas son nuestro tesoro más amado, y somos muy afortunados.

Sin embargo, uno de nuestros tesoros se ha marchado, y no podemos ocultar que lo extrañamos y que nos brindó una riqueza emocional y espiritual inmensa. Aunque sé que nunca lo reemplazaremos con otro hijo, ya fuera varón o niña, creo que sería mucho más sencillo si pudiésemos tener otro hijo varón algún día. Entonces pensaría que Dios - o el destino - al menos estarían intentando reemplazar alguno de los tesoros que perdimos con nuestro hijo - como la continuidad del apellido de mi esposo o el hecho de ser algún día la madre del novio. Desafortunadamente, nunca podré tener otro hijo. Económicamente no podemos tener más hijos. El SMSL nos arrebató nuestra única posibilidad de tener un hijo varón.

Ya han transcurrido casi seis años desde el fallecimiento de mi hijo, y creo que es normal sentir cierto remordimiento al saber que esperamos otro hijo que no es del mismo sexo del hijo fallecido. Es natural intentar acercarse a lo que teníamos. El hecho de no poder tener un hijo del mismo sexo representa una carga adicional que no experimentan quienes tuvieron la dicha de poder concretar ese sueño.

Amamos a nuestras cinco hijas más de lo que podría describir con palabras, y nos han hecho más felices de lo que hubiésemos imaginado. Sin embargo, no puedo fingir que no extraño a mi único hijo varón, el que fue arrebatado de nuestras vidas sin motivo.

Cuando oigo a alguien decir -*"Joani y Gabe tienen sólo niñas"*, corrijo esta afirmación, ya que no es verdadera. Tenemos un hermoso hijo varón cuyo espíritu estará siempre en nuestro corazón. Por esa razón, cuando firmamos nuestras cartas familiares, siempre escribo -*"y Christian, en espíritu"*, para que todos recuerden que tenemos "cinco hijas y un hijo que falleció a causa del Síndrome de Muerte Súbita del Lactante".

Capítulo 16

La culpa y la disminución del riesgo

En la actualidad, la tan temida palabra "Prevención" tortura en forma constante a los padres que perdieron un bebé a causa del Síndrome de Muerte Súbita del Lactante. Se ha escrito mucho material y se ha debatido acerca de las supuestas formas de prevenirlo. Incluso existe un libro que utiliza los conceptos "*prevenir el SMSL*" en su título. El empleo de este concepto ha causado gran angustia a muchos padres y familias en duelo, quienes comenzaron a creer que podrían o deberían haber actuado en forma diferente para evitar el fallecimiento de su hijo. El debate acerca de la palabra "prevención" puede observarse en Internet. El Dr. John Carroll -quien colaboró en el presente capítulo- decidió dejar de utilizar este concepto luego de que varios padres lo acusaron vía correo electrónico de inexactitud y falta de sensibilidad. Afirma la madre de una víctima del SMSL - *"Uno siente estar desinformado cuando lee un título en el que se afirma "El SMSL Puede Evitarse". Este tipo de afirmación abre la sospecha en aquellas personas que perdimos un bebé por esta causa".*

Otro padre sostiene -*"No se trata simplemente de una cuestión semántica. Podría nombrar a una cantidad de padres que se encuentran abrumados por la culpa por no haber colocado al bebé boca arriba o por haber permitido a sus amigos fumar cerca de él. La palabra "Prevención" connota que no hicieron las cosas bien".*

Como señala el primer artículo presentado en este capítulo, el SMSL acontece en forma totalmente imprevisible, a pesar de un accionar correcto por parte de los padres. Lamentablemente los medios de comunicación ignoran esta información en su discurso acerca de la prevención del SMSL. Los padres víctimas del SMSL esperan que todas aquellas personas involucradas de alguna manera con esta enfermedad eviten afirmar que este problema puede prevenirse hasta que existan medidas específicas que garanticen que ningún bebé fallecerá a causa del mismo. Afirmar lo contrario causa un gran daño a aquellos padres que actuamos correctamente y que fuimos privados de la vida de nuestros hijos. El concepto más exacto y solidario sería *"disminución del riesgo".*

El Dr. Carroll explicó en una edición del *"Baltimore Sun"* - *"Ya no utilizo la palabra "prevención" cuando hablo acerca del SMSL. Creo que la exprcsión "disminución del riesgo" puede transmitir el mismo mensaje".*

El Dr. Gary Hoffman, médico obstetra cuya hija falleció a los dieciséis meses a causa del SMSL, también prefiere utilizar la expresión "disminución del riesgo". El Dr. Hoffman –Presidente de *"SIDS Resources"* de Oregon, observa que algunos diagnósticos del SMSL indican que la causa de fallecimiento es el hecho de haber dormido boca abajo. Él advierte que este tipo de diagnóstico -basado en la creencia errónea de que el SMSL puede evitarse - puede sembrar un sentimiento de culpa en el padre o persona que cuidaba al bebé y lo colocó a dormir en esa posición. Enfatiza -*"La posición boca arriba no previene el SMSL, simplemente reduce el riesgo. Podemos actuar en forma acertada y no obstante perder un hijo a causa del SMSL".*

Con el objetivo de transmitir un mensaje en forma sutil, el Dr. Carroll y colaboradores han realizado un excelente video titulado "SMSL: Cómo disminuir el riesgo"*(SIDS: Reducing the Risk)*. En él participaron investigadores, médicos y funcionarios con el objetivo de proporcionar a los padres los datos más actualizados para disminuir el riesgo del SMSL. Puede adquirirse por la suma de U$19,95 más U$3,50 por el gasto de envío al teléfono 800-450-6530.

En forma impredecible

~Chris Brink

Para quienes perdimos un bebé a causa del Síndrome de Muerte Súbita del Lactante, la retrospección es inevitable. Se reviven los detalles de la historia una y otra vez, investigando cada minuto para descubrir adónde estuvo el error y qué podríamos haber modificado. Deseamos que la historia de nuestra pequeña Emily pueda ayudar a algunas personas a superar la terrible culpa que soportamos innecesariamente quienes perdimos un bebé a causa del SMSL.

Era el día 28 de diciembre del año 1996, tres días después de la primera y única Navidad que pasaríamos con Emily y tres días antes de mi cumpleaños. Mi esposo Todd y yo sólo llevábamos cuatro meses y medio como padres cuando nuestro mundo se desplomó. Yo había dejado mi empleo para dedicarme por completo al cuidado de mi bebé, y resultaba complicado solventar todos los gastos con un solo salario. No obstante, estábamos maravillados con nuestra nueva vida. Había conseguido un empleo de medio día los sábados, y por esta razón, el sábado se había convertido en el día de mi esposo para compartir con Emily y jugar a ser mamá.

Ese sábado en particular, Todd y Emily me sorprendieron

con una visita a mi trabajo. Todd trajo a nuestra hija en su nueva mochila para bebé. Tomé un descanso, salimos a caminar y alimenté a Emily. Recuerdo que era un día cálido y hermoso y que me costó mucho regresar a mi trabajo.

Luego Todd llevó a Emily de visita al departamento de un amigo hasta que yo regresara de mi trabajo. Emily se puso algo fastidiosa cuando llegaron al lugar, entonces Todd pensó que ella probablemente tendría hambre. La tomó en brazos para intentar consolarla, pero Emily se arqueó hacia atrás y comenzó a adquirir un color gris. En un primer momento Todd creyó que se había atragantado, pero su debilidad le indicaba que algo más serio estaba sucediendo. Comenzó a realizarle reanimación cardio pulmonar y nuestro amigo llamó de inmediato al servicio 911. Los paramédicos llegaron inmediatamente e intentaron estabilizarla antes de llevarla al hospital. Sin embargo, no pudieron encontrar su pulso, y la llevaron al hospital al tiempo que continuaban con los intentos de reanimación.

Al mismo tiempo, nuestro amigo me llamó al trabajo para que me dirigiera al hospital. Casi no podía conducir ya que mi mente pensaba en mil posibilidades. Durante todo el viaje, intenté pensar que todo estaría bien.

Los médicos y enfermeras intentaron reanimar a Emily durante dos horas. Recé durante todo el tiempo, pidiendo a Dios un milagro, pero mi anhelo fue denegado. Se utilizaron todos los métodos disponibles para reanimar el corazón de Emily: desfibrilación, administración de drogas, pero todos los intentos fueron en vano. Nos informaron que las perspectivas no eran alentadoras, y nos permitieron acercarnos a nuestra bebé para ver si respondía a nuestras voces y a nuestro contacto. No obstante, fue el momento del adiós.

Cuando entramos en la habitación, los ojos de Emily estaban levemente abiertos, y desde lejos creí que ella me estaba observando. Pero cuando llegué a su lado, comprendí que sus ojos ya no tenían vida. Sostuve su mano, la que no se parecía en nada a la que recordaba. Le imploré que viviera y le dije que la amaba. En ese momento comprendí que ella ya no estaba. Abandoné la sala conmocionada, dejando solos a Todd y a mi madre. Mi esposo tomó su mano y la besó en la frente, le dijo suavemente que mamá y papá la amaban y se despidió con dulzura. Luego una enfermera conversó con Todd acerca de la donación de órganos, y nos marchamos. Nadie nos ofreció ayuda ni respuestas.

Ese día y las siguientes dos semanas transcurrieron en cámara lenta. Nada importaba y nada tenía sentido -¡Nunca tendrá sentido!

Tanto la autopsia como otros estudios determinaron que la

causa de fallecimiento había sido el Síndrome de Muerte Súbita del Lactante. Pero, ¿cómo podía ser? Emily estaba despierta. Aunque sucede en forma excepcional, el SMSL también puede ocurrir cuando el bebé se encuentra despierto. En el caso de Emily, no sólo estaba despierta, sino que las circunstancias no se adecuaban a las estadísticas epidemiológicas del SMSL. Emily nunca durmió en posición prona, había nacido de término y era alimentada a pecho por una madre no fumadora. Supuestamente, el SMSL ocurre con más frecuencia en la zona de la costa oeste, pero nosotros vivimos en Florida. Es más frecuente en bebés de sexo masculino, y la lista de contradicciones podría continuar. Por lo tanto, debo concluir que el SMSL no respeta límites.

No deseo que se interprete que deben ignorarse las formas de prevención, porque hasta que se descubra una causa, deben respetarse todas las medidas que puedan disminuir el riesgo. Mi esposo Todd y yo deseamos que nuestra historia ayude a otros padres a superar su sentimiento de culpa y a dejar de cuestionarse... "Si sólo....". En nuestro caso, así como en muchos otros, el SMSL se manifestó en forma impredecible y sin posibilidad de prevenirlo. Si no enterramos nuestro sentimiento de culpa por no haber advertido indicios o por no haber estado al momento del fallecimiento, estos sentimientos pueden destruirnos. Aunque suene redundante, debemos aceptar que algunas cosas suceden y que no podemos saber por qué.

Hijos futuros: Cómo disminuir el riesgo

~Dr. John L. Carroll y Ellen S. Siska

El debate acerca de las formas de disminuir el riesgo constituye una experiencia emocionalmente difícil para quienes perdieron un bebé a causa del Síndrome de Muerte Súbita del Lactante. Muchos bebés víctimas del SMSL no poseían factores de riesgo, y aún así fallecieron. Cuando una pareja que perdió un bebé planifica tener otro hijo, el bajo riesgo de que el SMSL se repita es de poco consuelo, porque ellos ya han formado parte de las estadísticas. Aunque implementen todas las medidas a su alcance para disminuir el riesgo, ellos saben que no existen garantías. Cuando alguien ha vivido la experiencia devastadora de perder un hijo, no es tan sencillo seguir las indicaciones y esperar que todo salga bien. Con frecuencia, los padres se sienten divididos por el deseo de tener otro bebé y el temor de que el SMSL los golpee otra vez. Existen otros temas que complican aun más la situación. Quizás la familia desconocía las medidas existentes para disminuir el riesgo y por consiguiente no las implementaron en el cuidado del bebé. Puede ser que ellos se sientan enojados con el obstetra, el pediatra, el instructor del curso pre parto o el personal del hospital, al pensar que si estas personas los hubiesen instruido, su bebé podría estar vivo. Quizás respetaron las indicaciones para disminuir el riesgo en su hogar, pero no las enfatizaron con la persona contratada para cuidar al bebé, y por consiguiente éste falleció mientras dormía en posición prona al cuidado de la niñera. O tal vez pensaron que el SMSL nunca los golpearía, y no prestaron atención a las formas de disminución del riesgo.

Un componente natural del proceso de duelo es la culpa. Sin importar las circunstancias en que se produjo el fallecimiento del bebé, es muy frecuente que los padres experimenten sentimientos profundos y prolongados de culpa. Después de todo, son ellos los responsables del cuidado de sus hijos. Cuando un bebé fallece a causa del SMSL, es lógico que sus padres intenten encontrar respuestas, a pesar de que en este caso no existen. Se trata de un diagnóstico por exclusión.

Es muy frecuente que los padres busquen la mayor cantidad de información posible, analizando cada teoría para evaluar de qué modo podría relacionarse con el fallecimiento de su hijo. Además de la culpa y la confusión, el público en general cree erróneamente que los factores de riesgo son causas. Por consiguiente, si el bebé dormía boca abajo, si era alimentado con biberón, o si existía humo de cigarrillo en el hogar, entonces creerán que estos factores pudieron haber causado su muerte. Aunque estos comportamientos incrementan el riesgo del SMSL, no son causas. Como señalaron muchas personas, una cantidad importante de bebés fallecidos a causa del SMSL no poseían factores de riesgo. Y por supuesto, la mayoría de los bebés que poseen factores de riesgo no fallecen a causa del SMSL. Resulta alentadora la disminución del índice durante los últimos años, y por lo tanto fomentamos el respeto por las estrategias de disminución del riesgo señaladas a continuación, aunque sabemos que las causas del SMSL continúan siendo desconocidas.

¿Por qué enfatizar en los factores de riesgo?

Durante la década del 90′ ocurrieron cambios notables en la investigación del Síndrome de Muerte Súbita del Lactante. Hasta hace pocos años, los investigadores se proponían encontrar las causas del SMSL, asumiendo que la mejor forma de reducir el índice era encontrar algún indicio de anormalidad fisiológica o mecanismo de predicción que permitiera a los médicos identificar a aquellos niños con un mayor riesgo de sufrir este mal. Este anhelo nunca llegó a concretarse. Luego de más de tres décadas de intensa investigación y de la publicación de más de tres mil análisis relativos al SMSL, los científicos aún no pueden predecir en forma individual la incidencia del mismo.

Recientemente los investigadores comprendieron que no necesitan conocer las causas del SMSL para hacer algo al respecto. Varios estudios demostraron que ciertos factores, como dormir boca abajo o la exposición al humo del cigarrillo, estaban asociados con una mayor incidencia. Por lo tanto, los investigadores decidieron observar si el índice del SMSL disminuía al modificar algunas de estas prácticas. En varios países se llevaron a cabo campañas de salud pública a gran escala, y fueron sorprendentes los resultados obtenidos en Nueva Zelanda. El índice del SMSL disminuyó al poco tiempo de haber iniciado los esfuerzos de educación pública. Los nuevos datos demostraron que existen medidas que deben implementarse para reducir el índice del SMSL. Este fenómeno condujo a un cambio en el enfoque de la investigación y las intervenciones de salud pública relativas a la disminución del riesgo. Entonces, ¿qué es la disminución del riesgo, y qué implica para los hijos futuros?

El concepto de factor de riesgo aplicado al Síndrome de Muerte Súbita del Lactante

A pesar de que no puede identificarse en forma individual a los niños que fallecerán a causa del SMSL, muchas investigaciones realizadas en grupos numerosos demostraron que determinados factores relativos al ambiente del bebé están estadísticamente asociados con una mayor posibilidad o riesgo - de que el SMSL se produzca. Es importante señalar que estos estudios examinan a grupos numerosos de lactantes e identifican factores relacionados estadísticamente con una mayor incidencia en la población. La presencia de un factor de riesgo no implica que exista una mayor incidencia. Sin embargo, existe un riesgo mayor con respecto al resto de la población.

¿Cómo se aplican estos conceptos a casos particulares? Todos hemos oído la expresión: *"Todos mis bebés durmieron baca abajo y ninguno falleció"*. Aquellas personas que comprenden la naturaleza de los factores de riesgo saben que la expresión anterior es real en la mayoría de los casos. El índice actual de 0,62 fallecimientos cada mil niños significa que aproximadamente el 0,06% de los bebés fallecen y que el 99,94% sobreviven. Un factor de riesgo que actualmente duplica al de Estados Unidos de América indica un 99,88%

de niños vivos. La mayoría de los niños, cualquiera sea la posición en que duermen, no fallecen a causa del SMSL. Sin embargo, este hecho no implica que la posición prona no esté asociada con un aumento en el riesgo del SMSL. Mientras un factor de riesgo afecta a una pequeña fracción de la población, no se puede evaluar su impacto observando a los individuos sobrevivientes. Desde el punto de vista científico, la expresión analizada anteriormente -*"Todos mis bebés dormían boca abajo y ninguno falleció"*- carece de sentido. Deben observarse los factores de riesgo en grupos numerosos de lactantes y en la cantidad de niños fallecidos.

Cuando observamos la pequeña pero significativa cantidad de lactantes fallecidos a causa del SMSL, surge toda una perspectiva diferente. En Estados Unidos de América, la cantidad de fallecimientos a causa del SMSL alcanza los dos mil quinientos veintitrés por año (en el año 2000). Una estrategia de disminución del riesgo que redujo el índice en un 25% puede traducirse en seiscientas treinta y una vidas por año. Si observamos esta cifra desde el punto de vista de los niños sobrevivientes, podríamos considerarla sólo un 1% - algunos cientos. Sin embargo, si la consideramos desde el punto de vista de quienes padecen el SMSL, implica que seiscientas treinta y una familias evitarán un inmenso dolor.

También es importante señalar que no todos los bebés que fallecen a causa del SMSL presentan factores de riesgo identificables. Este mal ha golpeado a muchas familias a pesar de haber respetado todas las medidas de disminución del riesgo. Esto no significa que dichas medidas no sean importantes o que no produzcan un impacto. En Estados Unidos de América, una intervención que disminuyó el índice en un 50% logró salvar a mil doscientos sesenta y un bebés por año. No obstante, mil doscientos sesenta y uno aún mueren. Cuando una política de disminución del riesgo resulta exitosa, muchas familias nunca llegarán a saber si su hijo podría haber fallecido en caso de no haberla respetado. Como sucede con los factores de riesgo en general, los efectos de la disminución del riesgo se miden mejor en grupos numerosos. Desde el punto de vista de la familia, el concepto de disminución del riesgo queda reducido a tomar los recaudos necesarios y ser optimistas ya que no existen garantías. Una persona que no fuma no puede asegurar que no se enfermará de cáncer de pulmón o que no sufrirá de hipertensión; quienes se alimentan con una dieta baja en grasas y practican actividad física no pueden asegurar que no sufrirán enfermedades cardiovasculares. Sin embargo, las personas inteligentes procuran reducir al máximo los riesgos.

Medidas específicas para disminuir el riesgo

Las principales medidas para disminuir el riesgo avaladas por la investigación científica al momento de redactar este artículo son:

~ Posición boca arriba para dormir a los bebés sanos.
~ No exponer al bebé a los efectos del cigarrillo durante el embarazo y después del parto.
~ Lograr un ambiente seguro para dormir al bebé.
~ Alimentarlo a pecho.

Posición para dormir

Todas las investigaciones existentes indican que la posición prona (boca abajo) para dormir al bebé está asociada con la mayor incidencia del SMSL; la posición supina (boca arriba) con la menor incidencia y la posición de costado con una incidencia media entre las anteriores.

Desde el punto de vista de la disminución del riesgo, la posición boca arriba es la mejor, y así lo señalan la "*Academia Americana de Pediatría*" y el "*Instituto Nacional de Salud Infantil*". Los padres de aquellos niños que poseen trastornos médicos deben consultar con su pediatra acerca de las posiciones alternativas.

Se desconoce la relación existente entre la posición y el SMSL. Varias investigaciones sugieren que la posición prona aumenta el riesgo porque:

~ obstruye la respiración;
~ aumenta la posibilidad de que el bebé inhale el aire exhalado, lo que ocasionaría una acumulación de dióxido de carbono y una disminución de los niveles de oxígeno;
~ impide la liberación de calor del organismo, causa de una elevada temperatura del mismo;
~ existe una combinación de otros mecanismos.

Cualquiera sean los mecanismos, la evidencia científica proveniente de varios países del mundo – entre ellos Estados Unidos de América - señala que el cambio de la posición prona a la posición supina produjo una disminución sustancial en el índice de fallecimientos a causa del SMSL.

Aunque el vómito y la neumonía no deben causar preocupación, existen otros efectos secundarios relacionados con la posición boca arriba que los padres deben conocer. En primer lugar, puede resultar afectado el desarrollo del niño, con un retraso menor en la maduración de las habilidades motoras. Sin embargo, no existe evidencia de que este cambio en el desarrollo motriz posea efectos permanentes o adversos. En segundo lugar, cuando el bebé duerme exclusivamente en posición boca arriba, pueden ocurrir algunos cambios pasajeros en la forma de la cabeza, característica conocida como cabeza chata y que se produce en un sector de su parte posterior. A pesar de que esta característica está en estudio, no existe evidencia de que sea perjudicial para el niño ni está asociada con un defecto permanente en la forma de la cabeza. Los especialistas recomiendan variar la posición de la misma durante el sueño para minimizar los efectos. Finalmente, algunos padres se sienten tan abrumados con el tema de la posición supina que colocan a sus bebés en esa posición aun cuando están despiertos y jugando. Debe aclararse que la recomendación de la posición supina se aplica solo para el momento del sueño. Cuando el bebé está despierto, debe pasar tiempo jugando en posición prona, ya que resulta importante para su desarrollo.

Exposición al cigarrillo

El tabaquismo materno durante el embarazo expone al feto en desarrollo a toxinas y a otros efectos nocivos. Varias investigaciones confirman que aumenta el riesgo del Síndrome de Muerte Súbita del Lactante. Además, existe evidencia de que la exposición del bebé después del nacimiento al humo del cigarrillo también aumenta el riesgo. Varias investigaciones señalan que el aumento del riesgo se asocia directamente con la magnitud de la exposición. A mayor exposición –tanto durante el embarazo como después del nacimiento, mayor será el riesgo del SMSL.

Aúnque existen varias teorías razonables que explican de qué forma la exposición al cigarrillo aumenta el riesgo del SMSL -debido a los efectos tóxicos de la nicotina; el monóxido de carbono; la disminución de los niveles de oxígeno del feto; el efecto del humo en los pulmones del recién nacido -la relación causa efecto aún continúa en estudio. Sin embargo, es muy importante el peso de la evidencia epidemiológica que relaciona la exposición al cigarrillo con el SMSL.

Las madres deberían abandonar el hábito de fumar durante el embarazo y después del nacimiento del niño. Varias investigaciones sugieren que el bebé está expuesto al humo del cigarrillo cualquiera sea la habitación de la casa en la que estén fumando. Por lo tanto, no es suficiente fumar en otra habitación. Según la opinión de los especialistas, no debe fumar ninguna persona cercana al niño. Además de aumentar el riesgo del SMSL, el tabaquismo pone en peligro la salud de todos los integrantes de la familia, aumentando el riesgo de cáncer de pulmón y enfermedades pulmonares, y afectando en forma directa la salud del fumador. No obstante, como se trata de una conducta adictiva, no es fácil decirle a un fumador que abandone el hábito. Los padres que esperan un bebé deben realizar un tratamiento para dejar de fumar, ya que la eliminación del hábito constituye una medida para disminuir el riesgo del SMSL. De ser necesario, dicho tratamiento debe continuar después del nacimiento del niño.

Sueño seguro

El ambiente seguro para dormir al bebé aparece mencionado como otro factor importante en algunos análisis del Síndrome de Muerte Súbita del Lactante. Un estudio realizado por la comisión de defensa del consumidor "*U.S. Consumer Products Safety Commission*" *(CPSC)* señaló que el 30% de los fallecimientos ocurridos a causa del SMSL podrían estar asociados con un ambiente inseguro para dormir al bebé o a ropa de cama inadecuada. Hace tres décadas, varios estudios indicaban que un colchón blando constituye un peligro para los niños pequeños. Nuevas investigaciones también consideran que otros elementos como las mantas, las almohadas y otros artículos pueden constituir un peligro para el niño. Éstos estarían presentes en muchos fallecimientos clasificados como SMSL.

La *CPSC* ha llevado a cabo una campaña de educación pública acerca de la seguridad de la cuna. Algunas de sus recomendaciones resultarían evidentes. Por ejemplo, asegurarse de que la cuna se encuentre en buen estado; que no existan partes faltantes o rotas; que el colchón esté aprobado y que se adapte a la medida de la cuna; que no existan cuerdas que cuelguen dentro de la cuna y que puedan constituir peligro de estrangulación.

También se recomienda evitar la utilización de ropa de cama blanda, de mantas gruesas; de pieles de abrigo; almohadas; chichoneras o juguetes blandos. Existe evidencia de que estos elementos pueden aumentar el riesgo del SMSL. Finalmente, para evitar el exceso de calor, se recomienda no abrigar demasiado al bebé, cubrirlo sólo con una sábana y lograr una temperatura ambiente cómoda para el niño y el adulto. No se recomienda envolver al bebé.

La recomendación actual también desaconseja que un niño duerma en la cama de los adultos. Esta recomendación abre el debate acerca del colecho, ya que muchas personas creen que esta práctica resulta positiva para el niño y los adultos. Las investigaciones más recientes no ofrecen una respuesta clara. Algunas investigaciones señalan una relación entre el colecho y el SMSL, mientras que otros estudios la desconocen. Algunas investigaciones que relacionan el colecho con el SMSL señalan otros factores de riesgo asociados con esta práctica, como la exposición al humo del cigarrillo. Sin embargo, no existen dudas de que el material de la ropa de cama de un adulto puede resultar peligroso para un bebé, y el colecho con los padres expone al niño a este riesgo. Actualmente varias investigaciones evalúan los aspectos positivos y negativos del esta práctica. Hasta que una información más completa esté disponible, es conveniente no exponer al bebé a los peligros de una cama de adultos.

La lactancia materna... ¿Puede disminuir el riesgo?

Luego de haberse realizado numerosas investigaciones acerca de la posible relación entre la lactancia materna y el Síndrome de Muerte Súbita del Lactante; aún no es del todo clara la relación existente entre ambos. Varias investigaciones concluyeron que aquellos bebés que no habían sido alimentados a pecho poseían un mayor riesgo de sufrir el SMSL; al tiempo que otros estudios no encontraron ninguna relación entre ambos factores.

Otras investigaciones señalaron una relación entre aquellos bebés alimentados a pecho y una menor incidencia, aunque el análisis estadístico señaló que no fue la lactancia materna en sí misma lo que contribuyó a disminuir el riesgo. A diferencia de la creencia general, no existe evidencia de que la lactancia materna constituya un factor de protección contra el SMSL. Por supuesto, la lactancia materna posee varios beneficios fisiológicos y psicológicos para la madre y el bebé, y siempre se la aconseja en lugar de la alimentación con biberón.

¿En qué medida puede disminuirse el índice del Síndrome de Muerte Súbita del Lactante?

Aún no conocemos la respuesta a esta pregunta. En otros países se logró una disminución del 70% luego de la implementación de fuertes campañas de salud pública enfocadas en la posición para dormir, en el abandono del hábito de fumar y en la promoción de la lactancia materna. Los datos existentes al momento de redactar el presente artículo indicaban que en Estados Unidos de América el índice del SMSL disminuyó un 40% luego de 1992, año en el cual la

"*Academia Americana de Pediatría*" comenzó a recomendar el abandono de la posición prona para dormir al bebé. En ese mismo año se dio inicio a la "Campaña bebés boca arriba" (*Back to Sleep Campaign)* así como a otras medidas de educación pública. Muchos expertos creen que si se respetaran las anteriores medidas el índice podría disminuir aun más - hasta un 50% o más - en los Estados Unidos de América. Sólo el tiempo lo dirá. Es importante recordar que cuando hablamos acerca de disminuir el índice actual del SMSL, cada punto porcentual corresponde a veintiséis vidas que podrían salvarse.

~ El Dr. John Carroll es Profesor de Pediatría y Fisiología de la Facultad de Ciencias Médicas de la Universidad de Arkansas, Hospital de Niños de Arkansas. Ellen Siska, mamá de Edward David Siska (25/06/91 - 15/09/91) es directora ejecutiva de "SIDS Network Pennsylvania Connection".

Capítulo 17

Los sueños y las premoniciones

Una joven embarazada sueña estar de pie junto a una ventana con su bebé en brazos. De pronto unas balas perdidas impactan en la espalda del bebé, causando su muerte instantánea. A los pocos meses la misma mujer da a luz a un bebé saludable. Sin embargo, su felicidad no dura demasiado, ya que el bebé fallece a causa del Síndrome de Muerte Súbita del Lactante. Ella recuerda el horror de su sueño - creyéndolo una premonición.

Un ministro de la iglesia sueña que él y su esposa sufren un accidente automovilístico. Aunque no tienen un bebé él pregunta en su sueño si el bebé pudo sobrevivir. Entonces oye la voz de Dios que le responde -*"El bebé debe morir"*. Queda muy perturbado por su sueño y al día siguiente verifica si su nieto se encuentra bien. Entonces le informan que su sobrino, Michael Carroll Hitch, acaba de fallecer a causa del SMSL.

Dos semanas antes del fallecimiento de Christian, Joani canceló una cita en la que le realizarían a las pocas horas una ligadura de trompas -*"Tenía el pálpito de que todo era demasiado perfecto. No pensaba en el bebé porque él parecía tan saludable, pero tuve el presentimiento de que algo terrible iba a sucederle a algún integrante de la familia"*.

Durante toda su vida, Denise Dickerson soñó reiteradas veces que tendría un bebé que luego fallecería. En su sueño, ella se encontraba en un hospital en el que le informaban que su bebé había fallecido –sin explicarle la causa- y luego en el funeral. Denise siempre atribuyó este sueño al hecho de que sus padres habían perdido a una bebé llamada Michelle a causa de una enfermedad. Cuando su propia bebé – también llamada Michelle – falleció a causa del SMSL, Denise sintió que estaba reviviendo una experiencia del pasado. Desde el fallecimiento de su hija, Denise no volvió a tener el mismo sueño.

Luego del fallecimiento de su bebé, el hermano de Denise tuvo una visión en la que el bebé se encontraba en medio de una luz color blanca y que lo cuidaba una mujer y un hombre jóvenes. La descripción que su hermano realizó de la mujer era muy similar al modo en que Denise siempre había imaginado a su hermana. Denise sintió cierto alivio al pensar que su bebé era ahora cuidada por su hermana.

Resulta interesante señalar que de acuerdo con un reciente estudio, es frecuente que los padres que perdieron un bebé a causa del SMSL manifiesten haber experimentado premoniciones, a diferencia de quienes no perdieron un bebé. Debido a la excepcionalidad de este tema, sólo hemos podido obtener un artículo. En él varios investigadores presentan ejemplos de premoniciones que descubrieron en estudios recientes.

El efecto de las premoniciones del Síndrome de Muerte Súbita del Lactante en el proceso de duelo

~Patricia Christenson, Dr. Richard Hardoin; Judith Henslee; Dr. Frederick Mandell; Dr. Melvin Morse; y Carrie Griffin Sheeham en una investigación organizada por "Southwest SIDS Research Institute"

"Si Sólo..."

"La alarma del monitor de mi bebé sonó nuevamente -¿Debo realizarle otro estudio del sueño el próximo mes?", se pregunta Wendi, quien perdió hace dos años un bebé a causa del Síndrome de Muerte Súbita del Lactante y decidió utilizar el monitor desde que nació este bebé. El tono de su voz nos permite percibir que ella aún está preocupada acerca del bienestar de su bebé -*"Algo sucedió. Es difícil hablar acerca de ello. Quizás me estoy volviendo loca. ¿Tiene un minuto?"*. La conmovedora historia relatada esa tarde de verano cambiaría para siempre nuestra forma de acercarnos a los padres y familias con quienes nos contactamos en forma habitual.

"Dos semanas antes del fallecimiento de mi bebé, tuve una visión, una premonición de su muerte. Estaba despierta ordenando su placard cuando vi la imagen de mi bebé en un pequeño ataúd blanco en nuestra iglesia. ¡La visión fue horrible! Solté lo que tenía en mis manos, la imagen se desvaneció pero regresó a los diez minutos. Todos pensaron que estaba loca. Luego del fallecimiento, mi bebé había sido llevada a la casa funeraria, donde la habían ubicado en un pequeño ataúd blanco idéntico al que yo había imaginado. Era el único ataúd disponible para niños. ¡Lo sabía! Si sólo hubiese podido hacer algo".

La agonía en la voz de Wendi revelaba la profundidad de su dolor, al tiempo que nos relataba acerca del enojo, la confusión, la culpa y la desdicha que experimentaba. No podía superar su dolor porque estaba convencida de que debería haber tomado alguna medida con posterioridad a su premonición. Aunque el enojo es un ingrediente normal del período de duelo, el sentimiento de Wendi se intensificaba por la falta de apoyo que ella había sufrido cuando conversó acerca de su premonición antes del fallecimiento del bebé. Es difícil encontrar ayuda debido a la incomodidad general de la sociedad ante el tema de la muerte o de aquellos hechos inexplicables. Wendi se sintió aislada e impotente cuando quiso prevenir el fallecimiento de su hija. También sintió una profunda sensación de culpa y muchos "si sólo...".

La Investigación

El instituto de investigación *"Southwest SIDS Research Institute"* almacena una base de datos nacional de historias clínicas completas - desde la etapa prenatal - de aquellos bebés fallecidos a causa del SMSL, así como de bebés de control. Se utilizó la información de la base de datos para responder a las siguientes preguntas:

-¿Son frecuentes las premoniciones en los padres que perdieron un bebé a causa del SMSL?

-¿Cuál es el efecto de estas premoniciones en el proceso de duelo?

-¿Cómo podemos ayudar a las familias a superar su pérdida?

-Los padres de niños sanos ¿también experimentan este tipo de premoniciones?

Para responder a las anteriores preguntas, se le pidió a los padres víctimas del SMSL y a los padres del grupo control que respondieran si alguna vez habían "presentido" que algo iba a sucederle a su hijo. Quienes contestaron en forma afirmativa completaron posteriormente cuestionarios escritos en los que describían su experiencia y el efecto que ésta había tenido en su vida. Luego se realizaron entrevistas telefónicas para confirmar la información y ampliar algunas respuestas.

También se realizó la investigación en dos grupos de control adicionales. La primera se realizó a ciento noventa y siete padres de bebés sanos pertenecientes a la práctica pediátrica de Seattle y en forma simultánea a doscientos siete padres de bebés sanos nacidos en un hospital de la costa del Golfo de Texas. A ambos grupos se les preguntó si habían intuido que algo sucedería a sus hijos. Los padres del grupo de Seattle respondieron a los dos, cuatro, seis, nueve y doce meses de edad de sus hijos. Los padres de Texas lo hicieron cuando sus hijos tenían dos, cuatro, seis, ocho, doce, dieciséis, veinte y veinticuatro semanas de edad. Al participar en una investigación relativa a la fisiología del sueño de niños normales, los bebés de la zona de Texas fueron observados durante su primer año de vida, se registraron todos los datos médicos y se reunieron los resultados dos semanas después de su primer cumpleaños.

Conclusiones

En la base de datos del grupo estudiado, treinta y ocho de ciento setenta y cuadro padres de víctimas del SMSL y cuatro de ciento sesenta y cuatro padres del grupo control informaron que habían percibido algún indicio de que iban a perder a su bebé. Del grupo de padres de bebés víctimas del SMSL, el 94,7% fueron contactados y aceptaron que se les realizara una entrevista, a diferencia del 75% de los padres del grupo control. En cuanto a las dos parejas restantes, una no pudo ser contactada y la otra decidió no participar.

Resulta interesante señalar que tres padres víctimas del SMSL – que en el cuestionario original completado al poco tiempo de fallecer su bebé habían afirmado percibir estas premoniciones – no pudieron recordarlas. Por lo tanto, los resultados de la investigación realizada a padres víctimas del SMSL se basaron en un grupo de treinta y tres padres, que representaron a treinta y cuatro fallecimientos. En cuanto al grupo control, los resultados se basaron en las respuestas de tres padres. Dos de esos tres niños revelaron padecer problemas de potencial amenaza a la vida. El análisis de los registros médicos reveló documentación poligráfica de reflujo gastroesofágico y apnea. Ambos fueron analizados mediante monitores y medicación. Uno de ellos se recuperó totalmente y el otro –aunque tiene cuatro años de edad– continúa presentando apneas prolongadas con desaturación de oxígeno.

Cinco padres (2,5%) del grupo control de Seattle afirmaron que sí habían presentido que algo sucedería a sus hijos, aunque luego nada sucedió. Seis (2,9%) de los doscientos siete padres del grupo control de Texas afirmaron en un cuestionario realizado mientras se les practicaba a sus hijos un estudio del sueño que presintieron que algo sucedería a sus bebés. Cuatro de esos seis padres contribuyeron con una entrevista oral. Uno de esos seis niños desarrolló problemas serios en el control respiratorio, registrados en un estudio polisonmográfico y en grabaciones realizadas en el hogar. Fue necesario realizarle monitoreo y administrarle teofilina, un estimulante respiratorio. La madre había manifestado temor acerca del bienestar de su bebé antes de su nacimiento.

La conclusión de dichas investigaciones sugiere que las premoniciones de muerte son más frecuentes en los padres de niños fallecidos a causa del SMSL. Se observaron diferencias estadísticas significativas entre los padres de víctimas del SMSL y los padres del grupo control –21,8% de ciento setenta y cuatro padres de bebés víctimas del SMSL versus 2,6% de quinientos sesenta y ocho padres del grupo control informaron que presintieron que algo sucedería a sus bebés. De los quince bebés del grupo control cuyos padres relataron una premonición, tres –20%- experimentaron un evento de amenaza a la vida, y los tres presentaron anormalidades cardiorrespiratorias graves que fueron documentadas.

El impacto

A pesar de haber pedido ayuda, muchos padres no pudieron obtener apoyo antes del fallecimiento de sus hijos. El enojo y la culpa son sentimientos frecuentes, que perduran años después de un fallecimiento a causa del SMSL.

La mayoría de los padres de bebés víctimas del SMSL que experimentaron una premonición describieron *"una sensación confusa e incómoda sin causa aparente"*. Algunos observaron una manifestación física, como un atragantamiento o un episodio de cianosis.

Otros poseían un conocimiento previo acerca del SMSL, el que pudo haber desencadenado estas sensaciones. Más de la mitad de las personas entrevistadas relataron haber experimentado un sueño vívido o una alucinación visual mientras estaban despiertos. Don, médico de un área metropolitana, experimentó sensaciones imprecisas e incómodas así como una advertencia auditiva acerca del fallecimiento inminente de su hijo.

"Durante el primer trimestre del embarazo de mi esposa, sentí que la felicidad que traería nuestro hijo no duraría demasiado tiempo. Pocos meses antes del nacimiento, a veces me encontré contemplando un cementerio cercano, en el que actualmente mi hijo está sepultado. Cuando nació y lo tuve en mis brazos por primera vez, sentí – sin un motivo aparente –que él no estaría con nosotros en el futuro. Aproximadamente dos o tres semanas antes de su fallecimiento, me desperté de pronto pensando acerca del SMSL. El día antes de su muerte, una voz similar a la mía me repetía: "Obsérvalo bien. Será la última vez que lo veas".

Según nos relata Don, sus temores se intensificaron cuando su esposa le comentó que visitaría a sus padres con el bebé. Sus padres vivían en otro estado, por lo tanto ella y el bebé debían viajar en avión. La noche anterior al viaje, discutieron acerca de si el bebé debía realmente viajar. Don afirma que deseaba desesperadamente que su hijo permaneciera con él, pero que no le había transmitido sus temores a su esposa. Luego los llevó al aeropuerto, agobiado por sensaciones negativas. Al tiempo que su esposa y su bebé se alejaban hacia el sector de seguridad, él oyó nuevamente la voz que le decía que nunca más volvería a ver a su hijo. Don afirma que sabía que su hijo moriría. Cuando se alejaba hacia el estacionamiento, la voz continuaba advirtiéndole que regresara y recogiera a su hijo. La voz se hizo cada vez más débil y luego enmudeció. Su esposa lo llamó histérica a la mañana siguiente contándole que su hijo había fallecido. Luego, una tía comentó a Don que había tenido las mismas premoniciones acerca del bebé. Cuando le preguntaron acerca del efecto de sus premoniciones, él contestó:

"Este acontecimiento no me impactó demasiado porque yo sabía de antemano que nuestro hijo fallecería. Los únicos datos que yo desconocía eran el momento y el lugar: No podía comprender su significado. Lo único que puedo decir es que quizás si hubiese escuchado a mi corazón este accidente podría haberse evitado. Creo que muchas personas que poseen la habilidad de percibir determinados acontecimientos son capaces de interpretarlos y aplicarlos en el futuro".

Mary, otra madre de un bebé víctima del SMSL, describió síntomas físicos en su bebé que desencadenaron sus temores. Su bebé estaba con frecuencia congestionado y sufría cólicos. A diferencia de la mayoría de los padres que experimentan una sensación negativa acerca de la vida de sus hijos, Mary en muchas ocasiones buscó la ayuda de un médico profesional. Desafortunadamente, le informaron que sus preocupaciones eran infundadas ya que su hijo era sano. En muchas ocasiones sintió que la consideraban una madre exagerada y ansiosa.

"Tenía problemas para respirar y estuvo congestionado desde su primer día de vida. Lloraba casi constantemente, y a veces yo percibía que mi bebé estaba sufriendo. Le comentamos esto a nuestro médico, pero nos respondió que nuestro bebé no era feliz".

La noche anterior a su fallecimiento, Mary y su esposo lo llevaron a la sala de emergencia local. Nuevamente les informaron que su bebé estaba bien. El esposo de Mary estaba dispuesto a exigir la internación del bebé si ella no se sentía conforme con la respuesta del médico. Sin embargo, Mary decidió llevar al bebé a su hogar.

Mary continuó sintiéndose nerviosa e inquieta, y con mucho temor acerca del bienestar de su bebé. Al tiempo que caminaba hacia la habitación de su bebé con él en brazos, advirtió su imagen en el espejo. Nos relata que en ese momento supo que su bebé moriría esa noche.

Mary se sentía frustrada por no haber obtenido asistencia

médica para su bebé, e impotente al no haber podido evitar la tragedia inminente. Como no podía dormir, se dedicó a limpiar su casa hasta las tres de la madrugada para que estuviese aseada cuando sus familiares y amigos vinieran al funeral del bebé. Cuando se despertó a la mañana siguiente, encontró a su bebé sin vida. El informe del anatomopatólogo confirmó que el bebé era sano.

"El bebé de tres meses y medio fue encontrado sin vida en su cuna. No poseía historia de enfermedades y era un niño sano . Había sufrido durante una semana una infección leve de las vías respiratorias. Desde su nacimiento había sido un bebé sano excepto por algunos episodios de cólicos. La mañana del día 26 de agosto, sus padres lo encontraron sin vida en su cuna. Diagnóstico clínico y patológico: Síndrome de Muerte Súbita del Lactante"

Nos planteamos si el vínculo especial que existía entre Mary y su bebé la indujo a percibir que su hijo poseía alguna enfermedad grave. Por cierto ni los médicos que examinaron al bebé antes del fallecimiento ni los anatomopatólogos que realizaron la autopsia documentaron una anormalidad. Sin embargo, Mary sabía que su bebé moriría, con una certeza que desafiaba toda lógica. La experiencia de Mary le enseñó a confiar en sus propios instintos.

Mary tuvo dos hijos - un varón y una niña - luego del fallecimiento de su bebé. Ambos bellos y de aspecto saludable, sufrieron apneas durante el sueño así como reflujo gastroesofágico registrado en estudios del sueño realizados en el hospital con pH-metrías. Ambos utilizaron monitores que registraban su frecuencia cardiaca y su respiración, y se les debió realizar a ambos cirugía porque el tipo de reflujo que padecían no podía solucionarse con tratamiento especial. Actualmente se encuentran bien y sus síntomas de apneas desaparecieron. Mary cree que una intervención médica hubiese salvado la vida de su bebé -*"Si sólo me hubiesen escuchado"*, piensa Mary cada día de su vida.

La función del profesional médico

¿Cómo podemos distinguir entre un padre nervioso y un padre que presiente que su hijo morirá? Los resultados de las investigaciones sugieren que sólo un 3% de los padres de bebés normales y sanos presienten el fallecimiento de su hijo. Un porcentaje importante - 17,6% - de los niños de ese grupo sufrieron un evento de aparente amenaza a la vida durante sus primeros meses.

Cuando se les preguntó con más detalle a aquellos padres del grupo control que habían manifestado algún tipo de temor o ansiedad, ellos mismos pudieron determinar la causa de esa sensación. Por lo general mencionaron algún conocimiento previo acerca del SMSL o haber vivido algún episodio atemorizante. La ansiedad de este grupo de padres era menos intensa que la de los padres de bebés víctimas del SMSL. En el grupo control, estos sentimientos de ansiedad se desvanecieron gradualmente con el crecimiento de sus hijos.

Al igual que en el grupo control, la mayoría de los padres de bebés víctimas del SMSL informaron haber presentido una pérdida inminente en varias ocasiones. Más de la mitad de los padres experimentó dichas premoniciones más de cinco veces. Sin embargo, a diferencia del grupo control, existió en ellos un aumento fuerte de la ansiedad al acercarse el día del fallecimiento. Un cuarto de los padres relataron haber experimentado una premonición durante el embarazo; tres cuartos sintieron una sensación de pérdida poco tiempo antes del fallecimiento.

La mayoría de los padres de bebés víctimas del SMSL manifestaron que la premonición tuvo un efecto negativo en su proceso de duelo. Aunque las entrevistas se realizaron aproximadamente cuatro años después del fallecimiento, estos padres manifestaron que los sentimientos de enojo, temor y culpa continuaban latentes.

Los sentimientos de culpa son frecuentes en los padres de bebés víctimas del SMSL. Sin embargo, los padres que presintieron el fallecimiento de sus hijos manifestaron una culpa más intensa originada en su incapacidad para salvar la vida de sus bebés. Una maestra de treinta años relató:

-"Llamé al médico el jueves por la tarde, pero no lo encontré. La enfermera me dijo que si el bebé no estaba llorando entonces no tenía que preocuparme. Deseaba ver al médico, pero no podía atenderme. Me informaron que podría verlo el día siguiente si aún continuaba preocupada, pero mi bebé falleció ese día.

En un primer momento, me culpé por no haberlo llevado a otro médico. Luego sentí enojo hacia la enfermera -que me había dicho que no me preocupara- y hacia el médico "

Otra madre relata haber dudado llamar al médico ya que "sentía" que todo estaba bien.

"Brandi falleció un viernes. Durante todo el jueves y la noche del miércoles yo había "sentido" que algo estaba mal. Mi bebé no deseaba comer, sólo dormir y parecía ausente. Lloré durante toda la tarde del jueves. El viernes por la mañana tomé su temperatura más de doce veces; deseaba que ella tuviese fiebre o algo para tener una excusa y llevarla al médico.

Mi llanto me debería haber advertido que mi premonición era muy fuerte. Sin embargo, si me sumergía en el llanto, perdería también a Michael".

La culpa es un sentimiento común en quienes respondieron. Una madre de veintiocho años relata:

-*"Le comenté al médico que B.J. no estaba bien. Sabía que algo estaba mal, pero los médicos me contestaron que todo estaba bien. Llevé a B.J. todas las semanas al médico porque sabía que mi bebé no estaba bien.*

Me culpé por su muerte durante mucho tiempo. Debería haber solicitado más análisis para mi hijo y quizás hoy estaría aquí"

La madre que escribe a continuación siente que el apoyo de un médico podría haberla ayudado a aliviar su dolor, a pesar de la imposibilidad de evitar la muerte de su bebé. Cuando se le preguntó si su experiencia podía ser útil a otras personas, ella respondió:

"Sí, mi historia los podría ayudar si ellos sienten que su bebé no está bien. Obligue a los médicos a realizarle todos los análisis necesarios. Si no encuentran nada, entonces agradezca cada día con su bebé, porque quizás un día ya no esté con usted".

Los padres que presintieron un fallecimiento inminente recibieron poca atención de su profesional médico, de su pareja o de sus amigos. Un tercio de los padres visitaron al pediatra del bebé inmediatamente después de su premonición, pero a pesar de solicitarles una evaluación médica, no se realizó ningún análisis adicional al seguimiento de rutina. Esta negativa se fundamenta en el estado absolutamente normal en que se encontraban los bebés antes de su fallecimiento (el que fue confirmado en el informe de la autopsia), y en la actitud de los médicos de tratar de reducir los temores y la ansiedad de los padres. Más aun, la mayoría de los padres no informaron acerca de síntomas físicos observables y el examen médico tampoco pudo detectar algo anormal.

Cuando los padres sostienen su preocupación acerca de la posible muerte de un hijo aparentemente sano, reciben respuestas que oscilan entre la indignación -*"¿Cómo puede decir algo semejante?"*, y la negación -*"Su bebé se encuentra en perfecto estado, relájese y disfrútelo".* Estas respuestas suelen inhibir cualquier tipo de comunicación acerca de la premonición antes del fallecimiento o después del mismo. A pesar de que las premoniciones suelen intensificar la culpa de los padres -*"Yo sabía que algo sucedería; mi responsabilidad era evitarlo"*- éstos parecen aliviados al poder conversar acerca de sus sentimientos y logran, con el resto del grupo, comprender que deben confiar en sus propios instintos.

Las conclusiones de las investigaciones sugieren que un médico amable y solidario -dispuesto a escuchar a un padre preocupado- posee el enorme potencial de ayudar a la persona en su proceso de duelo. Este tipo de enfoque -independientemente de lo sucedido- puede aliviar los profundos sentimientos de enojo y culpa y brindar a los padres la paz necesaria que no pudo percibirse en el grupo analizado.

Quienes describieron algún tipo de contacto con sus hijos después del fallecimiento - sueños, visiones, sensaciones - expresaron que la experiencia había sido positiva y que habían sentido que sus hijos estaban cuidados y en un lugar mejor. Este tipo de sensaciones - no descritos en la literatura médica relativa al SMSL - son frecuentes. Elizabeth Kubler Ross y Melvin Morse presentaron estudios de casos clínicos en los que explicaban que la aceptación de esas premoniciones y su aplicación para interpretar el fallecimiento de un niño puede ser de gran ayuda durante la terapia.

La reacción del médico ante el temor de los padres de un fallecimiento inminente ejerce una fuerte influencia en el proceso de duelo. La anticipación del dolor permite al integrante de la familia vivir el duelo en forma positiva. Debe comprenderse que se trata de experiencias subjetivas que no pueden valorarse en forma objetiva. La aceptación de que esas premoniciones fueron algo natural puede ser reconfortante para un padre que perdió un bebé a causa del Síndrome de Muerte Súbita del Lactante.

Capítulo 18

Resurgir del dolor

El proceso de duelo intenta sellar y proteger el vacío dejado por el niño fallecido, para preservar la integridad de los padres y la relación con el niño.

~Joan Hagan Arnold y Penélope Bushman Gemma

"Cuando fallece un niño: retrato del dolor familiar" (A Child Dies: A Portrait of Family Grief) (1)

El Síndrome de Muerte Súbita del Lactante, un acontecimiento externo aparentemente fortuito y absurdo, cambia nuestra vida para siempre. Cuando fallece un hijo - parte física y emocional de los padres - éstos pierden la conexión con el futuro. Se trata de la peor tragedia que nos puede acontecer. Joani descubrió a partir de su pérdida que así como el amor de los padres no posee límites, tampoco posee límites su dolor. En su experiencia personal, resurgir del dolor significa la búsqueda de la paz y la felicidad, incluso en presencia de una tristeza que nunca desaparecerá.

Quienes sufrieron la pérdida de un bebé a causa del SMSL – así como quienes perdieron a un ser amado – sienten durante el resto de sus vidas que siempre les faltará algo. ¿Cómo podemos sentirnos cuando una parte de nuestro futuro se convierte en un vacío? Sucede que el espacio interior en el que albergábamos los sueños y anhelos para nuestro hijo quedó vacante.

A pesar de este dolor, podemos salir adelante. Como indica la frase que encabeza el presente capítulo, nunca olvidaremos a nuestro hijo y siempre será una parte importante y amada de nuestro ser. De hecho, debemos llenar ese vacío con los recuerdos felices y el amor por nuestro hijo para aprender a disfrutar lo que nos depare nuestra vida.

Todos preferiríamos que los acontecimientos hubiesen sido diferentes. Si pudiésemos optar elegiríamos una vida segura, feliz y predecible rodeados por nuestros hijos. Sin embargo, quienes perdieron a un ser querido sufren el golpe poderoso del dolor y la impotencia. La única opción que nos queda es resignarnos a una vida infeliz o enfrentar el dolor.

Muchas personas deciden enfrentar el dolor al pensar en lo que hubiesen deseado sus hijos. Seguramente el deseo de nuestro hijo es que podamos cumplir con nuestros proyectos, encontrar y defender una causa y cumplir nuestros sueños. Debemos enfocar nuestra energía y amor para que la vida y el fallecimiento de nuestro bebé tengan sentido. Víktor Frankl, ex prisionero de un campo de concentración nazi, escribió: *"El sufrimiento sólo puede tolerarse cuando podemos encontrarle algún significado".*

Hace varios años, un niño de catorce años se accidentó mientras patinaba y falleció a causa de una hemorragia cerebral. Su madre se negó a aceptar el futuro sin él y decidió postrarse en su cama. Su otro hijo de siete años de edad comenzó a escribir historias para leerle a su madre. Este niño era James Barrie, quien creció, inmortalizó a su hermano y deleitó al mundo entero con su cuento *"Peter Pan: El Niño Que Nunca Creció" (Peter Pan: The Boy Who Never Grew Up).*

Por supuesto, de ser posible cambiaríamos todos nuestro logros por un día más con nuestro hijo. Desafortunadamente, esta opción no está a nuestro alcance. La única opción es morir - literal o emocionalmente - o intentar resurgir del dolor buscando paz y dicha en todo aquello que podamos rescatar de nuestra pérdida. Si avanzamos con firmeza, la vida del bebé no será olvidada sino que trascenderá la separación física y emocional. Podremos crecer y compartir con otras personas el amor y todo lo que nos brindó nuestro hijo. A partir de nuestro progreso, el espíritu del bebé podrá vivir y luchar eternamente.

La vida después del Síndrome de Muerte Súbita del Lactante ¿Qué podemos hacer?

~Dr. M. John O'Brien, ex director de «SIDS Institute» de la Facultad de Medicina de la Universidad de Maryland

Como director de *"SIDS Institute"* de la Universidad de Maryland, fue un privilegio para mí haber conocido a muchas familias de niños fallecidos a causa del Síndrome de Muerte Súbita del Lactante. En el presente artículo deseo compartir mis ideas acerca del modo en que el SMSL afecta la vida de los padres en el futuro.

Nuestra experiencia de la vida en el presente es una proyección de nuestra visión de la vida en el futuro. En la mayoría de los casos, no somos conscientes de ello. Cuando nace un bebé, e inclusive antes de su nacimiento, los padres generan una expectativa específica acerca de su futuro. Incluso decimos que el embarazo es una "dulce espera". ¿Cuáles son nuestras expectativas más frecuentes? Los padres esperan que el bebé sea sano; que su nacimiento se produzca a los nueve meses del embarazo y no antes de la fecha calculada; que crezca y se convierta en un adulto feliz, equilibrado y exitoso; que contraiga matrimonio con una buena persona y que el ciclo se repita.

Esta expectativa acerca del futuro de los hijos se vincula con los objetivos y anhelos propios de sus padres. La visión de ser partícipe del crecimiento y desarrollo de un hijo es una fuerza poderosa y especial que moldea el sentido de la vida de sus padres. No es de extrañar, entonces, el efecto devastador que produce el fallecimiento de un hijo. Cuando muere un hijo en forma inesperada, los padres pierden la orientación y el sentido de sus vidas -aunque estos proyectos hayan sido incipientes. El futuro, parte fundamental del pensamiento de los padres, de pronto deja de existir. Sólo queda un vacío, una nada. La conmoción es enorme porque el futuro de los padres estaba íntimamente ligado al futuro de ese hijo. Por lo tanto, el fallecimiento de un hijo priva a los padres del futuro que habían diseñado. Creo que por esta razón se experimentan sensaciones tan profundas de soledad, desesperanza, angustia y desesperación. Es como si estuviésemos viajando por una ruta en la que periódicamente podemos observar un cartel que señala nuestro destino, y de pronto nos encontramos sumergidos en una oscuridad total.

En mi opinión, el desafío principal de aquellos padres que perdieron un hijo a causa del SMSL es generar una nueva visión acerca de la vida, una visión que les otorgue satisfacción, plenitud, dicha y vitalidad. Aunque parezca una forma poco usual de referirse a una tragedia, podemos utilizar este acontecimiento para impulsar un crecimiento personal y una transformación.

La experiencia del SMSL obliga a los padres a enfrentar el interrogante más fundamental de todo ser humano, el interrogante acerca de la muerte - tema que la sociedad moderna siempre evita mencionar. Evitamos este tema aun cuando los más importantes pensadores del mundo nos hablan acerca de la realidad y la inexorabilidad de la muerte, y nos dicen que no podemos abrazar nuestra humanidad ni ser absolutamente responsables de todo lo que nos sucede en la vida. Cuando fallece un niño, no podemos escapar al tema de la muerte.

¿Puede existir una experiencia peor en la vida de una persona que encontrar a su hijo - a quien hace poco tiempo había observado vivo y saludable - frío y sin vida?; ¿puede sucedernos algo más trágico que recibir la llamada telefónica de la niñera o de la guardería informándonos que nuestro bebé está siendo llevado al hospital, quizás sin vida? La muerte, considerada un acontecimiento distante, de pronto se torna implacable, irreversible, innegable, e inflexible. La vida se altera y cambia completamente. No es de extrañar que los padres experimenten un período intenso y prolongado en el que se preguntan constantemente *¿por qué?*

La paz y la tranquilidad sólo son posibles cuando se acepta lo sucedido y esta aceptación reemplaza al sentimiento de injusticia. Independientemente de la religión de la persona, la posibilidad de volver a vivir de modo completo retorna cuando podemos decir simplemente -*"Sí, mi bebé falleció en forma súbita y no existe una explicación. La vida no es ni justa ni injusta, simplemente acontece de modo natural, así como la muerte. La vida es una gran aventura. Daré un nuevo sentido a mi vida, un nuevo futuro, en el que yo seré una persona mejor".*

Puedo ilustrar este hecho relatando mi propia experiencia de vida. Luego de varios años de cuestionamientos acerca de mis supuestos errores, estoy seguro de que lo que realmente me otorga satisfacción y plenitud es ayudar a otras personas mediante mis palabras o acciones concretas. Siento una felicidad verdadera cuando puedo ser útil a los demás. Cuando me involucro en una actividad en la que ayudo a otras personas, "yo" desaparezco. En ese momento mis preocupaciones personales y mis rencores dejan de demandar mi atención, y me involucro totalmente en lo que hago. Creo en un mundo igualitario para todas las personas, en el que todos reciban el cuidado que necesiten y en el que todos sean tratados con respeto y con amor. Si bien el mundo no funciona aún de esta forma, me alegra creer que un mundo así sea posible. Nada cambiará esta visión, y mis acciones siempre estarán orientadas hacia la concreción de un mundo en el que todos vivan en armonía, en el que se celebre la originalidad de cada persona y se considere enriquecedora la diversidad del ser humano.

Por supuesto existen fracasos en mi camino, y muchas situaciones en las que experimento desesperación, en las que deseo renunciar e incluso en las que desearía morir. Puedo enfermar o tener un accidente; las personas que amo pueden morir o mudarse; puede estallar una guerra; pueden surgir nuevas enfermedades que aniquilen a poblaciones enteras. La vida continuará su curso inevitablemente y las cosas que suceden estarán fuera de nuestro control. Sin embargo, yo debo ser partícipe de mi vida, de la forma en que me relaciono con los demás, del modo en el que empleo mi tiempo y de la forma en que cuido de mi persona. Sé que siempre elegiré vivir de la forma más intensa posible. Pediré ayuda cuando la necesite, ya que ninguna empresa importante se logra en forma individual, incluso morir con dignidad.

Mi sugerencia al lector, ya sea un padre víctima del SMSL o no, es pensar detenidamente en algo que lo motive, ¿Qué tipo de acciones pueden brindarnos una visión distinta del mundo? Opte por acciones importantes, empresas que trasciendan y lo desafíen, por las cuales llegue a apasionarse. Redescubra la espontaneidad de su infancia y no se acobarde ante una empresa arriesgada. Es mayor el costo que nos produce el hecho de no involucrarnos.

Para los padres que perdieron un bebé recientemente a causa del SMSL, la decisión más atemorizante puede ser tener otro hijo. Para otras personas, quizás la decisión consista en un cambio de profesión o en algo que siempre deseó y nunca se animó a realizar. Recuerde que sus conocimientos provienen del pasado, y que no obstante lo que usted piense de sí mismo, quizás finalmente comprenda que realmente no se conoce. Deje que un gran objetivo lo guíe, como terminar con el hambre en el mundo, transformar la vida en algunas ciudades o preservar el planeta para sus descendientes. Si su causa es importante, sus preocupaciones, su tristeza y su desesperación dejarán de controlarlo. Sentirá un vínculo mayor con el futuro y dejará atrás la desilusión del pasado. Se sentirá completo y volverá a disfrutar de la vida. Podrá volver a sentirse como un niño, apasionado ante la exploración de una nueva vida.

Veinticuatro años después: La historia de Arlette Schweitzer

~Joani Nelson Horchler

Cierto día del año 1991, una bibliotecaria de una escuela secundaria de Aberdeen, Dakota del sur, descubrió que en la puerta de su casa había periodistas del *"New York Times"*, de *"Time Magazine"* y de *"Newsweek"*, así como de los más importantes medios de comunicación. Sus próximos artículos y transmisiones girarían en torno a cada una de las palabras de esta mujer.

El año siguiente, esta joven abuela llamada Arlette Schweitzer observó que su historia era interpretada veraz y conmovedoramente en un programa televisivo especial de CBS titulado "Acto de Amor" *(Labor of Love)*.

¿Qué llevó a esta mujer común a la fama? Podríamos afirmar que un verdadero acto de amor. Arlette fue la primera mujer estadounidense que llevó en su vientre a sus nietos para que su hija Christa pudiera ser madre.

Cuando Christa era adolescente descubrieron que había nacido sin útero, una patología que le impediría ser madre en el futuro. El anhelo principal en la vida de Christa había sido siempre tener hijos, y toda la familia estaba angustiada por su dolor. Por esa razón, Arlette de inmediato comenzó a planificar la forma de solucionar el problema de su hija.

Pensó que las nuevas tecnologías médicas traerían la respuesta, y que le permitirían la implantación de los óvulos fertilizados de su hija y su marido. Arlette pensaba que ésta sería la única oportunidad de su hija de ser madre de un hijo propio. Cuando Christa contrajo matrimonio, se preparó junto con su madre a enfrentar todos los impedimentos que plantearía la sociedad. Actualmente, Christa y su esposo tienen un hijo y una hija que nunca hubieran nacido de no existir los adelantos de la medicina moderna, así como una abuela decidida de cuarenta y dos años de edad que llevó a los mellizos nueve meses en su vientre sin importarle el asombro de la sociedad.

¿Qué impulsó a Arlette a tomar esta decisión para cumplir con el anhelo de su hija? Mucho tuvo que ver un fallecimiento a causa del Síndrome de Muerte Súbita del Lactante, como fue relatado en la película. Veinticuatro años atrás, Arlette encontró a su tercer hijo de cinco meses de edad sin vida en su cuna.

El día anterior Chad había presentado síntomas de un resfrío, y Arlette, como cualquier madre preocupada, lo llevó de inmediato al médico. Éste concluyó que probablemente se trataba de una alergia y que no tenía que preocuparse. Sin embargo, Chad estuvo agitado durante toda la noche y Arlette permaneció despierta meciéndolo en sus brazos. *"Me sentía invadida por una sensación aterradora. Sé que puede parecer ridículo, pero sentía algo similar a un escalofrío. Recuerdo que estaba caminando con Chad en brazos y desperté a mi esposo Danny a las cuatro de la madrugada. Luego llamé al médico".*

El médico le advirtió -*"Lo está malcriando. Sólo tiene un leve resfrío o una alergia".*

Arlette se sintió algo avergonzada por la respuesta del médico, recostó a Chad en su cuna a las seis y media de la mañana y se acostó a dormir. A las ocho menos cuarto de la mañana, Danny se dirigió a la habitación de Chad como solía hacerlo cada mañana. El bebé le sonrió y Danny le colocó el chupete. Curtis, el hermano mayor de Chad, dormía en la misma habitación.

Aproximadamente dos horas después, Curtis y su hermana Christa de cuatro años de edad irrumpieron en la habitación de mamá para despertarla saltando sobre la cama como solían hacerlo cada día. Curtis dijo -*"Voy a ver a Chad"*. Arlette no puede explicar por qué, pero en ese momento le respondió en forma inflexible - *"No, iré yo"*. Arlette relata -*"Gracias a Dios lo hice yo. Cuando estaba a tan sólo tres pasos de la cuna vi que Chad estaba sin vida. Fue una experiencia terrible. Deseaba correr, gritar y arrojarme por una ventana. Es sorprendente cómo Dios guía nuestros pasos en los momentos más difíciles. Reprimí mis gritos, tomé a mis hijos de la mano (quienes continuaban saltando sobre mi cama) y los llevé a casa de unos vecinos".*

Curtis, confundido, insistía -*"¿Y Chaddy? No podemos dejarlo sólo".* Podía observar que su madre se encontraba perturbada pero no comprendía la causa.

Arlette le respondió -*"Los ángeles se llevaron a Chad al cielo"*

Cuando regresó a su casa, Arlette parecía un animal mientras esperaba la llegada de la ambulancia -*"Todo está tan grabado en mi memoria. Recuerdo las huellas de lodo en la alfombra dejadas por los paramédicos que entraban a la casa y salían de ella. Recuerdo que llegaban y partían automóviles.*

Viajé junto a Chad en la ambulancia hacia el hospital, y una vez allí lo perdí de vista. Recuerdo que observé una gran ventana y pensé. Si sólo me arrojara por esa ventana ya no sentiría este inmenso dolor. Mi respiración era fría, seca y penetrante. Sentía que respiraba a través de un hueco en mi estómago. Continué sintiendo este malestar varios años después del fallecimiento de Chad.

Veinticuatro años después, aún me despierto a veces por la noche y contengo la respiración. Aún siento el aire frío, pero ya no siento ese vacío en mi estómago"

"Desde ese momento, tuve que esforzarme para vivir cada minuto de mi existencia. Pasaron más de cinco años hasta que pude dejar de sufrir por mi bebé".

Luego del hospital, Arlette se dirigió a casa de una amiga. Sin embargo, le resultó muy difícil permanecer allí porque su amiga tenía hijos de edades similares a los de Arlette. Cuando el bebé de su amiga se despertó, su amiga se disculpó. Arlette se colocó en posición fetal y aguardó la llegada de su esposo, quien tuvo que ser ubicado por la patrulla de caminos porque se encontraba en viaje de negocios. *"Cuando abrió la puerta y me vio, sus ojos se llenaron de lágrimas, su voz se quebró y dijo -"Chad está muerto ¿no?"*

Arlette y su esposo se abrazaron, pero a pesar de que siempre habían sido muy unidos no pudieron compartir sus sentimientos. *"Él me abrazaba, pero era como si estuviésemos en dos niveles diferentes de dolor. Mi dolor era tan intenso que yo no podía siquiera compararlo con el dolor de otra persona. Me sentía sola a pesar de saber que mi esposo estaba sufriendo del mismo modo que yo".*

En ese tiempo no existían grupos de ayuda para padres en

Dakota del Sur. Arlette y Danny no pudieron contactarse con nadie que hubiera experimentado una situación similar. Arlette buscó información acerca del SMSL en la biblioteca local, pero encontró muy poco material.

Arlette solía llorar. Danny, por el contrario, sentía que debía dar la imagen de hombre fuerte. Su terapia consistió en plantar rosales. Veinte años después, cuando un escritor de la televisión lo entrevistó para la película, Danny se descargó en un llanto inconsolable.

Cuando Arlette fue entrevistada acerca de Chad para la película, no pudo evitar llorar a gritos, una situación de la que le costó mucho recuperarse.

"Parecía como si hubiera reprimido sus emociones durante veinte años. Antes de la entrevista, cada vez que yo mencionaba a Chad mi esposo se cerraba. Simplemente no podía compartir sus emociones, y las entrevistas actuaban como una catarsis para nosotros".

Durante esos veinte años, Arlette apenas conversó con amigos o familiares acerca del fallecimiento de Chad. En especial cuando se encontraba con amigas que tenían un bebé, tenía que permanecer en silencio porque no deseaba transmitirles sus rencores y sus miedos. *"Aquellos amigos que conocían lo sucedido, ni siquiera mencionaban el nombre de Chad. Se sentían avergonzados e incómodos. Deseaban continuar con sus vidas y que yo lograra continuar con la mía. Me sentía muy sola y pensaba que era la única persona que había sufrido este tipo de tragedia. El fallecimiento de mi bebé me afectó muchísimo psicológicamente y a veces pensé que me volvería loca. Todo el tiempo procuraba recordar que Curtis y Christa me necesitaban y que debía intentar comportarme como una madre normal".*

Sin embargo, la normalidad era prácticamente imposible. Al tiempo, disminuyeron las reuniones con amigas para tomar café. *"La situación me parecía rígida y estresante, ya que nadie deseaba mencionar el nombre de Chad y yo sentía que no tenía nada que compartir con ellas".*

Algunas personas incluso realizaron comentarios insensibles y crueles. Una madre muy joven dijo cierta vez -*"Mi bebé aún no se ha despertado. Debo ir a ver si falleció".*

Otra persona dijo -*"Al menos no falleció uno de sus hijos mayores"*, comentario que hizo enfurecer a Arlette. Por supuesto que un hijo mayor deja muchos más recuerdos, pero la sociedad no comprende que desde que un bebé nace, es tan amado como cualquier otro hijo. Perder un bebé es tan doloroso como perder a un hijo mayor.

Durante años, Arlette no podía comprender cómo las personas podían observarla y no advertir el dolor que sentía. *"Era tan desdichada que pensaba que debía verme diferente, que cualquier persona extraña debía notar mi dolor. Sentía como si me encontrara en una dimensión diferente y que por lo tanto mi aspecto debía verse diferente también.*

El sentimiento de culpa resultaba aplastante. Una y otra vez me repetía las preguntas -¿Y si lo hubiera llevado en mitad de la noche al médico?; ¿si me hubiera quedado despierta con él durante toda la noche?; ¿si me hubiera despertado más temprano? Sentía que había sido advertida por una premonición de que algo terrible estaba a punto de suceder, y a pesar de eso no lo había podido salvar".

No obstante, debía salir adelante y lograr vivir cada minuto, cada hora y cada día. El dolor era un sentimiento muy intenso. Comencé a pensar -¿cuánto tiempo me sentiré de esta forma?; ¿será durante el resto de mi vida? Cada día era peor que el anterior y me preguntaba si podría sobrevivir a un dolor tan constante.

Cinco años después, comencé a sentir que durante algunos períodos de tiempo lograba olvidarme de mi tristeza. En cierta forma me sentía culpable pero al mismo tiempo aliviada. Sin embargo, sólo hace cinco años pude tener mi primer día de paz".

Incluso en la actualidad, Arlette se despierta a veces oyendo el llanto de su bebé.

A veces sueña que su bebé muere y a veces sueña que él se encuentra dentro dc una caja *"Aunque no puedo hablar acerca de ello ahora, existen momentos en los cuales vuelvo a llorar, y creo que nunca lograré superarlos. Se supone que un hijo nunca debe fallecer antes que sus padres. La vida no debería ser así.*

La vida y la muerte de Chad han causado un gran impacto en nuestras vidas. Luego de su fallecimiento decidí ligarme las trompas cuando tenía sólo veintitrés años de edad. Fue una decisión muy difícil y muy traumática porque soy católica, pero pensaba que no podría soportar el fallecimiento de otro hijo a causa del Síndrome de Muerte Súbita del Lactante".

Arlette nunca dejó de pensar que el SMSL u otra tragedia podían golpear a la familia, y se transformó en una madre excesivamente sobreprotectora. Cada vez que sus nietos dormían en su casa, ella pasaba toda la noche observando si respiraban. Por supuesto, nunca le contó a su hijo o a su nuera acerca de sus temores, porque temía que no los dejaran más a dormir allí. Arlette aún no había encontrado gran cantidad de información acerca del SMSL y pensaba que éste podía prevenirse si era detectado a tiempo.

Luego de dar a luz a sus nietos, Arlette insistió en que utilizaran un monitor. Los médicos estuvieron de acuerdo porque los bebés habían nacido cinco semanas antes de la fecha probable de parto, y ella se sintió aliviada.

Muchos padres se preguntan cómo será su vida luego de haber transcurrido décadas. En el año 1994, veinticuatro años después del fallecimiento de Chad, Arlette siente que los hechos sucedieron del modo que debían suceder, como si todo tuviese que completar un ciclo. *"Creemos que existe una conexión entre el hecho de haber perdido a Chad y todo lo que le sucedió a la familia durante los últimos cuatro años".*

Christa y Kevin llamaron a su hijo "Chad". Ahora Arlette tiene en su vida a otro Chad muy especial que en el futuro sabrá el porqué de su nombre.

"La primera vez que lo llamé por su nombre me encontraba sola en la habitación con él. Recuerdo que jugaba a su alrededor diciéndole -"Hola Chad", cuando de pronto mi voz se quebró. Ahora creo que es muy bello que haya otro Chad en mi vida, y creo que mi bebé debe sentirse orgulloso y feliz".

Arlette, católica muy creyente, cree que la Virgen María intercedió para que todo saliera bien en el nacimiento de los mellizos. *"Danny, Christa, Kevin y yo asistimos a una misa en una iglesia de Sioux City en Iowa, poco tiempo antes de que me realizaran el implante. Cuando me dirigía a tomar la comunión, observé que la estatua de la Virgen María me estaba contemplando y que sus ojos me acompañaban. Fue una experiencia conmovedora e increíble de telepatía entre nosotras. Comenzaron a brotar lágrimas de mis ojos. Ella me estaba transmitiendo su mensaje -"Estoy contigo, todo va a salir bien". Fue una experiencia tan profunda que no le conté a nadie acerca de ella. Luego, varias semanas después, camino a Rapid City, Christa me comentó que le había sucedido exactamente lo mismo cuando observó aquella estatua de la Virgen María".*

Curtis cree que su hermano es su ángel de la guarda, y que lo salvó de quedar electrocutado mientras trabajaba el año pasado (Curtis relata su historia en el Capítulo 6).

¿Qué habría sucedido de no haber perdido a su bebé? ¿Hubiera tenido a los mellizos? -*"Creo que sí porque Christa siempre había deseado ser madre, y tanto Danny como yo hubiéramos hecho cualquier cosa por nuestros hijos. Sin embargo, el hecho de haber perdido un bebé hizo que viviera más profundamente la tristeza de Christa. Mi hija sufría por los hijos que nunca tendría, y yo no deseaba que ella padeciera este tipo de dolor".*

Actualmente Arlette escribe cartas de consuelo a aquellos padres que recientemente perdieron un bebé a causa del SMSL. También se contacta con padres en todo Estados Unidos de América identificados con el mensaje de la película acerca del efecto del SMSL en su vida.

"Mi pequeño bebé, que estuvo en la tierra durante un período tan breve, nos ha afectado para siempre. La vida de nuestro hijo siempre estará con nosotros".

El poder de la terapia para ayudarnos a superar el dolor

~Patricia W. Dietz, LCSW

Son muy pocas las personas que no logran recuperarse de la pérdida de un ser querido. Estas personas continúan en un estado de duelo permanente, de amargura o de desesperación. Además, pueden experimentar una profunda herida psicológica a su propia identidad o a su auto estima -confirmada o incluso aumentada por la pérdida. Puede suceder que estas personas luchen durante mucho tiempo -en sesiones de terapia o en otro ámbito- para encontrar la forma de reconstruir su persona. También puede ocurrir que continúen viviendo en el pasado, que experimenten una patología psiquiátrica grave, o que pierdan contacto con importantes aspectos de su vida, tanto humanos como espirituales.

Afortunadamente, la mayoría de las personas sí logran recuperarse. La tragedia y el trauma pueden resultar fortalecedores de la psique humana aunque también nocivos. Puede suceder que nos adentremos en la profundidad de nuestro ser para reconocer lo realmente importante en los breves momentos que nos depara la vida. Todos necesitamos encontrarle un sentido a nuestra vida: quienes vivieron la pérdida de un ser amado pueden encontrar una creencia religiosa, pueden cambiar o rechazar la que tenían o pueden renovar su fe. Las diferentes filosofías del pensamiento no siempre incluyen el concepto de un Dios. El Humanismo y el Budismo constituyen dos ejemplos de concepciones filosóficas y morales que no implican la existencia de un ser superior. Otras personas se refugian en la expresión creativa o artística para asimilar o compartir con otros lo que les ha sido revelado. La pérdida de un ser amado nos enfrenta a nuestra realidad existencial: nuestros poderes como seres humanos son limitados y debemos ejercitarlos; nuestra vida es fugaz pero nuestra experiencia puede ser infinita.

Las personas capaces de superar la pérdida de un ser querido son aquéllas que logran expandir su conocimiento sobre sí mismas. Utilizan su comprensión para ayudar a otros – como voluntarios, como profesionales o de modo informal entre sus amigos y seres queridos. Pueden observar que los demás tienen diferencias así como semejanzas, independientemente de su procedencia o de las circunstancias de su vida. Ven más allá de la realidad material del presente – objetivo, inmediato, limitado – para experimentar momentos de profundo amor y de unidad. Si somos lo suficientemente abiertos, la vivencia de la pérdida de un ser amado puede actuar como una experiencia formativa y puede llevarnos más allá de nuestro propio ego – que alberga nuestra personalidad y nuestros objetivos definidos. La profundidad y la individualidad de la personalidad provienen de una situación de pérdida de un ser querido. Sin dudas, el fallecimiento de un hijo es un acontecimiento de enorme magnitud que nos cambia para siempre. Sin embargo, la paz y la felicidad pueden retornar con el tiempo, cuando descubrimos que los límites de la vida no son los que habíamos imaginado en el pasado. En algunos momentos, las sesiones de terapia pueden ayudarnos a cambiar y readaptar nuestra concepción de la vida.

Carta a Justin

~Norine Blanton

Querido Justin

Cuando te perdimos hace dos años, pensé que el mundo se había terminado. Sólo tu padre, tu hermano y nuestra familia me ayudaron a seguir adelante. Recuerdo que una mujer me preguntó por ti al poco tiempo de tu fallecimiento, y no pude evitar llorar desconsoladamente mientras intentaba explicarle lo sucedido. Cuando se marchó me dijo -*"Espero no haberle arruinado el día"*. En ese momento pensé que cada día del resto de mi vida estaba arruinado. Nunca creí que volvería a sonreír o a reír.

Sin embargo estaba equivocada, porque el tiempo y las lágrimas actúan como una cura. Al nacer tu hermanita, mis días se llenaron nuevamente de sonrisas y felicidad. Siempre te extrañaré, pero la vida debe continuar. El dolor se ha aquietado desde que pude volver a sonreír, aun cuando tu recuerdo está en mi corazón.

Con amor,
Mamá

Carta a Michelle Elizabeth Dickerson

~Denise Michelle Dickerson

Mi querida Michelle

Han transcurrido diecisiete meses desde tu glorioso nacimiento. Te habíamos deseado tanto, serías nuestro primer hijo. Sin embargo, también han transcurrido catorce meses y medio desde tu trágico fallecimiento. Nunca olvidaré ese día martes por la tarde.

Han sucedido tantas cosas desde que no estás con nosotros. ¿Sabías que vivimos en una nueva casa? Tu retrato aún está junto a mi cama. Extraño tu antigua habitación, pero hubieras sido feliz aquí también.

¿Sabías que tienes un nuevo hermanito, llamado Patrick? Por supuesto que lo sabes, porque eres su ángel de la guarda. Actualmente tiene cuatro meses y hace cosas que tú nunca pudiste hacer. Estoy segura de que ya caminarías y hablarías. Tus ojos, ¿continuarían siendo claros como los de Patrick u oscuros como los de tu papá o los míos? Patrick tiene tu misma expresión en sus ojos. Me brindan una completa felicidad cuando sonríe, así como lo hacías tú. Tu cabello, ¿sería claro u oscuro como el mío?; ¿serías alta como tu papá? Supongo que sí, porque crecías rápidamente.

Quiero que sepas que mi dolor ha disminuido. Estoy segura de que estás muy cerca de nosotros y de que nos cuidas. Actualmente cuando pienso en ti recuerdo momentos felices en los que sonreíamos. Ya no pienso en aquel desdichado día de junio.

Te extraño mucho, mi pequeña hija mayor. Siempre conservarás el primer lugar en mi corazón, ya que ese espacio te pertenece. Espero el día en el que pueda volver a verte y a tomarte en mis brazos. Hasta que llegue ese día, recuerda siempre que te amo muchísimo.

Con amor,
Mamá

Carta de mi hijo

~Dolly Guess-Colvin, RN

Queridos Mamá y Papá:

Aunque no puedan verme, no crean que no estoy con ustedes. Estoy aquí, incluso ahora mientras pienso, ¿están sorprendidos? Sigan mis pensamientos y permítanme que les explique.

Aunque ustedes crean que mi existencia comenzó el día que llegué al mundo, en realidad mi vida comenzó mucho tiempo antes. De hecho, ustedes fueron mi esencia. Yo constituía sus pensamientos de dicha, sus pensamientos de amor. Eran ustedes mismos intentando alcanzar una expresión más profunda de amor y realización. Llegué al mundo gracias a su sueño, y fue una transición gloriosa. Durante los meses de espera me alimentaron, me prodigaron atención, esperanzas y aspiraciones. Cada día era un día nuevo para compartir. Ustedes reían y yo sonreía, ustedes se alimentaban y yo crecía, ustedes descansaban y yo dormía. Incluso cuando ustedes conversaban, yo escuchaba. Crearon un mundo de felicidad para mí muy difícil de describir. Intento describirlo porque puedo ver su desdicha, y me entristece. Me siento triste por ustedes.

Ahora descanso en una perfecta paz, y puedo entender muchas cosas que están más allá de la comprensión humana. No limiten mi existencia a un cuerpo terrenal, soy mucho más vasto y más libre. Siempre lo he sido. Había sido confinado a un pequeño cuerpo para estar cerca de ustedes. Ahora soy totalmente libre. Mis fronteras son ilimitadas, pero aún me siento atraído hacia ustedes para consolarlos, para estar con ustedes y dejarles lo mejor de mí. Si pueden sentir paz junto a mí, acéptenlo. Ese es mi obsequio para ustedes - así como en el principio

Soy sus pensamientos de dicha
Soy sus pensamientos de amor
soy yo
en nuestro hogar.
LOS AMO.

Han transcurrido treinta años: Una mirada a los dones de Peter
Entrevista con el Dr. George Keeler y Kay Keeler

~Joani Nelson Horchler

¿Por qué un pequeño bebé que nunca pronunció palabra, que nunca caminó, y que sólo vivió durante seis semanas puede ocasionar un efecto tan devastador en la vida familiar durante treinta años?

El Dr. George Keeler, médico del pueblo de Chevy Chase, Maryland, afirma: *"Antes del fallecimiento de Peter, yo era inocente. Pensaba que tenía un ángel protector cuidándome y que nunca me sucedería algo malo. De pronto, la tragedia se desplegó ante mis ojos y perdí esa sensación de seguridad. El fallecimiento irracional de Peter me causó una conmoción y me obligó a reorganizar mi vida".*

Durante el año 1964, George estaba realizando su residencia en el Hospital de la Base de la Fuerza Aérea de Andrews, cerca de Washington DC, cuando Peter, su quinto hijo – y segundo hijo varón –falleció a causa del Síndrome de Muerte Súbita del Lactante. Como médico, su primera reacción fue preguntarse cómo no había advertido que algo estaba mal. El capellán de la base fue de poca ayuda- *"Buscaba a alguien que me diese alguna respuesta y que me explicara el porqué de esta tragedia sin sentido y consulté al equipo del Departamento de Psiquiatría de Andrews. Sólo escucharon mi historia, pero me ayudó a comprender que esta tragedia había sucedido también a otras personas –incluso a médicos– y me ayudó a superar mi sentimiento de culpa".*

También fueron de ayuda los primos de George, quienes eran pediatras, y le explicaron que en muchas ocasiones los bebés fallecen en forma súbita sin que pueda evitarse esta situación.

No obstante, su vida estaba destrozada. Por esa razón, George y su esposa Kay realizaron un "viaje teológico" a través del curso de Confirmación en la Iglesia Episcopal de San Marcos en Washington. Fue el primer grupo de personas con el que pudieron conversar acerca de su pérdida. Kay reflexiona -*"Hasta ese momento, yo pensaba que era imposible conversar acerca de temas desagradables".* George afirma -*"Los integrantes del grupo opinaban que la desesperación es una sensación positiva que puede ayudarnos a realizar cambios valiosos en nuestra vida. Comprendí que podía sostenerme a mí mismo".*

De hecho, George afirma que el modo en que superó el dolor del fallecimiento de Peter le brindó una nueva perspectiva a su vida. *"Si pudiese elegir tener a mi hijo otra vez, lo haría. Pero al observar los últimos treinta años de mi vida, puedo conmemorar la vida de mi hijo y valorar los cambios que él produjo en mi vida".*

George explica que el fallecimiento de Peter le brindó una aptitud especial para afrontar los problemas. Por ejemplo, cinco años después del fallecimiento de Peter, el hermano de George falleció en Vietman. Su hermano había sido "la estrella de la familia" así como un profesor muy popular en la Academia de la Fuerza Aérea. Su objetivo era convertirse en jefe de personal de la Fuerza Aérea -*"El fallecimiento de mi hermano fue un hecho tan irracional como el fallecimiento de mi hijo. Sin embargo, no me sentí tan abrumado. Creo que Peter me ayudó a aceptar la ambigüedad de la vida y a actuar como un bastión de mis padres en su dolor".*

Kay tenía sólo veintisiete años cuando Peter falleció, pero no volvió a tener hijos. *"No quisimos reemplazar a nuestro bebé". Kay se sumergió en sus estudios y obtuvo una maestría en artes, que le sirvió para trabajar como docente. También vivimos la experiencia de tener una familia increíble, y Peter fue quien nos brindó esta oportunidad".*

Diez años después del fallecimiento de Peter, Kay participó de "*Landmark Forum*", un curso de tres días cuyo objetivo es asimilar ideas y creencias que moldeen y gobiernen nuestra vida. Antes de participar en el curso, Kay se sentía culpable por el fallecimiento de Peter - *"Me sentía culpable de su muerte porque había estado despierto durante mucho tiempo expuesto a muchas personas en nuestra casa de vacaciones del lago, y luego lo habíamos colocado a dormir en una cama vieja sobre un colchón blando. El curso modificó mi sensación de culpa y la convirtió en aceptación".*

Gracias a este nuevo punto de vista, Kay logró ser más efectiva en su trabajo con otras personas. Desde hace varios años, colabora como líder de *"Landmark"*, y ayuda a sus estudiantes a dejar el pasado atrás y a crear un nuevo futuro en base a posibilidades reales. *"Las situaciones de riesgo y cambio deben considerarse oportunidades y no obstáculos".*

Luego de participar junto con su esposa del curso de confirmación, George logró cambiar su actitud cerrada e incomunicativa. Actualmente puede conversar incluso con Kay acerca del fallecimiento de Peter y puede expresar sus emociones y su amor por los demás. *"Resulta muy positivo poder expresar mis sentimientos por Peter, creo que éste es otro de los dones que él me brindó".*

Antes del fallecimiento de su hijo, George pensaba que todos los aspectos de su vida estaban bajo control. Desde entonces, cree que pensar que uno controla las cosas crea barreras y nos limita, y que debemos vivir de un modo más espontáneo.

La muerte de su hijo también lo ayudó a ser un médico mejor. Puedo observar a las personas de un modo más humano, sentir su tragedia y presentarles nuevas posibilidades. *"De esta forma rindo homenaje a mi hijo tanto en mi vida profesional como familiar".*

Kay también aprendió a ayudar a otras personas ante el fallecimiento de un familiar. *"Cuando mi hermano y mi cuñada perdieron un bebé al nacer y la autopsia no logró determinar las causas, ellos sólo pudieron conversar con nosotros, porque sabían que nosotros los comprenderíamos".*

Al igual que su esposo, Kay sostiene que desearía no haber vivido la pérdida de su hijo, pero que acepta con gratitud todos los dones que su bebé le brindó.

La búsqueda de fondos como forma de catarsis

Entrevista con Susan Hollander de la fundación «CJ Foundation for SIDS»

~Bob Raissman, "New York Daily News"

No existe nada inusual en la escena. Era un día de semana por la tarde como cualquier otro en un suburbio de New Jersey. Susan Hollander y sus dos hijos viajaban en su automóvil haciendo algunos mandados. Sammy, de siete años de edad, en el asiento delantero; y su hermana Jackie, de cuatro años, en el asiento trasero.

Su madre les hablaba cuando Jackie la interrumpió -*"Quiero saber adónde está mi hermana".*

El día diez de abril, la hermana de Jackie, Carly Jenna Hollander, de cuatro meses y medio de edad, falleció en su cuna víctima del Síndrome de Muerte Súbita del Lactante. Esta tragedia cambiaría para siempre la vida de Susan y su esposo Joe Hollander, gerente general de *WFAN*.

WFAN realiza un programa de radio continuo para recaudar fondos para la fundación de lucha contra el SMSL "*CJ Foundation for SIDS*" (CJ por Carly Jenna). Don Imus, Mike Francesa, Chris Russo y Russ Salzberg son quienes transmiten las solicitudes de colaboración para apoyar la causa.

A pesar de haberlo intentado, resulta casi imposible soportar el dolor que los Hollander aún sienten. Hace algunos meses, Susan no podía permanecer sola en su hogar. Subía a su automóvil y conducía sin dirección -*"Sentía que mi casa estaba vacía y no quería estar allí; hacía cualquier cosa para no volver; sólo podía regresar con alguno de mis hijos. Durante cuatro meses solía conducir sin destino y ni siquiera recuerdo si me detenía en los semáforos en rojo".*

Estaba aturdida y ni siquiera podía comer -*"Sentía que me habían arrebatado toda la vida".*

Nunca podrá borrar el recuerdo del día que su hija falleció. Recuerda haber despertado por la mañana ese sábado aproximadamente a las ocho. Escuchó jugar a sus hijos Sammy y Jackie, pero no a Carly. La bebé había comenzado a dormir profundamente durante la noche y todo parecía estar bien.

"Le pedí a mi esposo Joel que trajera a la bebé para que yo pudiera alimentarla. A los dos segundos él regresó con la bebé en sus brazos. Estaba completamente azul. Salté de la cama, todo era confusión. Observé a Joel y le dije -"Es la muerte en cuna, lo sé. Comenzamos a sacudirla, pero no reaccionaba".

Susan recuerda que le pidió a su esposo que llamara al servicio 911, y a sus hijos que jugaran en la habitación de Sammy mientras ella y su esposo intentaban reanimar a Carly. De pronto la casa se llenó de policías y paramédicos, quienes procuraban reanimar a la bebé. Susan intentó entrar en la habitación, pero los policías la detuvieron.

En menos de diez minutos Joel le informó que Carly había fallecido. *"Entré en la habitación y vi a Carly sobre una tablilla ubicada en el suelo. Le habían rasgado la vestimenta y todos estaban de pie a su alrededor sin saber qué hacer. Nadie se animaba a levantarla. Los policías no sabían qué decir, en realidad nadie sabía cómo actuar. Simplemente observaban".*

Los paramédicos se marcharon y dos policías se quedaron con la familia. No querían dejar solos a los padres. *"Nos sentamos con Carly en la habitación y estuvimos con ella aproximadamente una hora".* El recuerdo de los días subsiguientes al fallecimiento de la bebé es confuso. El funeral; luego los amigos en la casa durante siete días según la tradición judía. Susan no podía sentir nada. *"Continuaba pensando que Carly estaba en el hospital, que no había transcurrido tanto tiempo. Pensaba que alguien llamaría a la puerta y que nos devolvería a Carly".*

"A los pocos días de fallecer mi bebé subí las escaleras y entré en su habitación. Me recosté en su cuna porque su perfume aún estaba allí. Cuando Joel me vio, desarmó la cuna de inmediato. Sólo después de sacar varias cosas de esa habitación comencé a aceptar la realidad. La realidad me decía que aún tenía que cuidar a dos hijos, y que debería aceptar la culpa que acosa a todos los padres de niños víctimas del SMSL. Debería encontrar el modo de comenzar a vivir nuevamente".

Susan explica -*"Nadie puede quitarnos el dolor ni decirnos que todo se solucionará porque en realidad no existe una solución. Quizás el tiempo pueda ayudar. Hay muchos momentos que debemos superar para que nuestra vida pueda comenzar a avanzar".*

Los Hollander participaron en sesiones de terapia y en reuniones grupales con otros padres de bebés víctimas del SMSL. Sammy Hollander participó en una reunión para hermanos. *"Una semana después de finalizada la reunión, entró una mañana en nuestra habitación y dijo -"Sólo quiero que sepan que yo no hice nada que pudiera haber causado la muerte de la bebé. Quería que ustedes lo supieran".* Esto sucedió cinco meses después del fallecimiento de Carly.

Susan no podía creerlo. La idea del sentimiento de culpa en un niño de siete años es difícil de imaginar y es muy complicado conversar acerca de ello. Sin embargo, es parte de la experiencia de quienes vivimos el SMSL. Estas historias nunca podrían tener un final feliz y ella lo acepta. No se trata de una película que ilustra la vida de una mujer valiente. Se trata de una vida real, que transcurre día a día.

Susan es presidenta de *"CJ Foundation for SIDS"*. El programa de radio continuo es importante para ella, pero si pudiera retroceder el tiempo un año le gustaría poder cambiar el destino. -*"Desearía recuperar mi antigua vida"*.

Susan organizó durante varios meses eventos para recaudar fondos. -*"Siento que no me queda otra alternativa. Joel tiene la posibilidad de recaudar fondos, mientras que otros padres no. Quizás Dios eligió a Carly porque pensó que nosotros podríamos hacer algo. No podemos cruzarnos de brazos y seguir con nuestras vidas. Desearía poder hacerlo, pero no es posible"*.

No llores sobre mi tumba

~Autor deconocido

No llores sobre mi tumba.
No estoy allí, no duermo.
Soy como mil vientos que soplan.
Soy los destellos de diamante de la nieve.
Soy el sol sobre los granos maduros.
Soy la lluvia gentil de otoño.
Soy el arco iris del cielo.
Soy el águila que vuela en las alturas.

Cuando te despiertas por la mañana,
soy la súbita elevación circular de las aves hacia el cielo.
Soy las estrellas tenues que brillan por la noche.

No llores sobre mi tumba.
No estoy allí. No estoy muerto.

Barco navegante

~Autor deconocido

Estoy de pie a orillas del mar. Un barco a mi lado despliega sus blancas velas en la brisa matinal y se adentra hacia el mar azul. Objeto de belleza y de fuerza, lo observo hasta que sólo sea como la mancha de una nube blanca en el cielo, justo donde el mar y el cielo se entremezclan. Luego alguien a mi lado observa... *"Allí va"*

¿Adónde va? Se aleja de mi vista... eso es todo. Sus mástiles y casco tienen iguales medidas que antes y es igual el peso que puede transportar hacia el destino. La disminución de su tamaño está en mí, no en él. Y justo en el momento en que alguien a mi lado dice - *"¡Allí va!"*, otros ojos lo observan acercarse y otras voces gritan con felicidad -*"¡Está llegando!"*

Elévate lentamente, ángel

~Diane Robertson

Elévate lentamente, Ángel.
No puedo dejarte ir.
Despréndete lentamente de los rostros
ahora tristes e inclinados.
Alivia mi cruel enojo
cuya causa es la verdad inexorable
de que la muerte puede llevarse a un ser amado
y arrebatarlo en el brillo de su juventud.

Elévate lentamente, Ángel.
No me dejes aquí, en soledad,
donde el calor de la esencia humana
es reemplazado por la roca fría y dura.
Háblame a través de la brisa, susurra
con las hojas secas
y acaricia mis cejas con gotas de lluvia
filtradas al resguardo de los árboles.

Elévate lentamente, Ángel,
porque no puedo oír la canción
que te llama a través de las sombras
hacia la luz del más allá.
Envuélveme en un suave manto

de sol, abrígame con amor
Besa el rostro de tu madre húmedo de lágrimas
bajo la luz de la luna.

Luego, espérame al atardecer,
junto a la fuente de lirios,
y guíame de regreso a casa
hacia tu mundo, en el más allá.
Extiende tus brazos para tomarme
en un dulce abrazo,
y nos elevaremos juntos,
hacia un tiempo y un lugar diferentes.

~ El poema que antecede fue impreso con la autorización de "Bereavement Publishing Inc.", 8133 Telegraph Drive, Colorado Springs, CO 80920.

Del discurso de Julieta

~William Shakespeare

y cuando él muera
tómalo y córtalo en pequeñas estrellas
y él hará que la faz del cielo sea tan delgada
que todo el mundo se enamorará de la noche
y ya no rendirán culto al deslumbrante sol.

Romeo y Julieta
Acto 3, Escena II, líneas 21-25

Capítulo 19

Más testimonios y poemas

Once días

En conmemoración a nuestra hermosa bebé, Megan Jean Biebel: 21/02/2000 - 03/03/2000

Dios nos envió durante once breves días
a Megan Jean, para tomarla en nuestros brazos y amarla.
Y este obsequio del cielo,
hizo que nuestro amor y nuestra fe fuesen más fuertes.
La alimentamos con ternura
y la amamos mientras pudimos hacerlo.
Pedimos a la gracia de Dios más tiempo con ella,
sin embargo los ángeles vinieron a buscarla
antes de lo que nosotros imaginábamos.
Superaremos el dolor que sentimos
e intentaremos comprender.
Ahora sabemos que fuimos privilegiados
al cuidar a nuestro regalo del cielo.
Nuestra pequeña era dulce y tierna,
seguramente un tesoro de Dios.
Ahora es un ángel en el reino de los cielos,
y nos cuidará y protegerá a su pequeña hermana Brooke Anne.
Estamos afligidos, pero
agradecemos el hecho de haberte tenido en nuestros brazos
aunque fuera por poco tiempo.

El secreto de Trevor

~Lori R. Dickey

Algunas personas creen que existen ángeles que nos protegen, pero que a veces no nos oyen. No sé si es verdad, pero debo admitir que luego del fallecimiento de mi hijo recé y esperé una señal de mi bebé en la que me dijera que estaba bien y que nos volveríamos a encontrar algún día. Nunca percibí dicha señal, pero la hija de mi mejor amiga afirmó que sí. Es la historia de Rachel.

Rachel había llegado de Chicago para visitarnos dos semanas antes del nacimiento de mi hijo T.C. Luego de que mi bebé nació, les enviamos videos de su primer baño, su primer biberón, y ese tipo de acontecimientos. Cuando T.C. falleció, Rachel sufrió un gran impacto. Le contó a su madre que cuando observaba el cielo podía ver a T.C. corriendo con otros ángeles bebés, y que él siempre ganaba en las carreras.

Rachel le explicó a su hermano mayor -*"Todavía no tienen alas porque son muy pequeños, y por eso no pueden volar"*. Cuando Rachel comenzó a preocuparse porque T.C. gastaría sus zapatillas y no tendría con qué correr, su madre le aseguró que cuando eso sucediera T.C. ya tendría alas.

Los sueños y las visiones de Rachel comenzaron a disminuir. Sin embargo, me seguía afectando el concepto que tenía del más allá una niña de cinco años.

Cuando Rachel supo que yo estaba embarazada de Trevor, me anunció que él tendría una marca de nacimiento. Explicó que las marcas de nacimiento son besos de los ángeles, y que Trevor tendría una marca en el lugar en el que lo besara T.C. La mamá de Rachel sonrió y le dijo que Trevor tendría una marca en medio de su frente como recuerdo permanente de su hermano mayor. Rachel, bastante enojada, le respondió que T.C. era un ángel bueno y que nunca haría eso. Anunció que la marca de nacimiento de Trevor estaría ubicada en su cabeza, bajo su cabello -y que sería un secreto de Trevor.

Cuando Trevor nació lo revisé, y mientras contaba todos los dedos de sus manos y sus pies, debo admitir que busqué una marca de nacimiento. No pude encontrarla y me sentí algo desilusionada y un poco infantil. Nunca hablé acerca del tema.

Al tiempo que avanzaban las semanas y Trevor aumentaba de peso, yo solía sentarlo sobre mi regazo para que él eructara después de alimentarse. Una noche, mientras esperaba que él eructara después de la cena, sonreí al observar que él estaba perdiendo su cabello de recién nacido, y que éste estaba siendo reemplazado por un cabello rubio y aterciopelado. En ese momento pude advertir la marca con forma de frutilla en la parte posterior de su cabeza. Rachel no se había equivocado.

~ Lori R. Dickey es presidente de "Arizona SIDS Alliance"

Gracias querido hijo

~Gerardo Orozco

Tu madre y yo sólo pudimos estar contigo durante un tiempo muy breve. Sin embargo, nos has enseñado mucho, y aprendimos más en los dos meses que estuvimos contigo que en toda nuestra vida. Me has enseñado a tender mi mano hacia los que tienen menos. Nos has enseñado a vivir día a día, y a ver a cada ser humano como una persona única. En el pasado éramos muy prejuiciosos, pero ahora observamos a los demás de un modo diferente y sabemos que todas las personas ocultan algún tipo de dolor. Aprendimos a aceptar que no podemos saber por qué los demás actúan de cierta forma o dicen determinadas cosas. Comprendimos que no podemos conocerlo todo.

Estarías muy orgulloso de nosotros. Nos hemos acercado a muchos grupos y hemos pedido ayuda y consuelo. Quizás algunas personas nos juzgan, pero sólo tú puedes saber cuánto te extrañamos y el dolor que sentimos. Sólo tú sabes que nos has tendido tu mano desde el cielo para darnos fuerzas para continuar. En un primer momento no podíamos aceptarlo, pero ahora sabemos que tú preferirías que continuáramos con nuestra vida. Mientras estemos en este mundo, tú siempre estarás en nuestro corazón y en nuestros recuerdos.

Ahora podemos conversar diariamente acerca de ti. Podemos reír al recordar los sonidos que emitías y el modo en que sonreías cuando tu madre jugaba contigo. También aprendimos a llorar y a extrañarte, y gracias a tu ayuda tomamos decisiones que otras personas criticarían.

Antes de despedirme, me gustaría agradecerte por todo lo que nos has obsequiado en el poco tiempo que estuvimos juntos. Sólo tú sabes el modo en que has cambiado nuestra vida. Te extrañamos y te amaremos hasta el último día de nuestra vida. Nada en este mundo puede terminar con nuestro dolor y con nuestros sentimientos hacia ti.

Brandon, algún día nos reencontraremos.

Con amor,
Tu papá

Un rostro entre las nubes

Para Whitney Marie Figliozzi con amor: 04/08/1999 - 15/12/1999

~Leyna Rose Figliozzi

Whitney, mi hermosa hermana, mi maravillosa amiga,
nunca hubiera imaginado que nuestra diversión concluiría en forma tan súbita.

Aunque sólo tenías cuatro meses de edad,
Nos dejaste un importante mensaje.

No podemos estar seguros de nuestra vida, ya que puede ser breve.
Ese es el mensaje que nos ha dejado tu anticipada muerte.

Sé que actualmente estás en un lugar mucho mejor y más feliz.
Cada vez que te necesito, observo las nubes y puedo ver tu rostro sonreír.

Mensaje de Colby

En conmemoración a Colby Starling: 01/03/2002 - 04/09/2002
hijo de Graham y Amy Starling

~Cathey King

Una clara mañana de septiembre Jesús me llamó dulcemente.
De las puertas del cielo un grupo de ángeles asomó.

Me sonreían y yo les sonreí. No sentía temor.
Me dirigía a un hermoso hogar construido por mi Padre celestial.

Los ángeles me llevaban velozmente en medio de la Vía Láctea.
Llegamos a una ciudad brillante, donde los ángeles dan serenata.

Ahora puedo comprender las visiones, los sonidos y los secretos de la vida.
En cuanto llegué a este lugar, Jesús tomó mi mano.

Los amo y sé que son desdichados porque
no creceré en la Tierra.
Sin embargo yo soy feliz, soy amado, y los estoy esperando en estas calles
que brillan como el oro.

Los amo,

Colby

Apéndice

Organizaciones nacionales e internacionales que brindan información, asesoramiento, datos obtenidos en investigaciones y donaciones para la causa del SMSL y afines

~ *AGAST* "Alianza Para Abuelos" (*Alliance for Grandparents*)
Casilla de Correo 17281
Phoenix, AZ 85011
888-774-7437 o 800-793-7437
(Sandra Graben)
www.AGAST.org
e.mail: granmasids@aol.com

~ "Instituto Estadounidense del SMSL" (*American SIDS Institute*)
2480 Windy hill Rd, Suite 380
Marietta, GA 30067
800-232-7437
www.sids.org
e.mail: prevent@sids.org

~ "Asociación del SMSL y Programas de Mortalidad Infantil" (*Association of SIDS and Infant Mortality Programs*)
c/o Minnesota SIDS Center
2525 Chicago Ave. south
Minneapolis, MN 55404
www.asip1.org

~ "Centro de Ayuda a Quienes Perdieron Bebés en Nacimientos Múltiples" (*Center for Loss in Multiple Birth*)
c/o Jean Kollantai
P.O. 91377
Anchorage, AK 99509
907-222-5321
www.climb@pobox.alaska.net

~ "Fundación CJ para el SMSL" (*CJ Foundation for SIDS*)
Hackensack Univ. Medical Center
30 Prospect Avenue
Hackensack, NJ 07601
888-8CJ-SIDS o 201-996-5111
www.cjsids.com

~ "Amigos Solidarios" (*Compassionate Friends*)
Casilla de Correo 3696
Oak Brook, IL 60522-3696
630-990-0010
www.compassionatefriends.org

~ *"First Candle"*
1314 Bedford Ave. Ste 210
Baltimore, MD 21208
410-653-8226, 800-221-7437
www.sidsalliance.org
e.mail: sidshq@charm.net

~ "Centro Nacional de Información Acerca del SMSL" (*National SIDS Resource Center*)
2070 Chain Bridge Road, Ste 450
Viena, VA 22182
866-866-7437 (línea gratuita)
www.sidscenter.org
e.mail: sids@circsol.com

~"SHARE" "Grupo de Ayuda Para Padres que Perdieron un Hijo o un Bebé Durante el Embarazo" (*Pregnancy and Infant Loss Support Inc.*)
300 First Capitol Drive
St. Charles, MO 63301
636-947-6164
www.nationalSHAREoffice.com

~ "Servicios de Capacitación Acerca del SMSL" (*SIDS Educational Services*)
Casilla de Correo 2426, Hyattsville, MD 20784-0426
877-We Love You (877-935-6839)
301-322-2620 (fax. 301-322-9822)
www.sidssurvivalguide.org
www.dancingonthemoon.org
e.mail: sidses@aol.com

~"*SIDS Families*"
www.sidsfamilies.com
e.mail: jacobsmommy@sidsfamilies.com

~ "SIDS International"
www.sidsinternational.com.au

~ "Red del SMSL" (*SIDS Network*)
9 Gonch Farm Road
Ledyard, CT 06339
800-560-1454
www.sids-network.org
e.mail: sidsnet@sids-network.org

~ "Instituto de Investigación del SMSL de Southwest" (*Southwest SIDS Research Institute*)
Brazosport Memorial Hospital
100 Medical Drive
Lake Jackson, TX 77566
0-0-2814 800-245-SIDS
0-0-2815 www.swsids.hicd.com

~ "Programa de Ayuda Para Quienes Perdieron un Niño en Forma Súbita e Inexplicable" (*Sudden Unexplained Death in Childhood Program)*
(Programa de la Fundación CJ Para el SMSL)
800-620-SUDC
www.sudc.org
e.mail: info@sudc.org

Detenga los mensajes de correo electrónico

~Virginia SIDS Alliance

Puede ocurrir que usted reciba correo electrónico o llamadas no deseadas publicitando artículos para bebé. Si desea detener este acoso, escriba a las siguientes organizaciones y aclare que desea se eliminen sus datos de las listas. Detalle su nombre, domicilio y número telefónico. Verá los resultados en noventa días.

~ *"Mail Preference Service"*
Direct Marketing Association
Casilla de Correo 643
Carmel, NY 10512

~ *Telephone Preference Service*
Casilla de Correo 1559
Carmel, NY 10512

Bibliografía

Capítulo 1

1. Hoyert, D.L.; Freedman, M.A.; Strovino, D.M.; Guyer, B. "Resumen Anual de Estadísticas Demográficas: 2000" (*Annual Summary of Vital Statistics: 2000. Pediatrics 2001, 108, 1241-1255)*
2. Kemp, J.S. "Re inhalación de gases exhalados: Importancia como mecanismo de asociación causal entre la posición prona para dormir y el SMSL" *(Rebreathing of Exhaled Gases: Importance as a Mechanism for the Causal Association Between Prone Sleep and Sudden Infant Death Syndrome. Sleep 1996, 19, S263-S266)*
3. Kemp, J.S.; Livne, M. White, D.K.; Arfken, C.L. "Evaluación del peligro potencial de las superficies blandas en su relación con la re inhalación: Diferentes tipos de ropa de cama para los lactantes de alto riesgo de sufrir el SMSL" *(Softness and Potential to Cause Rebreathing: Differences in Bedding Used by Infants at High and Low Risk for Sudden Infant Death Syndrome. J. Pediatrics 1998, 132, 234-239)*
4. Panigraphy, A.; Filiano, J.; Sleeper, L.A. y col. "Disminución de la Unión al Receptor Serotonérgico en las Regiones del Bulbo Raquídeo Derivadas del Labio Rómbico en el Síndrome de Muerte Súbita del Lactante" *(Decreased Serotonergic Receptor Binding in Rhombic Lip-Derived Regions of the Medulla Oblongata in the Sudden Infant Death Syndrome. J. Neuropathol Exp Neurol 2000, 59, 377-384)*
5. Panigraphy, A.; Filiano, J.; Sleeper, L.A. y col. "Disminución de la Unión al Receptor de Cainato en el Núcleo Arcuato en el Síndrome de Muerte Súbita del Lactante" *(Decreased Kainate Receptor Binding in the Arcuate Nucleous of the Sudden Infant Death Syndrome. J. Neuropathol Experimental Neurol 1997, 56, 1253-1261)*
6. "Grupo de Estudio de la Posición de los Lactantes y el SMSL: La Posición y el SMSL" *(Task Force on Infant Positioning and SIDS; Positioning and Sudden Infant Death Syndrome SIDS: update. Pediatrics 1996, 98, 1216-1218)*
7. Mitchell, E.A.; Thach, B.T.; Thompson, J.M.D.; Williams, S. "El cambio en la posición para dormir a los lactantes aumenta el riesgo del SMSL" *(Changing Infants´ Sleep Position Increases Risk of Sudden Infant Death Syndrome. Arch. Pediatr. Adolesc. Med. 1999, 153, 1136-1141)*
8. "Grupo de Estudio de la Posición de los Lactantes y el SMSL: El colecho...¿Incrementa el riesgo del SMSL?" *(Task force on Infant Positioning and SIDS. Does Bed Sharing Affect the Risk of SIDS? Pediatrics 1997, 100, 272)*
9. "Grupo de Estudio de la Posición de los Lactantes y el SMSL:

Modificación Conceptual del SMSL. Relación del ambiente en el que duerme el lactante y la posición para dormir" *(Task Force on Infant Sleep Positioning and SIDS. Changing Concepts of SIDS: Implications for Infant Sleeping Environment and Sleep Position. Pediatrics 2000, 105, 650-656).*

Capítulo 3

1. Lighter, C.; Hathaway, N. "Palabras de Consuelo" *(Giving Sorrow Words. Warner Books: New York, 1990)*
2. Buechner, F. "Ilusiones: Un ABC Teológico" *(Wishful Thinking: A Theological ABC. Harper & Row: New York, 1990)*
3. Lewis, C.S. "Asumir el Dolor" *(A Grief Observed. Bantam Books: New York, 1976)*
4. Schwartz, L.Z. "Origen de los Sentimientos Maternos de Culpa en el SMSL: Relación con las Reacciones Psicológicas Normales de la Madre" *(The Origin of Maternal Feelings of guilt in SIDS: Relationship with the Normal Psychological Reactions of Maternity)*. "Síndrome de Muerte Súbita del Lactante: Mecanismos Cardiacos y Respiratorios e Intervenciones" *(Sudden Infant Death Syndrome: Cardiac & Respiratory Mechanisms and Interventions. New York Academy of Sciences: New York, 1988; pp 132-144)*
5. Schiff, H.S. "Padres en Proceso de Duelo" *(The Bereaved Parent. G.K. Hall & Company: Boston, MA; 1977)*
6. Ranney, M.D. "El SMSL y los Padres" *(SIDS and Parents)*. "Síndrome de Muerte Súbita del Lactante: ¿Quién Puede Ayudar y de Qué Forma?" *(Sudden Infant Death Syndrome: Who Can Help and How) Springer Publishing: New York, 1990.*
7. Spock, B. "Cuidado del Bebé y del Niño" *(Baby and Child Care. Pocket Books: New York, 1976)*
8. Beckwith, J.B. "Preguntas más frecuentes acerca del SMSL: Respuestas de un médico" *(Commonly Asked Questions About SIDS: A Doctor's Response) Colorado SIDS Program: Denver, CO, 1983.* (Folleto disponible en 6825 *East Tennessee Avenue, Building 1, Number 300, Denver, CO 80224-1631. 303-320-7771)*
9. Toder, F. "Cuando Muere su Hijo: Cómo aprender a Vivir otra vez" *(When Your Child is Gone: Learning to Live Again. Capital Publishing: Sacramento, CA, 1986)*
10. Epston, D. "Formas Poco Comunes y Novedosas de Enfrentar la Culpa" (*Strange and Novel Ways of Addressing Guilt)* Walsh, F-; McGoldrick, M. Eds. "Vivir después de la pérdida de un ser querido" *(Living Beyond Loss: Death in the Family. W.W. Norton & Co.; New York, 1991)*
11. Angelica, M. "Respuestas de la Madre Angélica: No promesas" *(Mother Angelica's Answers, Not Promises. Pocket Books. - Simon & Schuster: New York, 1987)*

Capítulo 4

1. Kushner, II.S. "Cuando sucede algo malo a una buena persona" (*When Bad Things Happen to Good People. Schocken Books: New York, 1981)*

2. Bramblett, J. "Cuando el adiós es para siempre: Cómo aprender a vivir nuevamente después del fallecimiento de un hijo" (*When Good-Bye is Forever: Learning to Live Again After the Loss of a Child. Ballantine Books: New York, 1991*)
3. Weiss, B.L. "Muchas vidas; Muchos maestros" (*Many Lives, Many Masters. Simon & Schuster: New york, 1988)*

Capítulo 5

1. Mandell, F.; Mc Anulty, E.; Reece, R.M. "Observación de las respuestas de los padres a la muerte súbita y anticipada de un hijo" (*Observations of Paternal Responses to Sudden and Anticipated Infant Death. Pediatrics 1980, 65, 221-225)*
2. Staudacher, C. "El dolor de un hombre: Guía para aquellas personas que intentan superar el fallecimiento de un ser amado" *(Men and Grief: A Guide for Men surviving the Death of a Loved One. New Harbinger Publications: Oakland, CA, 1991)*
3. Bramblet, J. "Cuando el adiós es para siempre: Cómo aprender a vivir nuevamente después del fallecimiento de un hijo" *(When Good-Bye is Forever: Learning to Live again After the Loss of a Child. Ballantine Books: New York, 1991)*
4. Biebel, D. "Jonathan, te has ido muy pronto" *(Jonathan, You Left Too Soon. Thomas Nelson: Nashville, TN, 1981)*

Capítulo 6

1. Isle, S.; Burns, L.H.; Erling, S. "El duelo de un hermano" (*Sibling Grief); "*Centro de ayuda a quienes perdieron un niño o un bebé durante el embarazo" (*Pregnancy and Infant Loss Center: Wayzata, MN, 1984.* Puede obtenerse un ejemplar en *1421 East Wayzata Boulevard, Suite 40, Wayzata, MN 55391, 612-473-9372)*
2. Fitzgerald, H. "El niño en período de duelo: Guía para padres" *(The Grieving Child: A Parent's Guide. Simon & Schuster. New York, 1992)*
3. Skeie, E. "Summerland: Una historia acerca de la muerte y la esperanza" (*Summerland: A Story About Death and Hope. Brethren Press: Elgin, IL, 1989. Brethren Press, 1451 Dundee Avenue, Elgin, IL 60120)*

Capítulo 8

1. Moon RY, Patel KM; Shaefer SJ. "El Síndrome de Muerte Súbita del Lactante en instituciones de cuidado infantil" *(Sudden Infant Death Syndrome in Child Care Settings. Pediatrics 2000; 106:295-300)*
2. Mitchell EA; Thach BT; Thompson JMD; Williams S. "El cambio en la posición para dormir a los niños aumenta el riesgo del Síndrome de Muerte Súbita del Lactante" *(Changing Infants' Sleep Position Increases Risk of Sudden Infant Death Syndrome. Arch Pediatr Adolesc Med 1999; 153: 1136-1141)*
3. Moon RY; Biliter WM "Políticas relativas a la posición para dormir a los niños en centros autorizados de cuidado infantil con posterioridad a la campaña para que los bebés duerman boca arriba" *(Infant Sleep Position Policies in Licensed Child*

Care Centres After Back to Sleep Campaign. Pediatrics 2000; 106: 576-80)

4. Moon RY; Weese-Mayer DE; Silvestri JM. "El cuidado infantil durante la noche. Conocimientos, prácticas y políticas inadecuadas relativas a los factores de riesgo del SMSL" *(Night Time Child Care: Inadecuate SIDS Risk Factor Knowledge, Practice, and Policies. Pediatrics. In press)*
5. *American Academy of Pediatrics; American Public Health Association;* "El cuidado de nuestros hijos: Medidas de cumplimiento a nivel nacional acerca de salud y seguridad: Guías para el cuidado infantil fuera del hogar" (*Caring for Our Children: National Health and Safety Performance Standards: Guidelines for Out-of-Home Child Care. Elk Grove Village; IL: American Academy of Pediatrics)*
6. Moon RY; Biliter WM; Croskell SE. "Análisis de la reglamentación estatal acerca del sueño del lactante en centros autorizados de cuidado infantil y en el ámbito del hogar" (Examination of State Regulations Regarding Infants and Sleep in Licensed Child Care Centres and Family Child Care Settings. Pediatrics 2001; 107:1029-36)

Capítulo 10

1. "¿Ha pensado acerca de la planificación del funeral de su hijo?" (*Have you considered?... Planning Your Child's Service. SIDS Foundation de Washington, Seattle, WA, 1990.* Pueden obtenerse copias en el Hospital de Niños, Casilla de Correo 5371, Seattle WA 98105. 206-526-2110)
2. Menotti, G.C "Amahl y los visitantes nocturnos". (*Amahl and the Night Visitors. G. Schimer (ASCAP). New York. Copyright 1951. Schimer, Inc. (ASCAP).* Copyright internacional. Derechos Reservados. Impreso con autorización)

Capítulo 11

1.Woiwode, L. "Hijo primogénito" *(Firstborn. The New Yorker. Nov. 28, 1985)*

Capítulo 13

1. James, J.W.; Cherry, F. "Manual para superar el dolor: Programa gradual para comenzar a vivir después de la pérdida de un ser querido" (*Grief Recovery Handbook: A Step by Step Program for Moving Beyond Loss. Harper & Row: New York, 1988)*
2. Rawlings, M. "Más allá del umbral de la muerte" (*Beyond Death's Door. Bantam Books: New York, 1978)*

Capítulo 14

1. Day, K. "Módulo 85-2 de capacitación acerca del SMSL" (*SIDS Training Module 85-2; 1985.* Pueden obtenerse copias del folleto en el Departamento de Policía del Municipio de *Prince George, 7600 Barlowe Road, Landover, MD 20785)*
2. *"Pennsylvania SIDS Center"* publica varios estudios y protocolos para los oficiales de policía y otros encargados del servicio de emergencias. Comunicarse por escrito a *Pennsylvania*

SIDS Center, 834 Chestnut Street, Suite 200, Philadelphia, PA 19107-5127

Capítulo 15

1. Spitzer, A.R.; Gibson, E. "Monitoreo Domiciliario" (*Home Monitoring. Clin. Perinatol. 1991, 19, 907-926)*. Comunicarse personalmente.
2. Davidson Ward, S.L.; Keens, T.G.; Chan, L.S.; Chipps, B.E.; Carson, S.H.; Deming, D.D.; Krishna, V.; MacDonald, H.M.; Martin, G.I.; Meredith, K.S.; Merrit, T.A.; Nickerson, B.G.; Stoddard, R.A.; Van der Hal, A.L. "El Síndrome de Muerte Súbita del Lactantes en niños evaluados en programas de estudio de apneas en California" *(Sudden Infant Death Syndrome in Infants Evaluated by Apnea Programs in California. Pediatrics 1986, 77, 451-458)*
3. Kelly, D.H. "El monitoreo domiciliario y el Síndrome de Muerte Súbita del Lactante" (*Home Monitoring for the Sudden Infant Death Syndrome)* . Schwartz, P.J.; Southall, D.J.P.; Valdes-Dapena, D.M. "Síndrome de Muerte Súbita del Lactante: Mecanismos cardiacos y respiratorios e intervenciones" (*The Sudden Infant Death Syndrome: Cardiac and Respiratory Mechanisms and Interventions. New York Academy of Sciences: New York, 1988, pp 158-163)*
4. Meny, R.; Blackmon, L.; Fleischmann, D; Gutberlet, R.; Naumburg, E.G. "Muerte Súbita del Lactante y Monitores Domiciliarios" (*Sudden Infant Death and Home Monitors. American Journal of Diseases of Children 1988, 142, 1037-1040)*
5. Kandall, S.R.; Gaines, J.; Habel, L; Davidson, G.; Jessop, D. "Relación del consumo materno de drogas con los casos de Síndrome de Muerte Súbita del Lactante en su hijo" *(Relationship of Maternal Substance Abuse to Subsequent Sudden Infant Death Síndrome in Offspring. J. Pediatr. 1993, 123, 120-126)*
6. Malloy, M. "Tendencias en los fallecimientos a causa de la aspiración post neonatal y reclasificación del Síndrome de Muerte Súbita del Lactante: Impacto del programa para que los bebés duerman boca arriba" *(Trends in Postneonatal Aspiration Deaths and Reclassification of Sudden Infant Death Syndrome: Impact of the "Back to Sleep" Program. Pediatrics 2002, 109, 661-665)*

Capítulo 18

1. Arnold, J.H.; Gemma, P.B. "Cuando fallece un hijo: Retrato del dolor familiar" *(A Child Dies: A Portrait of Family Grief. Aspen Systems Corporation. Rockville, MD, 1983)*

Lectura sugerida

En idioma español

~ Jenik A; Cowan S; "Muerte Súbita del Lactante... ¿Cómo proteger a los niños durante el sueño?" Salud Perinatal. Centro Latinoamericano de Perinatología y Desarrollo Humano CLAP 1998 Dic; 17:41-44

~ "Nuevas recomendaciones para la disminución del riesgo del Síndrome de Muerte Súbita del Lactante". Grupo de Trabajo en Muerte Súbita del Lactante de la Sociedad Argentina de Pediatría . Arch argent pediatr 2000; 98 (4)

~ Jenik A. "Colecho y Síndrome de Muerte Súbita del Lactante: una recomendación conflictiva". Arch argent pediatr 2001; 99 (3): 228

~ Jenik A et al. "Recomendaciones sobre Eventos de Aparente Amenaza a la Vida (ALTE)" Grupo de Trabajo en Muerte Súbita del Lactante. Arch argent pediatr 2001: 99 (3): 575

~ Jenik A; Rocca Rivarola M. "Síndrome de Muerte Súbita Infantil... ¿Es posible disminuir el riesgo?" Arch argent pediatr 1995: 93,7

~ "Síndrome de la Muerte Súbita del Lactante-Libro Blanco 2ª Edición" Grupo de Trabajo para el Estudio y Prevención de la Muerte Súbita Infantil de la Asociación Española de Pediatría).

~ Rocca Rivarola M. Síndrome de Muerte Súbita del Lactante en Argentina: resultados de los primeros años de estudio. An. Esp. Pediatr. 1997 abril; supl. 92:16-7.

~ Cafferata ML, Althabe F, Belizan JM, Cowan S, Nelson EAS. Posición al dormir en hospitales de América Latina y el Caribe para la prevención del síndrome de muerte súbita del lactante Grupo de Estudio sobre Consejos en las maternidades (MAS Study Group) para América Latina y el Caribe.

~ Rocca Rivarola M, Jenik A., et al. Eventos de Aparente Amenaza a la Vida. Experiencia de un enfoque pediátrico interdisciplinario. Arch argent.pediatr 1995;93:85-91.

~ Jenik A. Eventos de Aparente amenaza a la vida (ALTE.) Guía de Seguimiento del Recién Nacido de Riesgo.Unidad Coordinadora Ejecutora de Programas Materno Infantiles y Nutricionales. Noviembre de 2001. Ministerio de Salud Presidencia de la Nación.

~ Jenik A y Ceriani Cernadas JM. La alimentación a pecho como factor de prevención para el Síndrome de Muerte Súbita del Lactante: acuerdos y controversias. Arch argent.pediatr. En Prensa.2004.

~ Aspres N, Boccaccio C, Jenik A. Medio Ambiente y Pausas de Crianza. Guía de Seguimiento del Recién Nacido de Riesgo.Unidad Coordinadora Ejecutora de Programas Materno Infantiles y Nutricionales. Noviembre de 2001. Ministerio de Salud Presidencia de la Nación.

~ Jenik A . Síndrome de Muerte Súbita del Lactante y Eventos de Aparente Amenaza a la Vida. Cap 35. Ceriani Cernadas. Neonatología Práctica. 3 edición. Editorial Médica Panamericana. Buenos Aires. Argentina

~ Rocca Rivarola M. Síndrome de Muerte Súbita del Lactante. Programa Nacional de Actualización Pediátrica de la Sociedad Argentina de Pediatría. 1998. Módulo 1. Buenos Aires. Argentina.

En idioma inglés

~ Arnold, J.H.; Gemma, P.B. “A Child Dies: A Portrait of Family Grief”; Charles Press; Philadelphia, PA; 1994. Analiza los efectos producidos por el fallecimiento de un niño en una familia

~ Finkbeiner, A.K. “After the Death of a Child: Living Through the Years”; Free Press, Simon & Schuster, New York, 1996. Analiza los efectos que produce a largo plazo el fallecimiento de un niño. Confirma los lazos que existen entre padres e hijos más allá de la muerte

~ Fritsch, J; Ilse, S “Anguish of Loss: Visual Expressions of Grief and Sorrow” Wintergreen Press: Long Lake, MN 1995. Cómo se expresan las emociones y los sentimientos que aparecen luego del fallecimiento de un bebé

~ Gemmill, D.R. “Beginning Again: SIDS Families Share their Hopes, Dreams, Fear, and Joy” Beachcomber Press; Escondido CA; 1995. Analiza los pensamientos de los padres que intentan superar el fallecimiento de un hijo a causa del SMSL

~ Gemmill, D.R. “Getting Through Grief: From a Parents Point of View: Living After Your Baby Has Died”, Beachcomber Press: Escondido, CA, 1996. Relata la historia de una familia luego del fallecimiento de un bebé a causa del SMSL

~ Grollman, E.A. "Talking About Death: A Dialogue Between Parent and Child" Beacon Press; Boston, MA, 1991. Guía para padres para explicar a los hijos el fallecimiento de un hermano. Incluye un apartado para niños y una guía de referencias.

~ Hacket, D; Bevington, K. "Now childless"; Compassionate Friends: Oak Brook, IL, 1990. Una obra breve acerca del proceso de duelo. Analiza sentimientos como el enojo.

~ Ilse, S. "Single Parent Grief" : A Place to Remember, Saint Paul, MN, 1994, 612-645-7045. Analiza todos los sentimientos que surgen cuando un padre sólo pierde a su bebé.

~ "Journal of Sudden Infant Death Syndrome and Infant Mortality", Roeder, Lois, Ed; Plenum Publishing: 233 Spring St, NY, NY 10013-1578. Fax: 212-807-1047.

~ Littrell, L. "A Little Fring is Gone: A Book for Kids Dealing with SIDS" Colorado SIDS Program: Denver, CO; 1994; 303-320-7771.

~ Mehren, E. "After the Darkest Hour the Sun Will Shine Again: A Parents Guide to Coping with the Loss of a Child", Fireside Book of Simon & Schuster, New York 1997. Presenta testimonios acerca de la supervivencia luego del fallecimiento de un hijo.

~ Morawetz, D. "Go Gently: A Parent's Grief", Johnson, J; Ed; Centering Corporation: Omaha, NE, 1991. Analiza el duelo de un padre según su experiencia personal.

~ "The National Directory of Bereavement Support Group and Services", 1996 Ed,: Wong, M.M.; Ed,: ADM Publishing: Forest Hills; NY, 1996. Presenta una nómina de 1600 organizaciones regionales y grupos de apoyo, así como números telefónicos de ayuda. También incluye artículos escritos por familias en proceso de duelo.

~ Roper, J. (Ilustraciones de Grimm, Lauren) "Dancing on the Moon" SIDS Educational Services,Inc. Cheverly, MD, 2001. Brinda alivio a niños en proceso de duelo que han perdido a un hermano menor. Bellamente ilustrado.

~ Schaefer, D,: Lyons, C "How Do We Tell the Children? Helping Children Understand and Cope with Separation and Loss"; Centering Corporation: Omaha, NE, 1994. Analiza los pensamientos de los niños acerca de la muerte. Incluye una guía orientadora para explicar a un niño la muerte.

~ Schwiebert, P.; Kirk, P. "Still To Be Born: A Guide for Bereaved Parents Who Are Making Decisions About Their Future" Perinatal Loss: Portland, OR, 1993. Analiza los sentimientos que surgen después de sufrir el fallecimiento de un ser amado; las decisiones acerca del futuro; algunas consideraciones médicas y el modo de afrontar un nuevo embarazo.

~ Sims, D.D. "Why Are the Casseroles Always Tuna? A Loving Look at the Lighter Side of Grief". Big A and Company: Albuquerque, NM, 1992. Presenta con un toque de humor un punto de vista sensible acerca del proceso de duelo.

~ Staudacher, C "Men and Grief" New Harbinger: Oakland, CA; 1991. Analiza el proceso de duelo y ofrece asesoramiento. Constituye un buen material de referencia para profesionales.

~ New Horizon Press: Far Hills, NJ, 1992. Relata la historia de un niño luego del fallecimiento de su hermana y el desarrollo de su proceso de duelo.

~ Diego County; Powry, CA, 1994; 619-222-9662. Presenta variada información acerca del SMSL y del proceso de duelo. Incluye poemas y testimonios escritos por padres y familiares.

~ Wiersbe, D.W. "Gone But Not Lost: Grieving the Death of a Child" Centering Corporation, Omaha, NE, 1992. Presenta un punto de vista muy religioso acerca del fallecimiento de un hijo.

~ Wolfelt, A.D. "A Child's View of Grief" Companion Press: Fort Collins, CO; 1991. Constituye un excelente material de referencia acerca del duelo de un niño. Ofrece recomendaciones para los adultos. Carece de información relativa a diferentes edades.

La lectura sugerida en idioma inglés ha sido compilada por Elsa L. Weber, MS, CHES. Algunas de las obras mencionadas han sido agregadas a la lista por los editores de "Cómo aceptar la muerte súbita e inesperada de un niño". La mayoría de estas obras de referencia han sido extraídas de la base de datos del programa "California SIDS Program". Puede consultar el apéndice Bibliografía para obtener mayor referencia sobre el tema.

Acerca de Joani Horchler

Joani Nelson Horchler ha dedicado su carrera profesional a la investigación, la composición escrita y los discursos públicos. Trabajó como editora asociada y escritora de la publicación *"Industry Week"*, donde enfatizó en temas de política pública y gestión. Muchos de sus artículos fueron elegidos y reproducidos en publicaciones de mayor alcance como *"The Washington Post"*. Viajó por el mundo con el *"National Press Club"*. Fue jefa de editores de una publicación de su comunidad así como del periódico semanal de la universidad. Trabajó para el Senador de los Estados Unidos de América Thomas Daschle y el ex senador James Abourezk. Fue una de las fundadoras de un grupo de teatro musical infantil sin fines de lucro, llamado *"Cheverly Young Actors' Guild"* y es la presidente de dicha organización. Actualmente Joani trabaja como directora ejecutiva de *"SIDS Educational Services"*, un grupo pequeño sin fines de lucro dedicado a ayudar a aquellas familias que comienzan a transitar su período de duelo. Joani y su esposo Gabe tienen cinco hijas: Ilona, Gabrielle, Julianna; Genevieve y Stephanie, y un hijo llamado Christian que falleció a causa del Síndrome de Muerte Súbita del Lactante en el año 1991 a los dos meses de edad.

~

Acerca de Robin Rice

Robin Rice es escritora, organizadora de talleres y una shamán contemporánea. Madre de dos hijas, es la autora del libro *"The American Nanny"*, una columna para padres de la revista *"Sesame Park"*. Robin es además ensayista del libro *"Discovering Matherhood"*. Sus últimas obras incluyen la premiada y aclamada novela *"A Hundred Ways to Sunday"* y su CD *"A hundred Ways To Sunday Guided Drumming Journey"*.

Robin dicta seminarios acerca de temas como la autenticidad, la cura espiritual y el desarrollo intuitivo basado en el estilo de vida "Soy Como Soy" (*Be Who You Are*). Dicta clases particulares de espiritualidad shamaní y de recuperación de la fuerza vital, en las cuales aplica técnicas indígenas de curación para ayudar a quienes sufrieron una pérdida importante o un cambio en su vida. Si desea conocer en mayor detalle la obra de Robin Rice, puede visitar su página web www.BeWhoYouAre.com

Dancing on the Moon

Brinda consuelo a niños en duelo y a sus padres

Janice Roper (madre de Daniel C. Roper IV, quien falleció a causa del Síndrome de Muerte Súbita del Lactante)

Ilustraciones de Lauren Grimm

No es muy frecuente encontrar un libro de semejante belleza y poder. Ha sido elogiado por medios de comunicación, asesores y pediatras. Las escuelas lo han comprado en masa... "Dancing on the Moon" es un regalo para aquellos padres y un consuelo para aquellos niños que transitan el período de duelo.

Luego del fallecimiento de su hermano Nigel, la pequeña de cinco años de edad, Carly, viaja a la luna para buscarlo. Con dulzura, Nigel le explica que ya está con ella. El libro es auspiciado por la organización "Maryland Center for Infant and Child Loss". Algunas de sus características son su presentación en tapa dura, su sobrecubierta y sus ilustraciones en color. El libro es un verdadero tesoro y un obsequio perfecto.

Puede ordenar la edición en idioma inglés de "Dancing on the Moon". Comuníquese telefónicamente con nuestra línea gratuita en E.U.A. 1-877-We-Love-You o a la línea internacional 301-322-2620 o al fax 301-322-9822 o a la dirección:
SIDS Educational Services Inc. (SIDS-ES)
Casilla de Correo 2426 Hyattsville, MD 20784-0426
o puede visitar nuestra página web **www.sidssurvivalguide.org** o enviarnos un correo electrónico a **sidses@aol.com**
Se aceptan VISA y Mastercard -También puede adquirirse en librerías.

Solicite información a SIDS-ES para conmemorar a su bebé donando copias del presente libro a grupos de apoyo, bibliotecas, hospitales, centros de cuidado infantil, etc.

Si lo desea, puede adjuntar una etiqueta de conmemoración de su bebé y agregarle una fotografía que será adherida sin costo en la tapa interior.

Orden de pedido o de auspicio al libro "Dancing on the Moon"

Nombre ______________________

Organización ______________________

Domicilio ______________________

Ciudad ______________ Estado ______________

Código Postal ______________ Teléfono ______________

Fax ______________ E.mail ______________

«Cómo aceptar la muerte súbita e inesperada de un niño »

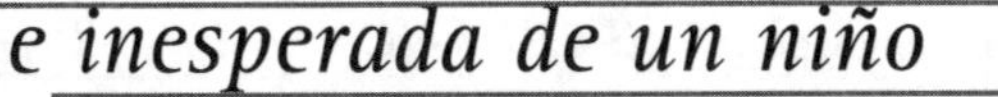

(SIDS & Infant Death Survival Guide)

Información y apoyo para familias en proceso de duelo y para amigos y profesionales que desean ayudarlos

Puede ordenar para usted una copia del presente libro en conmemoración de su bebé o donar una copia a una familia que comienza a transitar su período de duelo. Asimismo, puede donar copias a grupos de apoyo, bibliotecas, hospitales y servicios de emergencia.

Su donación a través de SIDS-ES –organización sin fines de lucro 501 (c) (3) está exenta de impuestos y nos permite continuar imprimiendo esta edición limitada.

Si lo desea, puede adjuntar una etiqueta de conmemoración de su bebé y agregarle una foto que será adherida en la tapa interior. Si tiene alguna pregunta, puede comunicarse al 877-We-Love-You o al 301-322-2620 o escribirnos un correo electrónico a **sidses@aol.com**

Para obtener información acerca de cómo solicitar copias de "Cómo aceptar la muerte súbita e inesperada de un niño" en idioma inglés o español comuníquese telefónicamente con nuestra línea gratuita en E.U.A. 1-877-We-Love-You o a la línea internacional 301-322-2620 o al fax 301-322-9822 o a la dirección:
SIDS Educational Services Inc. (SIDS-ES).
Casilla de Correo 2426 Hyattsville, MD 20784-0426
O puede visitar nuestra página web **www.sidssurvivalguide.org** o enviarnos un correo electrónico a **sidses@aol.com**

Pueden obtenerse descuentos por la compra de determinada cantidad de copias.

Se aceptan VISA y Mastercard – También puede adquirirse en librerías.

Solicitud de pedido

Nombre____

Organización___________________________________

Domicilio______________________________________

Ciudad__________________ Estado__________________

Código Postal_____________ Teléfono________________

Usted puede rendir tributo donando una copia de «Cómo aceptar la muerte súbita e inesperada de un niño» a una familia que inicia su proceso de duelo

(También puede donar copias a las organizaciones abocadas al SMSL, a una biblioteca, hospital, servicio de emergencias, institución dedicada al cuidado infantil, etc.).

La donación a través de SIDS-ES -asociación sin fines de lucro 501 (c)- estará exenta de impuestos. Su compra nos ayuda a financiar la edición del presente libro.

En conmemoración de
Ellie Anna Elaine Gronseth
(17/10/96 - 2/12/96)

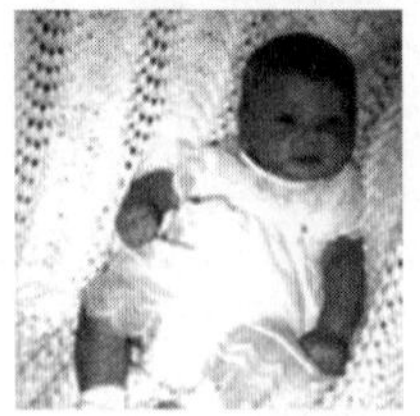

Donado por Rhonda y Scott Gronseth
Esperamos que este libro les brinde consuelo en momentos tan difíciles

Se imprimirá una etiqueta con el tributo al bebé fallecido en la tapa interior de cada libro donado. Si usted desea que se imprima una fotografía del bebé, debe enviarnos una fotografía color o blanco y negro. Procure que no sea su única copia de esa fotografía. Nosotros procuraremos devolver la fotografía luego de copiarla. Si tiene alguna duda o desea formular alguna pregunta, por favor contáctese con 877-We-Love-You o al 301-322-2620 o a nuestra casilla de correo **sidses@aol.com**

Orden de pedido de "Cómo aceptar la muerte súbita e inesperada de un niño"

Nombre ____________________
Título ____________________
Organización ____________________
Domicilio ____________________
Ciudad __________ Estado __________ Cód. Postal __________
Teléfono __________ Fax __________
En conmemoración de ____________________
Fecha de nacimiento y de defunción ____________________
Relación con el bebé ____________________

Costo del envío: U$ 4 **Copias adicionales: U$ 2 por copia**

Por favor complete el texto de la etiqueta (puede utilizar como ejemplo el modelo)

Envíe la órden de pedido con cheque adjunto a **SIDS-ES, P.O. Box 2426, Hyattsville, MD 20784-0426. Teléfono: 301-322-2620; Fax: 301-322-9822; employer ID # 52-1865635.** Se aceptan las tarjetas VISA o MasterCard. Envíe (telefónicamente o por correo electrónico) el Nº de su tarjeta; firma y fecha de vencimiento. Para obtener más información, visite **www.sidssurvivalguide.org** o envíenos un correo electrónico a **sidses@aol.com**

Honor Your Baby by Sponsoring a SIDS & INFANT DEATH SURVIVAL GUIDE *for a newly bereaved family*

(or for a SIDS support group, library, hospital, emergency responder, day-care facility, etc.)

Your donation through SIDS-ES, a nonprofit charitable 501(c) (3) organization, is tax-deductible. Your purchases help this limited edition book stay in print.

Labels with your tribute will be placed on the inside cover of each book you sponsor.

If photo label is desired, include a color or b&w photo (not a negative) that is NOT your only copy. We will try to return the photo to you after we scan it onto the label. Questions? Call 877-We-Love-You or 301-322-2620 or email sidses@aol.com

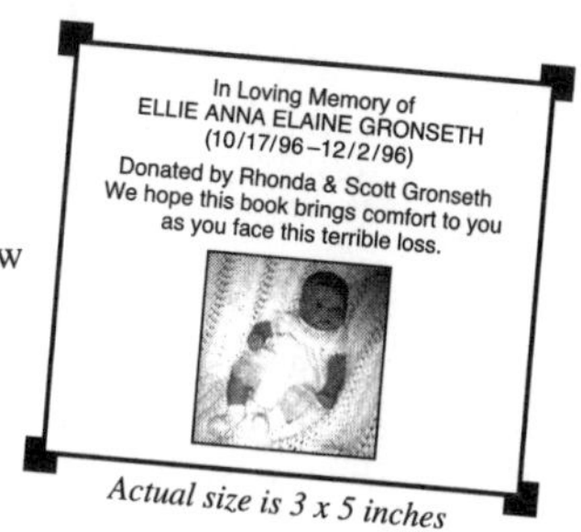

Actual size is 3 x 5 inches

SIDS & Infant Death Survival Guide Sponsorship Form

Your Name: ____________________

Title: ____________________

Organization: ____________________

Address: ____________________

City: __________ State: ____ Zip: ________

Phone: __________ Fax: __________

Your tax-deductable sponsorship:

☐ Individual Copies @ $16.95 ea: $________

☐ Set(s) of 8 copies @ $100/set: $________

☐ 100 Copies, a $1,000 donation: $________

Postage/Handling $4 1st book, $2 ea. add'l $______

(free on orders of 8 or more) **TOTAL** ________

Please indicate # of books for each:

☐ Local Library ☐ SIDS Support Group

☐ Self (not tax-deductible) ☐ Other

Organization #1: ____________________

____

Organization #2: ____________________

____

In Memory of: ____________________

Birth date/death date: ____________________

Your relationship to baby: ____________________

Please write what you want your labels to say. (You may want to use the wording on the sample label above, substituting your own baby's name & dates & sponsors' names. Include separate page if necessary.)

____

____

____

____

Send order form with check to SIDS-ES, P.O. Box 2426, Hyattsville, MD 20784-0426. Phone 301-322-2620; fax 301-322-9822; employer ID # 52-1865635 VISA and MasterCard accepted. Call or mail card #, signature, exp.date. More information: www.sidssurvivalguide.org or email sidses@aol.com

SIDS & Infant Death Survival Guide

Information & Comfort for Grieving Family & Friends & Professionals Who Seek To Help Them

Order Form

(This book may also be ordered through bookstores or at www.sidssurvivalguide.org, or www.dancingonthemoon.org.)

☐ Please send me______copies at $16.95 each plus $3 book rate postage/handling for the first book and 75 cents each additional book. For special Priority Mail (usually 2-day) service, send $4.95 for the first book and $2 each additional book. Maryland residents must add 5% sales tax.

INTERNATIONAL ORDERS: Please e-mail sidses@aol.com for updated information and for quantity discounts. Or send $5 p/h for the first book and $2 for each additional book to be sent by surface mail to anywhere outside of the United States—Or $10 airmail p/h for the first book and $2 each additional book to be air-mailed outside of North America, and $5.50 airmail p/h for the first book sent to Canada or Mexico and $2 each additional book. Please send international postal money orders where possible—If checks are sent, they must be in U.S. currency drawn on a U.S. bank.

My check/money order for $__________ is enclosed.
(Sorry, no COD or billing available.) VISA & MasterCard accepted.
Call us or mail card #, signature, and expiration date.

☐ Please send me information on multiple order (5+) discounts.

Name ______________________________

Organization ______________________________

Address ______________________________

City, State, ZIP ______________________________

Phone ______________________________

Send check or money order to: SIDS Educational Services, P.O. Box 2426, Hyattsville, MD 20784-0426
For more information, go to www.sidssurvivalguide.org or e-mail sidses@aol.com or call 877-We-Love-You or 301-322-2620 (fax 322-9822).

SIDS Educational Services is a nonprofit, charitable organization with 501(c)(3) status. Our federal employer ID # is 52-1865635.

Dancing on the Moon

Provides Comfort to Grieving Children and their Parents

By Janice Roper
(mother of Daniel C. Roper IV, who died of SIDS)
With illustrations by Lauren Grimm

It's not every day that a book of this beauty and power comes along. Praised by the media, lauded by leading grief counselors and pediatricans, snapped up en-masse by school systems for guidance counselors…*Dancing on the Moon* is a gift to parents and a comfort to grieving children.

After her baby brother Nigel's death, five-year-old Carly flies to the moon to get him back. With tenderness, Nigel explains that he's already with her. Sponsored by the Maryland Center for Infant and Child Loss, this hardcover, dust-jacketed book is colorfully illustrated in oils for coffee-table quality. It's a treasure…the perfect gift.

Order through bookstores or at www.dancingonthemoon.org, (website discount available) or e-mail sidses@aol.com. Or call toll-free 877-We Love You (877-935-6839) or 301-322-2620 (Fax: 301-322-9822). VISA and MasterCard are accepted. Or use the order form provided below.

If you desire, "In Loving Memory of…" labels—with a tribute to your loved one and, if desired, a color or black and white photo—will be included free with your order. Questions? E-mail or call the above addresses and numbers.

DANCING ON THE MOON Order/Sponsorship Form

Your name: ______________________

Organization: ______________________

Address: ______________________

City: ______________ State: __________ Zip: __________

Phone: ______________ Fax: ______________

E-mail: ______________________

YOUR TAX-DEDUCTIBLE SPONSORSHIP:

Individual copies @ $20.00 each: __________

Add $5 per book priority shipping: __________

Sets of 6 copies @ $100 per set: __________

75 copies @ $1,000 donation: __________

(With orders of $100 and above, ship free to one address—Add $3.50 per book non-priority or $5.00priority to each additional address.)

Individual copies for self @ $19.95 each (not tax deducible) __________

If not to you, where should the book(s) be sent? (Please use a separate page.)

In memory of: ______________________

Birth/death dates: ______________________

What would you like your labels to say? (Please use a separate page.)

Send order form with check to below address or use your VISA or MasterCard:

Card# ______________________ Exp.Date: __________

Signature: ______________________

SIDS-ES, P.O. Box 2426, Hyattsville, MD 20784-0426 • Toll-free 877-We Love You

Apuntes

Apuntes

Apuntes